CW00959333

Édouard BLED
Directeur honoraire de collège à Paris

Odette BLED
Institutrice honoraire à Paris

Lauréats de l'Académie française

BLED

6e / 5e

Orthographe
Conjugaison
Vocabulaire
Mémento grammatical

Nouvelle édition 2009
assurée par Daniel Berlion
Inspecteur d'académie honoraire

hachette
ÉDUCATION

Couverture : Altavia
Mise en page : Nicolas Balbo

ISBN 978 2 01 125512 9

© HACHETTE LIVRE 2009
43, quai de Grenelle, 75905 Paris Cedex 15

www.hachette-education.com

Tous droits de traduction, de reproduction et d'adaptation réservés pour tous pays.

Avant-propos

L'APPRENTISSAGE DE L'ORTHOGRAPHE exige des efforts patients, persévérants et ordonnés. C'est cette démarche qu'adoptèrent Mme et M. Bled dans tous leurs ouvrages ; nous avons tenu à conserver cette ligne de conduite qui a assuré le succès de la collection. La rigueur, l'exhaustivité, la clarté de la présentation, la formidable somme d'exercices (plus de 700 pour cet ouvrage !) que l'élève doit aborder avec méthode et détermination, tous les utilisateurs du *Bled* retrouveront ces qualités qui structurent un enseignement difficile pour le maître et un apprentissage laborieux pour l'élève. Alors pourquoi une refonte puisque la permanence de ces valeurs n'échappe à personne ?

Depuis la date de la première édition – 1946 – les conditions d'enseignement ont changé, la didactique orthographique a mis en évidence certains faits qui permettent de mieux soutenir l'effort de l'élève. L'accent porte sur les difficultés figurant dans les programmes, même si des extensions seront proposées car, sur de nombreux points, certains élèves sont à même de poursuivre leurs apprentissages à partir des bases qui leur sont données. En somme, nous avons voulu offrir à l'élève le plus en difficulté un ouvrage qui lui permette de reprendre confiance, et, à l'élève le plus avancé dans ses apprentissages, une possibilité de perfectionner son orthographe.

Nous avons également actualisé le vocabulaire pour placer l'élève devant des situations qu'il rencontrera quotidiennement : la télévision, Internet, la vidéo, le sport, les moyens de transport, les modes alimentaires, les avancées technologiques, les loisirs, les voyages, bref tous les centres d'intérêt d'un jeune d'aujourd'hui servent de support aux exemples et exercices.

Au-delà des notions orthographiques traditionnellement abordées (une large place est réservée aux formes homophones, sources de nombreuses erreurs), nous proposons un **mémento grammatical** accompagné d'exercices qui permettront aux élèves de s'approprier les notions grammaticales indispensables pour écrire correctement. Ils seront conduits à identifier la nature et la fonction des mots pour qu'ils puissent appliquer les règles qui président aux différents accords de la phrase.

L'étude de la conjugaison a une grande importance parce que le verbe est le mot essentiel de la proposition. L'élève doit se familiariser avec ses formes multiples, tant pour acquérir une bonne orthographe que pour construire des phrases correctes. Tous les temps figurant aux programmes des classes de 6e et 5e sont étudiés pour les verbes d'usage courant, même s'ils présentent des formes irrégulières.

Enfin, nous avons réservé quelques leçons au vocabulaire pour que les élèves découvrent les règles de formation des mots et les différents problèmes que pose la polysémie. Ils enrichiront ainsi leurs possibilités d'expression.

Pour permettre un usage aussi flexible que possible de l'ouvrage, toutes les leçons se présentent sous une forme identique. Chaque règle est généralement accompagnée de renvois à d'autres notions pour que, peu à peu, les élèves structurent leur apprentissage. Les exercices, de difficulté croissante, gagneront à être copiés avec soin.

À travers l'apprentissage de l'orthographe, c'est en fait la maîtrise de la langue que nous visons ; si l'élève est à l'école de la rigueur et de la correction, il automatisera progressivement son orthographe et sera ainsi plus attentif à tous les problèmes que pose une expression personnelle, puisque c'est évidemment l'objectif ultime : **mettre l'orthographe au service de l'expression de l'élève.**

Daniel BERLION

Sommaire ....

Conjugaison 137

Vocabulaire 197

Mémento grammatical 219

ANNEXES

ALPHABET PHONÉTIQUE

voyelles

[a]	patte	[œ]	meuble
[ɑ]	pâte	[ø]	feu
[e]	été	[u]	fou
[ɛ]	forêt	[y]	rue
[ə]	me	[ɑ̃]	enfant
[i]	midi	[ɔ̃]	bon
[ɔ]	or	[ɛ̃]	train
[o]	eau	[œ̃]	brun

consonnes

[b]	bateau	[p]	papier
[d]	début	[ʀ]	rare
[f]	fraise	[s]	salle
[g]	gare	[ʃ]	chat
[k]	cou	[t]	table
[l]	lapin	[v]	voile
[m]	mère	[z]	zéro
[n]	nourrir	[ʒ]	jeu
[ɲ]	agneau		

semi-voyelles ou semi-consonnes

[j]	yeux	[ɥ]	huile	[w]	oui

Les exercices sont classés en trois niveaux de difficultés.

 FACILE   MOYEN   DIFFICILE

Orthographe
lexicale

Les accents – le tréma

Leçon 1re

RÈGLE

1. L'accent aigu se place uniquement sur la lettre « e » qui se prononce alors [e].
Rémi apprécie les émissions de télévision, surtout les séries.

2. L'accent grave se place souvent sur la lettre « e » qui se prononce alors [ɛ].
Nadège prend sa règle pour tracer des lignes parallèles.
On trouve parfois un accent grave sur les lettres « a » et « u ».
Je vais à la piscine où je retrouve mes camarades.

3. L'accent circonflexe se place sur la lettre « e » prononcée [ɛ].
Pour la fête de la musique, chacun peut se mêler à la foule des amateurs.
On trouve un accent circonflexe **sur les autres voyelles**, sauf « y ».
un bâton – une île – le trône – la voûte
Lorsqu'une **consonne est doublée**, il n'y a **jamais d'accent sur la voyelle qui précède**.
une pierre – la pression – commettre – un ballon
Inversement, **la consonne qui suit une voyelle accentuée n'est jamais doublée**.
la bière – la tête – mélanger – un hôtel
Exception : *un châssis* (et les mots de la même famille).

4. Le tréma, souvent placé sur la lettre « i », indique que l'on doit **prononcer séparément ce « i »** et la voyelle qui le précède.
La salade de maïs est présentée sur un plat en faïence.

Voir « Les consonnes doubles », pp. 26-27.

---

1 Copiez ces mots en complétant, si nécessaire, avec des accents aigus ou des accents graves.

un metre	mettre	l'ecole	un frere	fermer
une seance	un cheque	une rangee	la lessive	se mefier
un proces	apercevoir	pretendre	une sorciere	un nerf
un detour	une planete	la creme	une epingle	la scene
une espece	se regaler	un detail	une piece	un etang

2 Copiez ces mots en complétant avec des accents aigus ou des accents circonflexes. Vous pouvez utiliser un dictionnaire.

une guepe	decider	un ancetre	necessaire	honnete
la reparation	beler	etrange	une arete	la variete
un tetard	un belier	un eveque	reflechir	un resultat
une depeche	un recit	une treve	un pieton	un pret
supreme	un leopard	une bete	le dejeuner	le genet

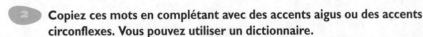

Copiez les phrases en plaçant correctement les accents oubliés.

Dans cette foret, les bucherons ont abattu plusieurs chenes centenaires qui seront bientot debites en planches. – Le roseau parait frele, mais sa resistance a la tempete est surprenante : il plie mais ne rompt pas. – La cuisiniere a depose quelques gouttes d'huile dans la poele avant d'y verser une louche de pate a crepes. – Lorsqu'elle a termine une piqure, l'infirmiere jette immediatement l'aiguille. – Pour obtenir de beaux legumes, le maraicher a beche le sol et repandu de l'engrais.

Copiez les phrases en plaçant correctement les accents oubliés.

Une chaine de velo qui n'est pas graissee rouillera. – Le coq promene fierement sa crete rouge dans la basse-cour. – Quand Regine entre dans une patisserie, elle ne sait jamais quel gateau choisir. – Le brevet est un diplome que l'on obtient en fin de troisieme. – La grele a detruit une partie de la recolte de ble. – D'imposants pylones supportent les fils electriques des lignes a haute tension. – Cet apres-midi, apres une longue enquete, les policiers ont arrete un dangereux malfaiteur. – Avez-vous deja deguste de la puree de chataignes ?

5 Copiez les phrases en complétant avec des accents circonflexes ou des trémas.

Les vetements des princesses et des reines étaient d'un luxe inoui. – La typhoide est une maladie extrememement redoutable, heureusement il existe un vaccin qui assure une bonne protection. – Apercevant la terrible machoire du caiman, le pecheur imprudent s'éloigne rapidement de la berge du fleuve. – Vu l'exiguité de la chambre d'hotel, M. Achard ne pourra pas y placer tous ses bagages ! – Depuis Jules Ferry, l'école laique est gratuite et obligatoire ; des inspecteurs assurent le controle de la fréquentation. – Le jour de Noel, les enfants se hatent d'ouvrir leurs cadeaux. – L'égoisme est un défaut qui gache parfois les plus solides amitiés. – Il faut hair sans relache le racisme. – Le gout, la vue, le toucher, l'odorat et l'ouie sont les cinq sens.

6 Copiez les phrases en plaçant correctement les accents et les trémas oubliés.

Lorsqu'il ira a Marseille, Raphael reve de visiter le château d'If ou fut enferme Edmond Dantes, le futur comte de Monte-Cristo. – C'est avec beaucoup d'interet que les archeologues ont decouvert une mosaique romaine sous plusieurs metres de terre. – Par une etrange coincidence, on a retrouve les tableaux voles dans un ancien hangar desaffecte. – Cette ampoule electrique est-elle a vis ou a baionnette ? – La cocaine est une drogue tres dangereuse qui entraine la decheance physique et morale de ceux qui en font usage. – Le bouquet de glaieuls, pose sur la commode de l'entree, apporte une note de fraicheur dans l'appartement. – En Afrique, beaucoup de paysans, faute de materiels performants, cultivent la terre selon des methodes trop souvent archaiques.

Ⓥocabulaire

la tempête – un vêtement – un intérêt – une enquête – honnête – la mêlée
le crâne – un gâteau – le traître – bientôt – brûler – une piqûre
la faïence – le maïs – héroïque – une mosaïque – un canoë

Le trait d'union - l'apostrophe - les abréviations – les sigles

RÈGLE

I. On place **un trait d'union** :
– entre les différents éléments de nombreux noms composés.
un grille-pain   un lave-vaisselle   un nid-de-poule
– entre le verbe et le pronom personnel **sujet** antéposé.
Trouvez-vous la sortie?   Est-ce que le dîner est prêt?
– entre le verbe à l'impératif et les pronoms personnels **compléments.**
Assieds-toi.   Parlons-en.   Donne-le-moi rapidement.
– dans certaines expressions ou entre des déterminants numéraux.
là-bas   ci-joint   eux-mêmes   celui-ci   vingt-cinq

2. L'apostrophe se place **en haut et à droite** d'une lettre pour marquer l'élision de « a », « e », « i » devant un mot commençant par une voyelle ou un « h » muet.
l'arrivée   s'asseoir   l'heure   s'il pleut

3. Dans un langage courant, on utilise de plus en plus **des abréviations, des sigles** ou **des symboles.**

• Pour former **une abréviation**, on retranche des lettres (en modifiant parfois le mot d'origine).
une photographie → une photo   un adjectif → adj.

• Pour former **un sigle**, on ne retient que les initiales (en majuscules) des mots essentiels qui composent le groupe ou l'expression.
un train à grande vitesse → un TGV   S'il vous plaît. → SVP

• Dans les domaines mathématique, scientifique et technique, on retrouve **des symboles** communs à presque toutes les langues.
le kilogramme → kg   la seconde → s   le dollar → $

Voir « Le pluriel des noms composés », pp. 70-71.

---

7 **Copiez les phrases en plaçant correctement les traits d'union.**

Lire des romans, c'est le passe temps favori de la sœur de Marlène. – Renseignez vous sur le contenu de ce porte documents. – L'automobiliste utilisera t-il ses essuie glaces pour nettoyer son pare brise ? – Qui remportera le contre la montre de la dernière étape du Tour de France ? – Aucun des vingt quatre élèves de la classe n'a obtenu une note au dessous de la moyenne. – Si vous montez au troisième étage de la tour Eiffel, de là haut, vous aurez une vue panoramique de Paris. – Après demain, les commerçants du quartier solderont leur stock de prêt à porter.

Copiez les phrases en plaçant correctement les apostrophes.

Aujourd hui, la agriculture se est mécanisée et les travaux des champs sont moins pénibles. – On remplit le réservoir situé dans la aile droite de le avion. – Le apprenti restera en stage jusque à la fin du mois de avril. – Le orage se abat sur la vieille ville ; la eau envahit les ruelles. – À la issue du concert, les musiciens saluent le public qui les acclame debout. – On ne aperçoit les galaxies situées aux confins de le univers que avec un puissant télescope.

9 **Copiez les phrases en plaçant correctement les traits d'union et les apostrophes.**

Au XIXe siècle, les habitants de la vallée de la Ubaye vivaient pauvrement ; ce est à cette époque là que certains sont partis à la aventure au Mexique. – Si il le souhaite, Hervé peut ouvrir les fenêtres lui même. – Je suis de accord avec votre proposition ; vous trouverez ma signature ci dessous. – Le métier de sapeur pompier comporte des risques, notamment lorsque il doit lutter contre le incendie d'une forêt. – Le niveau de la rivière se établit à soixante dix centimètres au dessus de la cote de alerte. – Dès que elle apercevra la araignée sur le canapé lit, Estelle se enfuira en poussant des cris. – Le arbitre a refusé le essai car un joueur anglais était hors jeu.

10 **Copiez les phrases en rétablissant la forme complète des mots abrégés en bleu. Vous pouvez vous aider d'un dictionnaire.**

La pub envahit les écrans de la télé et du ciné ; on ne peut même plus regarder les infos sans être importuné. – Le joueur pro retire son survêt pour prendre le départ du 10 000 m plat ; son entraîneur est au bord de la piste, un chrono à la main. – Peux-tu me prêter ton stylo et ton dico afin que je corrige les docs, car il me semble que la typo est à revoir ? – Sortant de son labo, le prof de maths pénètre dans l'amphi ; il règle le micro et débute son cours. – Dans le métro ou le bus, de nombreux voyageurs lisent les hebdos.

11 **Copiez les phrases en remplaçant les sigles, les symboles et les abréviations par leur signification d'origine.**

Les adhérents des syndicats participent à une manif pour revendiquer une augmentation du SMIC, défendre la Sécu et exiger la transformation de tous les emplois CDD en emplois CDI. – Aurélien enregistre des CD pour se faire une compil de musique électro. – Profitant de la RTT, les employés de cette Cie quittent leur travail à 15 h. – Il faudra changer les pneus de cette auto et remplir le réservoir avec 60 L de super. – 2 € ! Le prix de ce déca est trop élevé, même si la TVA à 17 % est incluse. – Les écolos protestent contre la culture de maïs OGM sur un champ de 3 ha. – Les services de la météo annoncent une baisse de la température de 5°. – Les élèves du CM 1 suivent une leçon de géo ; l'instit a placé une carte au tableau.

au-dessous – par-dessus – ci-dessous – au-delà – vis-à-vis – ci-joint – par-ci avant-hier – après-demain – sur-le-champ – là-bas – c'est-à-dire un hors-d'œuvre – une machine-outil – un plateau-repas – une demi-heure

Les écritures
des sons [s] et [z]

RÈGLE

1. Le son [s] peut s'écrire :

-s : *souvent – rester – un cactus*
-ss **entre deux voyelles** :
une caresse – un poussin
-c **devant les voyelles** e, i, y :
certain – une racine – un cygne
-ç **devant les voyelles** a, o, u :
menaçant – une leçon – un reçu

-sc **devant les voyelles** e et i :
descendre – scier – la piscine
-t **devant la voyelle** i :
*la variation – patient –
la sélection*
-x **dans les nombres** *six* et *dix*

Remarques :
• Les noms terminés par [siɔ̃] **ne s'écrivent pas tous** -tion.
la passion – la pension – la connexion
• Dans les **noms composés** de deux mots soudés et dans **ceux dont le préfixe précède la lettre** « s », le son [s] peut s'écrire avec un seul « s ».
un parasol – un contresens – vraisemblable – la préséance
Mais on écrit : *ressortir – desserrer – une bissectrice*

2. Le son [z] s'écrit souvent s entre deux voyelles :
la raison – visiter – la prise
mais il s'écrit également z, en début de mot notamment.
le zèbre – la zone – le bazar – le gazon
Quelques mots d'origine étrangère s'écrivent avec **deux** « z ».

Voir « Particularités des verbes en -cer », pp. 184-185.

12 **Dans ces mots, on entend le son [s] ; complétez-les comme il convient.**

per...evoir	un hame...on	la prophé...ie	l'exécu...ion
une per...onne	la moi...on	la superfi...ie	la percu...ion
le gla...ier	la fa...on	un châ...is	la di...ipline
un tapi...ier	un gla...on	un commer...ant	di...iper
balbu...ier	la boi...on	un croi...ant	di...erner
un cai...ier	une ger...ure	gli...ant	la convale...en...e
négo...ier	une ble...ure	mena...ant	l'e...en...e

13 **Dans ces mots, on entend le son [z] ; complétez-les comme il convient.**

une ri...ière	l'hori...on	un tré...or	la blou...e
la li...ière	un bi...on	une ama...one	dou...e
un ba...ar	une cloi...on	un trapè...e	le mu...ée
un la...er	la rai...on	une synthè...e	les ali...és
un lé...ard	l'a...ote	la mi...ère	réali...er
le bli...ard	l'a...ur	la lu...erne	le bron...e

14 Écrivez les noms terminés par [siɔ̃] correspondant à ces adjectifs.
Ex. : *prétentieux → la prétention*

ambitieux	imaginatif	superstitieux	auditif	actif
digestif	discret	attentif	éjectable	adhésif

15 À la fin de ces noms, on entend le son [s] ; complétez-les comme il convient.

la défen…	le papyru…	le pou…	le tenni…	la présen…
une pu…	la mou…	la jauni…	la chan…	un viru…
le couscou…	le vi…	la dan…	le tor…	la brou…

16 Écrivez les noms terminés par [siɔ̃] correspondant à ces verbes.

éteindre	convaincre	arrêter	séduire	émettre
éduquer	suspendre	exprimer	migrer	décevoir
distinguer	réduire	agresser	occuper	punir
succéder	sentir	dévier	expulser	tordre

17 Complétez les mots dans lesquels on entend le son [s].

Savez-vous ce qu'est la pi…iculture ? – Les acteurs vont entrer en …ène ; l'efferve…ence est à son comble dans la …alle. – Kévin est dé…u ; sa note de …ien…es n'est pas à la hauteur de ses espéran…es. – Les techni…iens ont con…u un nouveau robot télécommandé pour ob…erver la …urface de la planète Vénu… . – Traditionnellement, nos grands-parents pla…aient leurs économies à la Cai…e d'épargne. – Thomas tend son ordonnan…e au pharma…ien du …entre commer…ial. – Aucun for…at n'a pu s'évader de ce péniten…ier situé sur une île déserte. – Les otages ont été libérés contre une importante ran…on, mais les ravi…eurs ont été arrêtés peu après.

18 Écrivez le contraire des mots suivants ; dans chacun d'eux, on entend les sons [s] ou [z]. Ex. : *accepter → refuser*

haute	démolir	facile	debout	la question
clair	la force	la pauvreté	propre	absent

19 Complétez les mots dans lesquels on entend le son [z].

Marine aménage la me…anine de sa chambre avec beaucoup de soin. – La ga…elle doit ru…er pour éviter les crocs redoutables de la lionne. – Un oi…eau au plumage bi…arre se po…e sur une branche du mélè…e. – Avant la sai…on d'hiver, M. Bernard fait remplir sa cuve à ma…out. – Au printemps, les champs de col…a prennent une splendide couleur jaune. – Aucune voile à l'hori…on ; les naufragés sont dé…espérés. – Tu dépo…es les pi…as dans le four à micro-ondes de la cui…ine.

Vocabulaire

la piscine – la scie – l'ascenseur – la science – la conscience – scintiller
la minutie – les initiales – ambitieux – la patience – la démocratie
la rançon – un commerçant – un hameçon – provençal – un remplaçant
une rizière – le bazar – le bronze – une zone – un lézard – l'azote – l'horizon

Leçon   **Les écritures du son** [k]

Le son [k] **peut s'écrire :**

- « c » devant les voyelles « a », « o » ou « u » et devant les consonnes.
  un caillou – une couronne – reculer – une action – sacré

Attention : un certain nombre de mots s'écrivent avec **deux** « c ».
acclamer – occuper – accuser

- « qu » : *quarante – se maquiller – quotidien – lorsque*
- « k » : *un kamikaze – ankylosé – le parking*
- « ch » : *la chorale – la chlorophylle – la psychologie*
- « ck » : *un jockey – le nickel – un teckel*

Ces mots sont très souvent d'origine étrangère.

- « cqu » : *acquitter – Jacques – le jeu de jacquet*

Remarques :
– Retenez l'orthographe du nom *piqûre*, alors que *piquer* ne prend pas d'accent circonflexe.
– Les lettres « qua » peuvent se prononcer [kwa] dans des mots d'origine latine.
  un aquarium – l'équateur – l'aquarelle

Comme le choix entre ces différentes écritures est difficile, il faut toujours consulter un dictionnaire en cas de doute.

---

20 Copiez ces mots en complétant avec l'écriture du son [k] qui convient.

le par…et	le ma…is	un …laxon	un judo…a	une …enelle
un …yste	impe…able	un …lairon	un …arillon	un …olosse
la …estion	un mo…assin	un co…tail	un …artier	en vra…
une …ittance	le …oléra	dé…orer	le li…en	in…iet
un anti…aire	la …ronologie	le …adrillage	une li…eur	un la…ais
un …angourou	un …rochet	un par…ing	un pla…ard	l'a…isition

21 À la fin de ces mots, on entend le son [k] ; copiez-les en complétant comme il convient.

le par…	un anora…	le be…	le publi…	un viadu…
la mar…	une cla…	un chè…	un pi…	le du…
la pla…	le tra…	un éche…	la musi…	don…
un cas…	la tra…	le sto…	un mousti…	un ro…
prati…	un hama…	le cho…	un ti…	un blo…

Copiez les phrases en complétant avec des mots de la même famille que les mots entre parenthèses.

Lors de la Seconde Guerre mondiale, … (la barque) allié eut lieu le 6 juin 1944, sur les côtes normandes. – Le nom scientifique du sel de cuisine est le … (le chlore) de sodium. – Julien a entendu un … (craquer) en provenance du grenier ; c'est peut-être un rat pris au piège. – Lors de ses dernières vacances en Grèce, Mme Krief a assisté à une soirée de danses … (le folklore). – Le … (se syndiquer) des employés du supermarché demande à rencontrer le directeur. – L'… (éduquer) des enfants, c'est l'avenir d'un pays. – À Montélimar, on … (un fabricant) des millions de barres de nougat. – Toutes les … (indiquer) portées sur la carte se sont révélées exactes ; nous ne nous sommes pas trompés. – En ce dimanche soir, le … (trafiquer) est dense sur les autoroutes qui mènent à Paris.

Copiez les couples de phrases en complétant avec des mots homonymes dans lesquels on entend le son [k].

• De nombreux jeunes gens adorent danser le … . – Ce pilier de rugby est vraiment très fort ; ses adversaires disent qu'il est solide comme un … .

• Ne vous inquiétez pas, je serai prêt dans un … d'heure. – Les élèves qui habitent dans des villages isolés prennent le … de ramassage pour se rendre au collège.

• Le motard démarrera … le feu passera au vert. – Vercingétorix avait transformé Alésia en … retranché, mais Jules César l'encercla.

• De nombreux coquillages se sont fixés sur la … du bateau resté trop longtemps à quai. – Le … réveille les villageois dès le lever du soleil.

• Les Canadiens sont d'excellents joueurs de … sur glace. – Lorsqu'on a le …, certains affirment qu'il passera si l'on boit un verre d'eau sans respirer.

Copiez les phrases en plaçant les mots que vous aurez complétés avec l'écriture du son [k] qui convient.

…artz – or…estre – bifte… – multi…olore – expli…e – …ermesse – ba…alauréat – su…ulente – perro…et – te…nologie – ti…et – a…ompagné

Cathy a gagné une superbe poupée au tirage de la tombola de la … . – Le … est … d'une assiette de frites et d'une petite salade. – Le frère de Damien vient d'obtenir son … ; il est content. – Cette tarte aux myrtilles est … ; j'en reprendrais volontiers. – De son séjour en Amazonie, M. Roland a rapporté un … au plumage … . – Désormais, il n'y a plus de montres à ressort, uniquement des montres à cristaux de … . – Le professeur de … nous … le fonctionnement des éoliennes. – L'… de Salzbourg est dirigé par un chef de réputation mondiale. – Philippe présente son … au contrôleur.

ocabulaire

une or**ch**idée – un **ch**romosome – un é**ch**o – les **ch**oristes – le **ch**oléra
un jo**ck**ey – le ho**ck**ey – les do**ck**s – un **k**épi – le **k**arao**k**é – an**k**yloser
un s**qu**elette – la bibliothè**qu**e – un anti**qu**aire – l'élo**qu**ence – une bé**qu**ille

5ᵉ Leçon
Les écritures des sons [ã] et [ɛ̃]

Voir « Les adverbes », pp. 246-247
et « Le participe présent ou l'adjectif verbal ? », pp. 104-105.

25 Copiez les mots en les complétant avec l'écriture du son [ã] qui convient.

l'…goisse	un …gin	la b…que	un volc…	tr…quille
la c…dre	une dép…se	le cal…drier	une lég…de	appr…dre
rép…dre	r…porter	un t…ple	un g…t	un c…tique
un m…bre	un aim…t	un appartem…t	le print…ps	un c…p
un monum…t	une …poule	un vétér…	abs…t	un ch…t
un …tivol	une …quête	une aval…che	la pati…ce	un ch…p
une ch…bre	un har…g	un clignot…t	un ch…delier	tr…per

26 Copiez les mots en les complétant avec l'écriture du son [ɛ̃] qui convient.

un s…dicat	un chirurgi…	ol…pique	l…pide	le t…pan
un bur…	v…cre	une c…bale	un s…bole	un b…
le gardi…	un parr…	un mannequ…	un poul…	le déd…
une t…bale	att…dre	…perméable	un trempl…	g…dre
…mangeable	le t…t	contr…dre	une s…cope	dem…
…terdire	moy…	un parchem…	le lev…	l…cher
…buvable	un br…	un …génieur	un dauph…	un s…t

27 Copiez les phrases en complétant les mots où on entend le son [ɑ̃].

Les c…peurs installent leur t…te à l'ombre. – Dès que Pinocchio disait un m…songe, son nez s'allongeait. – Le prix des carbur…ts ne cesse d'augm…ter; qu…d cela s'arrêtera-t-il? – Pour son repas de midi, Joris se cont…te d'un simple s…dwich au j…bon. – Lorsqu'on hésite entre deux acc…ts, il faut consulter un dictionnaire. – Les …tennes de télévision sont souv…t r…placées par des paraboles. – Il ne faut pas s'av…turer sur un glacier si l'on n'est pas muni de cr…pons. – Les t…ches et les perches de l'ét…g de Villars font le bonheur des pêcheurs du dim…che. – En Asie, on utilise les éléph…ts pour déplacer les troncs d'arbres. – Quel est le g…re du nom «…tibiotique»? – Cet artis… charp…tier …bauche un appr…ti pour le seconder sur les ch…tiers. – Peu de peuples ne d…sent pas.

28 Copiez les phrases en complétant les mots où on entend le son [ɛ̃].

Un magas… de sport est m…tenant ouvert près de la zone …dustrielle. – Dans cette carrière, on a trouvé des empr…tes de dinosaures; c'est …croyable. – Les nombres …pairs ne sont pas divisibles par deux. – Les oreilles du lap… sont-elles plus courtes que celles du lièvre? – Un peu de th… et de laurier dans la sauce en relèvera le goût. – Le ch…panzé est un s…ge dont l'…telligence est réelle. – À la veille de passer l'exam…, beaucoup de lycé…s ont une boule au creux du ventre. – Le l…x est un fél… à la vue perçante. – Le p…tre s'efforce de traduire l'émotion que lui procure le paysage qu'il aperçoit dans le loint… . – Une s…ple ét…celle sur une br…dille peut provoquer un …cendie. – La d…de aux marrons est un plat traditionnel du jour de Noël.

29 Copiez les couples de phrases en complétant avec des mots homonymes où on entend le son [ɑ̃] ou le son [ɛ̃].

• J'ai hâte de déguster une part de cet appétissant gâteau aux … . – Les chauffards doivent payer de lourdes … lorsqu'ils commettent des infractions.

• Faute de trouver une place au port, le voilier jette l'… dans une petite baie bien protégée. – Les taches d'… sont difficiles à faire disparaître.

• Ces lieux sont très … ; les techniciens installent des éoliennes. – Les fonds sous-marins au large des Maldives sont … pour la beauté des coraux.

• Ce câble est trop … ; il va se casser à la première occasion. – Malheureusement, de nombreux enfants africains ne mangent pas à leur … .

• Le … aux noix accompagne très bien un morceau de fromage. – Le … parasol est un arbre caractéristique des régions méditerranéennes.

• Le …, c'est la passion de Kevin; il travaille dans une agence de publicité. – C'est à … que cet architecte a décidé de réaliser une tour entièrement vitrée.

Ⓥocabulaire

du sirop de menthe – la mante religieuse – une dent de lait – dans la boue atteindre – peindre – restreindre – feindre – enfreindre – craindre – plaindre

Les écritures du son [f]

RÈGLE

Le son [f] peut s'écrire :
- « f » → *la farine – enfermer – enfin – le refus*
- « ff » → *souffler – le coffre – suffisant – un sifflet*
- « ph » → *un phoque – un typhon – une sphère*

Quelques préfixes et suffixes, **d'origine grecque**, s'écrivent avec « ph ».

photo-   → *la photosynthèse – une photocopie – photogénique*
morpho-   → *la morphologie – une métamorphose*
-phone   → *le téléphone – un microphone – un magnétophone*
-graphe   → *un autographe – un paragraphe – le télégraphe –*
             l'orthographe – un sismographe

Remarques :
- Les mots commençant par af-, ef-, of- s'écrivent tous avec deux « f ».
  affirmer – effectuer – une offensive
  Exceptions : afin – l'Afrique – africain
- On peut trouver la lettre « f » **en fin de mot.**
  un tarif – la soif – le chef
- Mais il existe d'autres terminaisons :
  la coiffe – la carafe – le triomphe

Comme le choix entre ces différentes écritures est difficile, il faut toujours consulter un dictionnaire en cas de doute.

---

30 **Copiez les mots en les complétant avec l'écriture du son** [f] **qui convient.**

la …iloso…ie	un sca…andrier	en…iler	la mor…ologie	un chi…on
une bou…ée	la ra…inerie	une ra…le	sacri…ier	une gau…re
le sou…re	une dé…inition	une ra…ale	un …énomène	le ca…é
o…iciel	une …alange	une a…aire	le con…ort	un dé…i
l'in…inité	in…luencer	di…orme	le pro…it	le re…let
…ouetter	e…ectuer	o…rir	un …are	ré…léchir

31 **À la fin de ces mots, on entend le son** [f]**; copiez-les en complétant comme il convient.**

le rosbi…	le capti…	la tou…	un sporti…	un bœu…
une ga…	le relie…	une agra…	un moti…	la gri…
un veu…	un massi…	l'éto…	amor…	une épita…
un fugiti…	une nym…	abusi…	l'esbrou…	une gre…
un para…	une tru…	un cali…	la lym…	tardi…
un shéri…	le gol…	une ba…	noci…	l'objecti…

Copiez les phrases en plaçant les mots que vous aurez complétés avec l'écriture du son [f] qui convient.

mou…les – dé…erlent – gra…ittis – sa…ir – …abienne – sou…rait – réci…s – stro…es – con…ins – dé…ilent – mé…iez – encé…alogramme – pré…ecture – …lorent

La bague de … est ornée d'un superbe … . – Le village de Saint-Paul se situe aux … de la vallée de l'Ubaye. – Combien y a-t-il de … dans ce poème ? – Pour renouveler son passeport, … se rend à la … . – Quand vous skiez, portez-vous des gants ou des mou…les ? – Comme Mme Clerc … de violents maux de tête, elle a passé un … qui l'a rassurée. – Le jour du 14 Juillet, les soldats … sur les Champs-Élysées. – Pourquoi ce mur est-il couvert de … ? – Les vagues … sur les … ; …-vous.

33 **Copiez les phrases en complétant les mots dans lesquels on entend le son [f].**

La calligra…ie est l'art de bien …ormer ses lettres. – Les étudiants assistent au cours du pro…esseur dans un vaste am…ithéâtre. – Comme il ne voit plus très bien de près, M. Malet se rend chez un o…talmologiste. – La musique a…ricaine a …ait la conquête du monde grâce à ses rythmes entraînants. – Bettina n'a pas su qui avait cassé le vase de Soissons : quel a…ront ! – On a bâti de nombreux immeubles à la péri…érie de Montpellier. – J'ai lu la bio-gra…ie de Victor Hugo ; c'était passionnant.

34 **Trouvez les noms – dans lesquels on entend le son [f] – dont voici les définitions telles qu'on les trouve dans les mots croisés.**

Couche d'air qui entoure le globe terrestre.	→ l'…	(10 lettres)
Il vend des médicaments.	→ le …	(10 lettres)
En français, il compte vingt consonnes et six voyelles.	→ l'…	(8 lettres)
Mozart en a composé quarante et une.	→ des …	(10 lettres)
Animal reconnaissable à son long cou.	→ une …	(6 lettres)
On le chante entre les couplets.	→ le …	(7 lettres)
Voile triangulaire placée à l'avant du navire.	→ le …	(3 lettres)
Lieu où mangeaient les pensionnaires d'un internat.	→ le …	(10 lettres)

35 **Donnez le contraire des mots en bleu ; dans chacun d'eux, on entend le son [f]. Ex. : boire un café chaud → boire un café froid**

résoudre un problème facile
attaquer un château fort
accepter une proposition
présenter un bilan positif
trouver un nombre supérieur à 5
cultiver une terre aride
avoir un long entretien
prendre soin d'un vase solide

avoir quelques qualités
regarder le début du film
ouvrir toutes les fenêtres
pratiquer un sport individuel
avoir des prénoms identiques
découvrir un animal rassasié
se baigner dans un lac naturel
conjuguer au passé simple

**ocabulaire** ─────────────────────────

le sou**ff**le – le gou**ff**re – le co**ff**re – si**ff**ler – su**ff**ire – chau**ff**er – le bu**ff**et
la **ph**ysique – un sa**ph**ir – l'atmos**ph**ère – un gyro**ph**are – un **ph**énomène

7^e

7ᵉ Leçon — Les écritures des sons [g] et [ʒ]

RÈGLE

I. Le son [g] s'écrit :
– « g » devant les voyelles « a », « o » et « u » et **devant les consonnes.**
  une garniture – un goulot – la figure – une griffe – glisser
– « gu » devant les voyelles « e », « i » et « y ».
  guetter – le guidon – Guy

Remarques :
• Le « g » est **quelquefois doublé** : *un toboggan – aggraver*
• À la fin d'un nom, le son [g] s'écrit « gue ».
  la langue – la fatigue – une blague
Certains noms d'origine étrangère font exception.
  le camping – un gong

2. Le son [ʒ] s'écrit :
– « g » **devant les voyelles** « i » et « y ».
  rigide – un régime – le gymnase
– « j » ou « g » **devant la voyelle** « e ».
  un jeton – le sujet – la jeunesse – le genre
– « j » **devant la voyelle** « u ».
  la justice – une jupe – une injure
– « ge » **devant les voyelles** « a » et « o ».
  la vengeance – nous mangeons – la rougeole
On rencontre également l'écriture « j » devant les voyelles « a » et « o ».
  jaune – le jambon – jouer – le jonc

Remarque :
À la fin d'un mot, le son [ʒ] s'écrit « ge ».
  sage – le rivage – étrange – la marge

Comme le choix entre ces différentes écritures est difficile, il faut toujours consulter un dictionnaire en cas de doute.

Voir « Particularités des verbes en -ger », pp. 184-185.

---

36 **Copiez les mots en les complétant avec l'écriture du son [g] qui convient.**

un wa…on	ru…eux	une …être	un fi…ier	un …âteau
ri…oureux	la lon…eur	le pressin…	une …alette	…érir
le …osier	les dé…âts	une ba…ette	une vir…ule	une dro…e
re…arder	le …oulot	un gynécolo…e	une va…e	ré…ulier
une …êpe	la …auche	un ma…asin	…etter	la …erre
ai…iser	un …laçon	une pa…aie	a…resser	lar…er

37 Copiez les mots en les complétant avec l'écriture du son [3] qui convient.

le ...eudi	un gou...on	ima...iner	fra...ile	...aloux
rou...âtre	...anvier	la ...éographie	le visa... e	un ...enou
un en...eu	un ...éant	un ...ardin	un diri...ant	un corsa...e
...ubiler	le bud...et	le ména...e	des ...umelles	un ...aguar
le re...et	une ...ifle	...êner	...eune	la na...oire

38 Copiez les phrases en complétant les mots dans lesquels on entend le son [g].

Les rivières du nord de la France sont souvent navi...ables. – ...râce à l'irri...ation, on peut cultiver de nombreuses variétés de lé...umes dans ces champs. – Les supporters sont nombreux à vouloir assister au match et il y a une lon...e file d'attente devant les ...ichets du stade. – Quelques ...outtes de citron suffiront pour donner du ...oût aux cuisses de ...renouilles. – Le bouledo...e paraît effrayant, mais c'est un chien au caractère a...réable. – Si vous écrivez un dialo...e, n'oubliez pas d'ouvrir et de fermer les ...illemets. – Le ...épard court plus vite qu'une ...azelle, mais il se fati...e très vite et peut même mourir d'un arrêt cardiaque. – En a...lomération, le port de la ceinture de sécurité est obli...atoire.

39 Copiez les phrases en complétant les mots dans lesquels on entend le son [3].

L'ambulance se diri...e vers l'hôpital précédée par un véhicule de police muni d'un ...yrophare. – L'aca...ou est un arbre tropical qui fournit un bois apprécié en ébénisterie. – Tu bois un ...us d'oran...e à ton petit-dé...euner. – Lorsque les ennemis s'approchaient, les seigneurs du Moyen Âge se réfu...iaient dans leur don...on. – Les arbres fruitiers sont couverts de ...ivre; les bour...ons ne s'ouvriront pas. – Quelle couleur obtient-on si on mélan...e du bleu et du rou...e? – Le ...ongleur lance les six balles et aucune ne tombe. – As-tu trouvé le complément d'ob...et direct de cette phrase? – Autrefois, on vendan...ait à la main; désormais, les machines font le même travail en peu de temps.

40 Copiez les phrases en complétant les mots dans lesquels on entend les sons [g] et [3].

L'ora...e éclate : c'est un vrai délu...e; de nombreuses ri...oles se forment en quelques instants. – Le ...azon d'un terrain de ...olf est tou...ours entretenu avec beaucoup de soin. – Le dra...on est une créature ima...inaire des contes pour enfants. – Le ...ide explique à un ...roupe de touristes l'ori...ine des inscriptions qui fi...urent au bas de la statue. – Les piqûres de moustique provoquent des déman...aisons fort désa...réables; on n'en finit pas de se ...ratter. – Les ...itans sont d'excellents ...oueurs de ...uitare. – Le TGV entre en ...are; les voya...eurs l'attendent sur le quai n° 4. – Le ...i...ot d'agneau est servi avec des fla...olets.

Vocabulaire

une bague – la bagarre - rugueux – un figuier – une cigale - la gueule
la démangeaison – l'orangeade – un plongeon – un cageot – une nageoire
imaginer – fragile – le gymnase – un budget – la bougie – le déluge
se réjouir – un enjeu – le donjon – le jugement – la jalousie – des jumelles

Les écritures du son [j]

8e Leçon

RÈGLE

- **Le son [j] peut s'écrire :**
  - « **y** » → *le rayon – aboyer – un voyageur – payant*

  Remarque : Certains mots d'origine étrangère débutent par la lettre « **y** » prononcée [j].
  le yoga – le yaourt – un yacht – le yen

  - « **ill** » → *une grenouille – meilleur – un vieillard – une abeille*

  Dans ce cas, la lettre « **i** » **est inséparable des deux** « **l** » et ne se prononce pas avec la voyelle qui la précède.

  - « **ll** » **seulement après la voyelle** « **i** » qui termine une syllabe.
  la bille – un sillon – briller

  Remarque : Les deux « **ll** » se prononcent [l] dans :
  tranquille – un village – un bacille – mille

  - « **i** » **entre une consonne et une voyelle** ; il se confond souvent avec le son [i].
  un cahier – mieux – une liasse – un chien

- **Les noms terminés par le son [j]**
  - **Les noms féminins** terminés par le son [j] s'écrivent **-ille**.
  la taille – la veille – la feuille – une nouille

  - **Les noms masculins** terminés par [j] s'écrivent **-il**.
  du travail – le réveil – un écureuil – le fenouil

  Exceptions : les noms composés masculins formés avec le nom féminin « **feuille** ».
  un portefeuille – un millefeuille – le chèvrefeuille

---

41 Copiez les mots en les complétant avec l'écriture du son [j] qui convient.

un vo…ou	la la…ette	un gri…on	un raidi…on	béga…er
déplo…er	ensole…é	le fo…er	rudo…er	embrou…er
le brou…on	un gri…age	ca…outeux	des gravi…ons	essu…er
débra…er	un gori…e	un coba…e	un cra…on	côto…er

42 Copiez les noms en complétant les terminaisons avec l'écriture du son [j] qui convient.

un attira…	une cana…	une gueni…	un orte…	une vri…
une citrou…	un chevreu…	la pacoti…	le deu…	une ma…
une méda…	un porta…	l'accue…	la ca…	l'ore…
le seu…	une éca…	le gouverna…	les tena…	l'ose…

43 **Copiez les phrases en complétant avec des mots de la même famille que les noms entre parenthèses ; dans tous ces mots on entendra le son** [j]**.**

Aubin cherchait du travail depuis un mois ; il est enfin …(un emploi). – Après l'orage de grêle, les vignes sont dans un état … (la pitié). – Un renard s'est introduit dans le … (la poule) ; c'est la panique. – Pour disputer la grande course de haies, le cheval favori porte des … (l'œil). – Dans le Charolais, le … (la bête) vit toute l'année en plein air ; les éleveurs déclarent qu'il est ainsi plus vigoureux. – La semaine dernière, les planeurs … (le tournoi) au-dessus de l'aérodrome de Charnay. – Dans un pays démocratique, tous les … (la cité) ont le droit de voter, s'ils sont majeurs, bien sûr. – Le joueur de tennis argentin porte une … (le genou) ; il a peur qu'une ancienne blessure se … (le réveil).

44 **Copiez les phrases en complétant les mots dans lesquels on entend le son** [j]**.**

Pour enfiler une aigui…e, il faut avoir de bons …eux. – Seuls les cuisin…ers provençaux connaissent la recette ancestrale de l'a…oli qui se différencie de la ma…onnaise ordinaire. – Ce film est ennu…eux ; il arrache des bâ…ements à toute la fami…e. – Le surve…ant fait preuve de bienve…ance en nous autorisant à entrer en classe malgré notre retard. – Une partie de bi…ard entre amis, c'est distra…ant. – Les pomp…ers ont déroulé leurs tu…aux pour éteindre un feu de broussa…es. – Le genêt et la bru…ère sont des plantes caractéristiques des landes bretonnes.

45 **Copiez les phrases en les complétant avec des noms dans lesquels on entend les sons** [j]**.**

Dans un cercle, la mesure du … est la moitié de celle du diamètre. – Il y a tellement de … que les automobilistes n'y voient pas à plus de trente mètres. – La note du dernier devoir de français d'Erwan est supérieure à la … ; il est satisfait. – Solène met du … râpé et de la sauce tomate sur ses spaghettis. – On aperçoit une nappe de pétrole dans le … de ce navire ; le capitaine n'a pas hésité à dégazer en pleine mer. – Le coureur ne s'est pas alimenté correctement et il est victime d'une … dans l'ascension du col du Tourmalet.

46 **Copiez les phrases en plaçant les mots que vous aurez complétés avec l'écriture du son** [j] **qui convient.**

papi…on - dou…et – lo…er – pavi…on – mori…es – no…er – netto…er – cheni… e – foudro…é – rou…e

Lucas n'est pas … ; pourtant il serre les dents quand l'infirmier le pique. – …, le vieux … s'est abattu dans un bruit épouvantable. – Les pirates vont passer à l'abordage ; ils ont hissé le … noir. – La … attaque la barrière en fer du vieux château. – Bientôt, la … deviendra chrysalide, puis … . – Prends un chiffon sec pour … les roues du vélo. – Une omelette aux … ; quoi de plus savoureux ! – Dans cet immeuble, le … des appartements n'est pas très élevé.

Ⓥocabulaire

un maillot – un papillon – la rouille – surveiller – mouiller – un oreiller
relayer – joyeux – un crayon – le loyer – un rayon – essuyer
un recueil – un écueil – recueillir – l'orgueil – orgueilleux – le cercueil

25

Les consonnes doubles

RÈGLE

- **Une consonne peut être doublée :**
- entre deux voyelles.
  le ballon – enterrer – un commis – rapporter – une raquette
- entre une voyelle et la consonne « l ».
  souffler – le supplice – un suppléant
- entre une voyelle et la consonne « r ».
  émettre – le rapprochement – un gouffre – raccrocher

- **Précédée d'une autre consonne,** une consonne n'est **jamais doublée.**
  une perle – la vente – le genre – un pompier – une corne
  Lorsqu'une consonne est doublée, il n'y a pas d'accent sur la voyelle qui la précède. Inversement, la consonne qui suit une voyelle accentuée n'est jamais doublée.
  une dette mais *une arête*   *une ficelle* mais *fidèle*

Rappel :
Entre deux voyelles, si la lettre « s » est doublée, elle se prononce [s].
  un poussin – une tasse – un fossé

Remarques :
– Neuf consonnes sont assez **souvent doublées** :
  c – f – l – m – n – p – r – s – t
– Cinq consonnes ne sont que **rarement doublées** : b – d – g – k – z
– Six consonnes ne sont **jamais doublées** : h – j – q – v – w – x

- On peut trouver une consonne double à la fin de certains noms d'origine étrangère.
  le football – un watt – un pull – le jazz

En cas de doute, il faut toujours consulter un dictionnaire.

Voir « Les accents », pp. 10-11.

---

47 **Copiez ces mots en les complétant avec une consonne simple ou une consonne double.**

t ou tt

un ba…ant	une bo…e	une na…e	grelo…er	qui…er
un ba…eau	une no…e	une toma…e	dorlo…er	méri…er
un gâ…eau	une ho…e	une caro…e	flo…er	abri…er

n ou nn

une ba…ane	savo…er	une scè…e	rete…ir	un to…eau
une ba…ière	abo…er	une vei…e	he…ir	un traî…eau
une ba…alité	télépho…er	une étre…e	ve…ir	un pa…eau

Copiez ces mots en les complétant avec une consonne simple ou une consonne double.

l ou ll

ba…oter	un modè…e	servi…e	une bu…e	un co…ège
un bu…etin	la dente…e	une vi…a	un globu…e	une co…ecte
une ba…ise	un rebe…e	vi…ain	une ce…u…e	un co…is

r ou rr

ama…er	co…espondre	une cou…oie	un fo…age	un coupe…et
déma…er	un co…idor	un dét…oit	le fou…age	un caba…et
sépa…er	to…ide	le désa…oi	le cou…age	le ja…et

49 **Copiez les phrases en complétant avec un homonyme du mot entre parenthèses.**

M. Clément vient d'être opéré du genou et, pour se déplacer, il doit s'appuyer sur une … (la cane). – Comment le flamant rose peut-il rester des heures sur une seule … (la pâte)? – Versez trois … (il goûte) de ce médicament dans un … (un ver) d'eau et buvez d'un seul trait. – Combien de journées faudrait-il pour déplacer, avec une brouette, la même quantité de terre qu'avec une … (il pèle) mécanique? – Quelques points de … (le col) derrière cette affiche suffiront pour qu'elle tienne. – Dans la … (sale) d'attente du dentiste, les enfants trouvent des magazines adaptés à leur âge. – Le … (la reine) est un animal parfaitement adapté aux grands froids de Laponie.

50 **Copiez les phrases en plaçant les noms que vous aurez complétés avec une consonne simple ou une consonne double.**

so…et – vai…e…e – tru…e – co…i…es – a…otation – éolie…es – su…estion

Les moulins à vent étaient placés au … des … ; maintenant, on y trouve des … . – Le professeur a mis une … en marge de la copie de Stanislas. – Dominique essuie la … pendant qu'Andréa balaie. – La … est un champignon au goût prononcé que seuls les grands cuisiniers placent dans leurs plats. – Comme nous ne savions pas quel thème choisir pour notre exposé, Clara nous fait une … .

51 **Copiez les phrases en complétant les mots avec une consonne simple ou une consonne double.**

La marmo…e s'endort tout l'hiver dans son te…ier. – Sidonie rencontre des di…icultés pour se coi…er car elle a des mèches rebe…es. – Les portes de ce bu…et ancien sont sculptées; c'est un meuble de rée…e va…eur. – Le chi…re des di…aines est mal placé et le résultat de l'opé…ation ne sera pas exact. – La nouvelle mu…icipalité a…énage les tro…oirs de l'ave…ue des Pla…anes. – Le cou…eur espagnol vient d'être ra…ra…é à la suite d'une écha…ée de cinquante kilomètres. – Les ra…ine…ies de pétro…e sont situées près des ports pour éviter des transports i…utiles.

Vocabulaire

un concu**rr**ent – inte**rr**oger – nou**rr**ir – ca**rr**osserie – un to**rr**ent
inte**ll**igent – para**ll**èle – co**ll**ine – une ca**r**o**tt**e – tro**tt**er – a**tt**raper
une tra**pp**e – la gri**pp**e – s'écha**pp**er – su**pp**orter – une fra**pp**e

10ᵉ Leçon

Les consonnes après une voyelle initiale

RÈGLE

– **Les mots commençant** par ap- prennent **souvent deux** « p ».
   un appui – apprendre – l'apparence – apparaître – l'appartement
   Principales exceptions : apercevoir – apaiser – après – s'apitoyer – aplatir – l'apostrophe – l'apéritif

– **Les mots commençant** par ac- prennent **souvent deux** « c » :
   accuser – l'accent – acclamer – accourir
   Principales exceptions : l'acrobate – l'académie – l'acacia – l'acompte – l'acajou – acoustique

– **Les mots commençant** par af-, ef-, of- prennent deux « f ».
   l'affiche – effectuer – offrir
   Exceptions : afin – l'Afrique – africain

– **Les mots commençant** par at- prennent **souvent deux** « t » :
   l'attitude – l'attribut – attendrir – atteindre
   Principales exceptions : l'atelier – l'athlète – l'atlas – l'atmosphère – atroce – l'atout – l'atome

– **Les mots commençant** par ag- ne prennent qu'**un seul** « g ».
   l'agent – l'agitation – agricole – une agrafe
   Exceptions : aggloméré – agglutiner – aggraver

– **Les mots commençant** par ab- ne prennent qu'**un** « b ».
   l'abondance – abaisser – un abri
   Exceptions : un abbé – une abbaye

– **Les mots commençant** par ad- ne prennent qu'**un** « d ».
   adorer – un adulte – adoucir
   Exceptions : une addition – l'adduction

– **Les mots commençant** par am- **ne doublent pas le** « m ».
   l'amabilité – l'amertume – amorcer
   Exception : l'ammoniaque

En cas de doute, il faut toujours consulter un dictionnaire.

Voir « La préfixation », pp. 198-199.

---

52 **Copiez ces mots en complétant avec la consonne simple ou double qui convient.**

une a…ravation	a…omplir	un a…luent	a…énuer	a…andonner
un a…rément	un a…ord	une a…aire	a…rayant	l'a…domen
une a…ression	a…ueillir	une o…re	un a…oll	a…outir
un a…enda	a…abler	a…ronter	l'a…irance	une a…esse
un a…lomérat	a…ariâtre	a…irmer	l'a…raction	un a…ricot
une a…rafe	un a…teur	un e…ort	a…rophié	a…rupt

28

Copiez les phrases en complétant les mots avec une consonne simple ou une consonne double.

Nous a…endons une a…almie pour partir en randonnée. – Les Mongols sont capables d'a…rivoiser les faucons pour qu'ils chassent. – Le champion du monde de karaté a…ronte un jeune a…versaire. – Lorsqu'on plonge, il faut faire a…ention à la profondeur ; elle doit être suffisante. – La Révolution française a a…oli les privilèges que possédaient la noblesse et le clergé. – Après le tremblement de terre, plusieurs i…eubles du centre ville menacent de s'e…ondrer. – Le mistral a…ise les flammes et les feux de forêt progressent dangereusement. – L'a…ident est sans gravité, mais un a…roupement s'est formé autour des deux véhicules.

54 **Copiez les phrases en plaçant les mots que vous aurez complétés avec une consonne simple ou une consonne double.**

a…attoir – a…hlète – a…aignée – a…ectueux – o…ensive – a…orde – a…éliorer – e…ectif – a…raper – a…ier – a…ordéon – a…endrit

Ben, le petit chat de Jessy, est un animal … qui … sa maîtresse. – Près de Sisteron, il y a un … pour les moutons et les agneaux. – L'… est un instrument de musique à touches et à soufflet. – La lame de ce couteau est en … . – À Waterloo, lorsque la Garde impériale de Napoléon Ier est passée à l'…, il était trop tard ; la bataille était déjà perdue. – Marine … son année scolaire avec de bonnes résolutions. – Quel est l'… total de votre classe ? – L'… tisse une toile pour … les mouches. – Cet … s'entraîne pour … ses performances.

55 **Copiez les phrases en complétant les mots avec une consonne simple ou une consonne double.**

Tu t'a…roches sur la pointe des pieds pour ne pas e…aroucher les perruches dans leur cage. – Le poids lourd e…ectue un demi-tour pour a…éder à l'autoroute ; c'est dangereux. – Quand on commande un a…areil ménager important, il faut verser un a…ompte. – Les timbres-poste a…îmés perdent de leur valeur. – Les raisins secs a…oucissent le goût du couscous. – Les a…olescents bénéficient de la gratuité lorsqu'ils visitent ce musée. – Au 1er janvier 2000, seize pays européens ont a…opté l'euro comme monnaie unique.

56 **Trouvez les noms – qui débutent tous par une voyelle – dont voici les définitions telles qu'on les trouve dans les mots croisés.**

Une pédale de voiture ou de camion.	→ un a…	(12 lettres)
Elle s'oppose à la négation.	→ l'a…	(11 lettres)
Ils marquent la satisfaction du public.	→ les a…	(16 lettres)
Elles produisent le miel.	→ les a…	(8 lettres)
Le contraire de la défense.	→ l'a…	(7 lettres)
Bois rougeâtre avec lequel on fait des meubles.	→ l'a…	(6 lettres)

Vocabulaire

accuser – accumuler – accorder – une accalmie – un accent – accourir
attribuer – s'attarder – attendre – l'attention – attirer – une attraction
aggraver – une agglomération – agglutiner – agresser – agrandir – un agent

29

11ᵉ

Leçon

Les noms terminés par les sons [œʀ] et [waʀ]

RÈGLE

– **Les noms masculins et féminins terminés** par le son [œʀ] s'écrivent « -eur ».
un moteur – la lenteur – un tailleur – la pâleur
Exceptions :
    le beurre – la demeure – l'heure – un heurt (heurter) – un leurre (leurrer)
    le cœur – la sœur – la rancœur – un chœur
Remarque :
Quelques noms empruntés à des **langues étrangères** se terminent par le son [œʀ], mais ils gardent leur **orthographe d'origine**.
un leader – un speaker – un flipper – un dealer – un tanker

– **Les noms féminins** terminés par le son [waʀ] s'écrivent tous « -oire ».
la foire – une poire – la préhistoire

– **Les noms masculins** terminés par le son [waʀ] s'écrivent très souvent « -oir ».
un devoir – un hachoir – le terroir
Mais il y a des exceptions :
    le laboratoire – le répertoire – un territoire – un observatoire…
En cas de doute, il faut toujours consulter un dictionnaire.

---

57 **Comment appelle-t-on ceux qui accomplissent ces actions ?**
Ex. : *Celui qui patine ?* → *un **patineur***

Celui qui pêche ?	Celui qui jongle ?	Celui qui nage ?
Celui qui soude ?	Celui qui court ?	Celui qui grimpe ?
Celui qui gêne ?	Celui qui campe ?	Celui qui chasse ?

58 **Copiez ces noms en plaçant l'article indéfini qui convient devant chacun. Vous pouvez utiliser un dictionnaire.**

… réfectoire	… échappatoire	… réquisitoire	… trajectoire
… pressoir	… victoire	… plongeoir	… armoire
… bougeoir	… présentoir	… pourboire	… comptoir

59 **Complétez ces noms terminés par les sons [waʀ] ou [œʀ] comme il convient.**

un flott…	un supposit…	un labour…	le territ…	un récept…
un promont…	un taman…	un réact…	un repouss…	un access…
un chauff…	le désesp…	une pass…	la doul…	la grand…

30

60 Copiez les phrases en les complétant avec des noms – terminés par le son [waʀ] – de la même famille que les verbes entre parenthèses.

L'… (interroger) du suspect s'est poursuivi durant vingt heures. – Mélanie remplit la … (manger) et le petit … (abreuver) de son canari. – Avant d'être pesés puis emballés, les saucissons sont placés au … (sécher) pendant plusieurs jours. – Ce siège n'est pas très confortable, car il n'a pas d'… (accouder). – Depuis peu, Valérie étudie la harpe au …(conserver) de musique de Vierzon. – M. Rozier n'utilise que des … (raser) mécaniques. – Après l'avoir lavée, tu places la vaisselle sur l'… (égoutter). – Combien de litres d'essence peut-on verser dans le … (réserver) de ce camion ? – Les … (éliminer) de la coupe d'Europe se sont déroulées au mois de juin.

61 Copiez les phrases en complétant les noms terminés par le son [waʀ].

Pour verser de l'eau dans une bouteille, utiliser un entonn…, c'est vraiment ce qu'il y a de plus pratique. – L'explorateur raconte ses aventures dans la jungle de Bornéo et l'audit… est sous le charme. – De l'observat… du pic du Midi, on découvre des milliers d'étoiles. – Le répert… de ce chanteur est des plus variés ; il chante la gl… de l'Afrique et le désesp… des Indiens d'Amérique. – De son perch…, le perroquet étonne les passants en prononçant quelques mots. – Comme la fin de l'hist… est triste, les personnes sensibles sortent leur mouch… .

62 Trouvez les noms – dans lesquels on entend les sons [waʀ] ou [œʀ] – dont voici les définitions telles qu'on les trouve dans les mots croisés.

En principe, ils sont réservés aux piétons.	→ les …	(9 lettres)
Le plus petit côté d'un rectangle.	→ la …	(7 lettres)
Il distribue le courrier.	→ le …	(7 lettres)
Le moyen de locomotion des poissons.	→ les …	(9 lettres)
Au Moyen Âge, il vivait dans son château fort.	→ le …	(8 lettres)
Il permet de monter, sans peine, dans les étages.	→ l'…	(9 lettres)
Celles du crocodile sont redoutables.	→ les …	(9 lettres)

63 Copiez les phrases en les complétant avec des noms terminés par le son [œʀ].

Charlemagne a été couronné … en l'an 800. – Le … a vidé un grenier et il a récupéré des meubles anciens. – Une noisette de … et un filet de citron sur les haricots verts, c'est délicieux. – L'… s'occupe de ses ruches toute l'année. – Le cours était passionnant et l'… de géographie a passé très vite. – Le … de judo conseille les jeunes adhérents du club de Courbevoie. – Il n'y a pas péril en la …, affirme le dicton populaire. – La suspension de la voiture est défaillante ; le mécanicien change les quatre … . – Le dernier … de l'équipe anglaise a laissé tomber le bâton de relais à quelques mètres de l'arrivée. – En l'absence de Vanessa, tous les messages sont enregistrés sur son … .

Vocabulaire _____

un climatis**eur** – un cascad**eur** – un brocant**eur** – une longu**eur** – une larg**eur**
un accoud**oir** – le désesp**oir** – un présent**oir** – un réserv**oir** – l'abatt**oir**
un répert**oire** – un access**oire** – un pourb**oire** – un observat**oire** – un audit**oire**

12e Leçon — Les noms terminés par le son [o]

Règle

– Beaucoup de noms terminés par le son [o] s'écrivent -*eau*.

un panneau – le cerceau – un tableau

Deux noms terminés par -*eau* sont du genre féminin : *la peau* et *l'eau*.

– Il existe deux autres terminaisons :

-au : *un matériau – le tuyau – le boyau*

-o : *un lavabo – un studio – le loto*

À la fin des noms terminés par -o ou -au, il y a assez **souvent une lettre muette**.

un lot	*le repos*	*le sirop*	*un escroc*
un assaut	*le réchaud*	*le taux*	*un broc*

Remarques :

- Devant « t », on place parfois un **accent circonflexe** sur le « o ».
  un impôt – le dépôt
- Beaucoup de noms terminés par -o sont des **noms abrégés**.
  la photographie → la photo   *un microphone → un micro*

– On peut parfois trouver la consonne finale d'un nom terminé par -au ou -o en cherchant un mot de la même famille dans lequel on entend cette consonne.

un tricot → tricoter   *le dos → un dossier*

Mais il y a des exceptions (*numéroter → le numéro*), aussi est-il prudent de consulter un dictionnaire en cas de doute.

Voir « Abréviations » pp. 12-13 et « Les consonnes muettes », pp. 46-47.

64 Complétez ces noms avec l'écriture du son [o] qui convient.

un chât…	un grel…	un chi…	un traîn…	le casin…
un corb…	le pot…	un ruiss…	un cham…	le mus…
le métr…	un moin…	un roul…	un morc…	un barr…
un haric…	un piv…	la mété…	un grel…	un îl…
un manch…	un ét…	un cachal…	un pédal…	le caniv…
un rad…	le fl…	un prun…	un javel…	un tourned…

65 Complétez ces noms terminés par le son [o]; vous ajouterez un adjectif qualificatif ou un complément du nom.

Ex. : *un troup… → un troupeau de moutons*

le tang…	le cap…	un ois…	un rob…	un perdr…
un fag…	un ass…	un cage…	un pian…	un maill…
un escarg…	un vél…	un gig…	un berling…	un prop…
un l…	un compl…	le rep…	un carg…	un rés…
un plat…	un cad…	le niv…	un paqueb…	le goul…

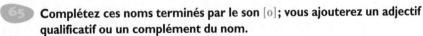

66 Copiez les phrases en complétant les noms terminés par le son [o].

En Afrique, les invasions de sauterelles constituent un flé… redoutable. – Pour sa fête, les collègues de bur… de Mme Cormier lui ont offert une boîte de berling… . – L'imprimeur passe les livres au massic… pour égaliser les bords. – Les cow-boys des westerns manient le lass… avec virtuosité, pour les besoins de la caméra, bien sûr ! – Ce questionnaire est à remplir rect…-vers… ; prenez vite votre styl… . – Les crocodiles fendent silencieusement l'… dormante du marig… . – Manon porte deux beaux ann… dorés aux oreilles. – Il faut essayer de corriger ses déf… et cultiver ses qualités. – L'auteur du scénari… a été récompensé par un César ; il fréquente les studi… de cinéma depuis des années.

67 Copiez les phrases en plaçant les noms que vous aurez complétés avec l'écriture du son [o] qui convient.

joy… – cerv… – pinc… – entrep… – noy… – encl… – cach… – pré…

Quand il pleut, nous restons sous le … pendant l'interclasse. – Le … de l'homme est le plus développé de tous les mammifères. – La chèvre a quitté son … ; elle s'est enfuie dans la montagne. – Pour peindre les contours du portrait, tu utiliseras un … très fin. – Tout le matériel de l'électricien est rangé dans un vaste … . – Si tu avales un … de cerise, ce n'est pas très grave : il est petit. – Ce chalet perdu dans la forêt de sapins, c'est un pur … . – Le *Masque de fer* fut enfermé dans un … de la forteresse de Pignerol.

68 Copiez les phrases en les complétant avec des noms terminés par le son [o].

N'agitez pas une cape rouge devant un … furieux ; il foncera probablement sur vous. – Une des spécialités des sorcières était d'utiliser de la poudre de … pour jeter des sorts. – Le … d'intérêt versé par les caisses d'épargne vient d'augmenter. – Dressé sur ses …, le jeune coq fait admirer son plumage. – Au …, le cheval va moins vite qu'au … . – Pour combattre, les judokas portent un … fermé par une ceinture de couleur. – Pendant la Révolution française, de nombreuses personnes sont montées à l'… . – M. Blanchet dépose des bouteilles d'… minérale dans son …, et il se dirige vers les caisses.

69 Complétez chaque phrase avec un homonyme du mot entre parenthèses.

Aux grands … (mots), les grands remèdes. – En prenant son élan sur un trampoline, on effectue des … (sceaux) spectaculaires. – Comment voulez-vous remplir le bassin avec un … (sot) si petit ? – La viande de … (vos) est-elle plus tendre que celle de l'agneau ? – Laure porte une superbe veste en … (pot) de mouton. – Pourquoi n'y avait-il pas assez de … (canaux) de sauvetage sur le *Titanic* ? – Les … (boulot) sont des arbres des zones humides. – Le mélange de sable, de … (chaud) et d'… (haut) donne un mortier utilisé pour enduire les façades. – Il y a bien longtemps qu'on ne moissonne plus à la … (faut).

Vocabulaire

le tr**ot** – le gal**op** – le rep**os** – un fag**ot** – un rob**ot** – un hér**os** – un cap**ot**
un ét**au** – un boy**au** – un noy**au** – un artich**aut** – un réch**aud** – un crap**aud**

13e Les noms terminés par le son [ɛ]

Leçon

Voir « Les consonnes muettes », pp. 46-47.

RÈGLE

- **Les noms masculins terminés par le son** [ɛ] s'écrivent le plus souvent « -et ».

  le buffet – le rejet – un gourmet – un jouet

  Mais il existe d'autres terminaisons qu'il faut connaître.

« -ai »	: *le minerai – le balai*
« -ais »	: *le palais – le marais*
« -ès »	: *le décès – le congrès*
« -ait »	: *le forfait – le lait*
« -ect »	: *le respect – l'aspect*
« -ey » ou « -ay »	: *le volley – le tramway* *Vevey – Valençay*

  Remarque :
  On peut parfois trouver les lettres muettes finales avec un mot de la même famille dans lequel ces lettres sont prononcées.

  le lait → la laiterie   le respect → respecter

- **Les quelques noms féminins terminés par le son** [ɛ] s'écrivent « -aie ».

  la craie – la plaie – la baie

  Exceptions : la paix – la forêt

  Beaucoup de lieux plantés d'arbres (ou d'arbustes) sont des noms féminins terminés par « -aie ».

  la bananeraie – la roseraie – la châtaigneraie – la ronceraie

  En cas de doute, il faut toujours consulter un dictionnaire.

---

70 Complétez ces noms terminés par le son [ɛ].

un chapel…	l'oranger…	un souh…	un cypr…	un dél…
un souffl…	un pamphl…	un couper…	l'oliver…	un cheval…
un mousqu…	le cassoul…	un abc…	un pon…	un proc…

71 Donnez un diminutif de ces noms en utilisant un suffixe.

   Ex. : *un garçon → un garçonnet*

un tonneau	un os	un porc	un roi	un coq
un jardin	un moulin	un wagon	un bâton	un ruisseau

72 Écrivez les noms – terminés par le son [ɛ] – correspondant à ces verbes.

   Ex. : *harnacher → un harnais*

progresser	engraisser	refléter	lacer	intéresser
excéder	retirer	regretter	remblayer	attirer

73 Copiez les phrases en les complétant avec des noms terminés par le son [ɛ].

Ce document secret se compose de trois simples feuill…, mais pour le déchiffrer il faut connaître le code. – À l'entrée du saloon, le shérif confisque les pistol… des cow-boys afin d'éviter tout incident. – Les anciens du village prennent le fr… à l'ombre des platanes. – Les flageol… accompagnent très bien le ragoût de mouton. – Les grands seigneurs de la Cour ne se déplaçaient pas sans une multitude de laqu… . – Le martin… est un oiseau souvent confondu avec l'hirondelle. – Le 1er m…, on offre des brins de mugu… . – Le rugbyman a marqué un ess… en déposant le ballon derrière la ligne adverse.

74 Copiez les phrases en plaçant les noms, terminés par le son [ɛ], que vous aurez complétés.

pr… – pal… – parqu… – pag… – hock… – qu… – brev… – forf…

Pour emprunter tous les télésièges de la station de ski, les skieurs achètent un … valable pour la semaine. – Les élèves de 3e passeront leur … en fin d'année. – Pour acheter un appartement, la famille Pierson a sollicité un … auprès de sa banque. – Vous avez quitté vos chaussures pour ne pas rayer le … . – Si vous voulez que votre canoë avance, donnez de grands coups de … . – Le bateau est à … et les dockers vont le décharger. – Au … sur glace, on guide le … avec une crosse.

75 Copiez les phrases en les complétant avec des noms homonymes des mots entre parenthèses.

Un arbitre ne se sépare jamais de son … (sifflait). – Les petits rats de l'opéra répètent le … (balaie) qu'ils présenteront prochainement. – Le lanceur de javelot a effectué un … (geai) à plus de quatre-vingts mètres. – Pour tracer des … (très) fins, il faut avoir un crayon bien taillé. – Pendant l'interclasse de midi, les garçons disputent une partie de … (volait). – Au petit-déjeuner, il est recommandé de boire un verre de … (laid). – Il faut une masse pour planter les … (piquait) autour du pré avant de poser les fils de fer barbelés. – Le plus haut … (sommait) du Jura est le … (craie) de la Neige qui culmine à 1 720 mètres.

76 Trouvez les noms – terminés par le son [ɛ] – dont voici les définitions telles qu'on les trouve dans les mots croisés.

Il se promène sur les cordes du violon.	→ l'…	(6 lettres)
Support sur lequel le peintre place sa toile.	→ un …	(8 lettres)
On doit le marquer devant le panneau STOP.	→ l'…	(5 lettres)
Ceux aux pommes sont délicieux.	→ les …	(8 lettres)
Centre nerveux situé à l'arrière du cerveau.	→ le …	(8 lettres)
Siège sans bras ni dossier posé devant un bar.	→ un …	(8 lettres)
Ils encadrent les paroles dans un récit dialogué.	→ les …	(10 lettres)

Ⓥocabulaire _____

un accès – un décès – un progrès – un congrès – le succès – un excès
un coffret – un bouquet – du muguet – un ticket – un guichet – un couplet
un souhait – un trait – un retrait – un délai – un essai – un relais

35

14ᵉ Leçon
Les noms terminés par le son [e]

RÈGLE

- **Les noms masculins** terminés par le son [e] s'écrivent le plus souvent « -er ».

  le pommier – le plombier – un oreiller – le verger

  Mais comme il existe d'autres terminaisons, il est prudent de consulter un dictionnaire.

  « -é » : *un résumé – le marché – le bébé*

  « -ée » : *le musée – le lycée – le trophée*

  « -ez » ou « -ed » : *le nez – le pied – le trépied – le marchepied*

- **Les noms féminins** terminés par le son [e] s'écrivent « -ée ».

  la rentrée – une dragée – la marée – une cheminée

  Exceptions : *la clé (ou la clef) – l'acné*

- **Les noms féminins** terminés par les sons [te] ou [tie] s'écrivent « -é ».

  la liberté – l'autorité – l'amitié – la pitié

  Exceptions : *la montée – la dictée – la jetée – la portée – la butée – la pâtée*

  et les noms qui indiquent un contenu : *l'assiettée – une nuitée*

Voir « La suffixation », pp. 198-199.

---

77 **Complétez ces noms masculins terminés par le son [e].**

le péron...   un pili...   un degr...   un canap...   un étri...
un calendri...   un mausol...   un côt...   un caissi...   le lanc...
un scarab...   un alli...   un escali...   le tierc...   un pétroli...
un figui...   un raz-de-mar... un poiri...   un pr...   le senti...
un gosi...   un trait...   le doigt...   le gési...   le karat...

78 **Complétez ces noms féminins terminés par le son [e].**

l'éternit...   la vérit...   la poign...   une flamb...   la propret...
l'assembl...   la tranch...   l'indemnit...   l'électricit...   une id...
l'équip...   la pouss...   une poup...   une bouff...   la bont...
l'antiquit...   une traîn...   la fermet...   la pur...   la rigidit...
l'acidit...   la cord...   la salet...   l'ongl...   la sûret...

79 **Écrivez les noms exprimant un contenu (ou une quantité) de la même famille que ces noms, et ajoutez un complément.**

Ex. : *une pince* → *une **pincée** de sel*

un bol   une brouette   une table   une cuillère   un plat
un pot   un nid   une pelle   un four   un bras
un an   une tétine   une cuve   un soir   une poêle

80 Transformez ces expressions en groupe nominal comme dans l'exemple.
Ex. : *émincer des poireaux → un **émincé** de poireaux*

résumer une leçon	plonger en Méditerranée	dicter un texte
énoncer un exercice	stabiliser une passerelle	corriger un devoir
monter les marches	défiler avec des majorettes	traverser un village
vouloir travailler	tracer des lignes parallèles	obscurcir une cave

81 Copiez les phrases en complétant les noms terminés par le son [e].

M. Mariano a manqué de lucidit… dans l'appréciation de la situation. – Par une belle soir… d'été, avez-vous déjà admiré un couch… de soleil ? – L'entr… du chanti… est réservée aux seuls ouvri…. – Le nougat est la spécialit… de la ville de Montélimar. – L'avant-centre a pris le gardien de but à contre-pi…. – Le clown porte un faux n… rouge. – La chauss… enneigée sera dégagée dans la matin…. – Au petit-déjeun…, prendrez-vous un th… ou un caf…? – Le jour des soldes, c'est la ru… dans les boutiques de vêtements.

82 Écrivez les noms féminins de la même famille que ces adjectifs et ajoutez un complément. Ex. : *rapide → la **rapidité** des événements*

facile	fier	clair	habile	gai	multiple
beau	vrai	majestueux	subtil	sinueux	curieux
naïf	austère	assidu	cruel	téméraire	cordial
immense	léger	nécessaire	grave	absurde	ancien

83 Trouvez les noms – terminés par le son [e] – dont voici les définitions telles qu'on les trouve dans les mots croisés.

S'il n'y a pas de feu, elle ne peut pas s'échapper.	→ la …	(5 lettres)
Il vaut mieux en avoir une quand on ne sait pas nager.	→ une …	(5 lettres)
Il a remplacé le parchemin.	→ le …	(6 lettres)
Dans un port, elle protège les bateaux des tempêtes.	→ la …	(5 lettres)
Les notes de musique sont inscrites sur ses lignes.	→ la …	(6 lettres)
Celui du Louvre est l'un des plus célèbres du monde.	→ le …	(5 lettres)

84 Copiez les phrases en les complétant avec des noms terminés par le son [e].

La … envahit chaque jour un peu plus les écrans de télévision. – « … - … - … », c'est la devise de la République française ; elle est gravée sur de nombreux monuments officiels – Les … en partance pour l'Indonésie présentent leur carte d'embarquement à l'hôtesse de l'air. – Les élèves demi-pensionnaires peuvent placer leurs manuels scolaires dans des … fermés à … . – Le ballon de rugby disparaît sous la … . – Le phare de *La Giraglia* est situé à l'… du Cap Corse. – Le 31 décembre, c'est la fin de l'… . – Le … est un porc sauvage qui ravage quelquefois les champs de maïs.

 ocabulaire

un calendri**er** – un berg**er** – le dang**er** – le lanc**er** – un usag**er** – un verg**er**
le tierc**é** – un degr**é** – un bless**é** – un comit**é** – un côt**é** – le march**é**
la gaiet**é** – la curiosit**é** – la fiert**é** – la société – la variét**é** – la fermet**é**
le lyc**ée** – le mus**ée** – un troph**ée** – la dict**ée** – la port**ée** – la mont**ée** – la jet**ée**

Les noms terminés par les sons [il], [yl] et [al]

RÈGLE

* **Les noms féminins et masculins** terminés par le son [il]
s'écrivent « -ile » ou « -il ».
   « -ile » : *l'argile – un asile*   « -il » : *le profil – un civil*
Exceptions : la ville – le bacille – un mille – un vaudeville – un bidonville
   la chlorophylle – une idylle

* **Les noms féminins et masculins** terminés par le son [yl]
s'écrivent « -ule ».
   la canicule – une renoncule – un tentacule
Exceptions : le calcul – le recul – le cumul – le consul – le tulle – la bulle

* **Les noms masculins** terminés par le son [al] s'écrivent « -al » ou
« -ale ».
   « -al » : *un animal – un végétal*   « -ale » : *un scandale – un pétale*
Exceptions : un mâle – un râle – un châle – un intervalle

* **Les noms féminins** terminés par le son [al] s'écrivent « -ale » ou
« -alle ».
   « -ale » : *une rafale – une escale*   « -alle » : *une balle – une salle*

---

85 Complétez les noms terminés par le son [il].

un hémoph…	un fourn…	un rept…	le f…	une id…
un text…	un crocod…	un terr…	un volat…	un bar…
un stenc…	un imbéc…	un cinéph…	un miss…	un chen…
une automob…	un vaudev…	le m…	un ex…	un domic…
un bilioph…	un vig…	l'arg…	l'évang…	un conc…

86 Complétez les noms terminés par le son [yl].

un tuberc…	une tarent…	une moléc…	une libell…	un scrup…
le rec…	un matric…	le vestib…	une virg…	un bid…
un groupusc…	une pellic…	une pil…	une b…	un péc…
un herc…	un conciliab…	un cons…	une partic…	une vein…
une mandib…	une pend…	un mod…	une basc…	la rot…

87 Complétez les noms terminés par le son [al].

un tot…	une fin…	un ov…	une succurs…	un scand…
une sand…	un boc…	un ch…	un mét…	un sign…
une céré…	une raf…	un festiv…	un crot…	un interv…
une timb…	une cig…	un chev…	un squ…	l'encéph…
un capor…	un idé…	la mor…	la c…	un loc…

Copiez les phrases en complétant les noms terminés par le son [il].

Un phare très puissant se trouve à l'extrémité de la presqu'… de Giens. – Paula prend place dans la f… d'attente ; elle espère que son tour viendra bientôt. – Fabien doit changer la p… de la télécommande de son téléviseur. – La passoire est un ustens… de cuisine fort pratique pour égoutter les légumes. – Dans le Midi de la France, la plupart des toits sont recouverts de tu… rondes. – Ce crime est inexplicable ; il n'y a pas de mob… apparent. – Sans la chloroph…, les végétaux ne pourraient pas se développer. – La b… est un liquide amer sécrété par le foie. – Un simple caillou peut être un project… dangereux s'il est lancé avec une fronde. – J'apprécie beaucoup le st… de ce dessinateur.

89 **Copiez les phrases en complétant les noms terminés par le son** [yl].

Le Portugal et l'Espagne forment la Pénins… ibérique. – Dick Fosbury fut le premier sauteur en hauteur à franchir une barre sur le dos ; depuis, il a fait beaucoup d'ém… . – Le professeur Tournesol ne se séparait jamais de son pend… ; il indiquait toujours l'ouest ! – Connaissez-vous la form… qui permet le calc… du volume d'une sphère ? – Dans quel cas faut-il mettre une majusc… aux points cardinaux ? – Ce coureur cycliste a fait une chute sur les pavés mouillés ; il s'est cassé la clavic… . – Au crépusc…, les automobilistes allument leurs phares. – Ce médicament contre la grippe se présente sous la forme de gél… à avaler avec un verre d'eau. – Le voile de la mariée est en t… blanc.

90 **Copiez les phrases en complétant les noms terminés par le son** [al].

Les maçons ont coulé une d… de béton au rez-de-chaussée du magasin. – Lorsque souffle le mistr…, le ciel est dégagé mais il fait froid. – En trois coups de péd…, Eddy Martin a rejoint les coureurs échappés. – Avant d'entreprendre la traversée de l'Atlantique Sud, le catamaran fait esc… aux Açores. – Les répétitions de la chor… du collège ont lieu entre midi et quatorze heures. – M. Aouad a beaucoup de bagages : quatre valises et une m…! – Victime d'un malaise, Mme Vernay est conduite aux urgences de l'hôpit… .

91 **Copiez les phrases en complétant les noms terminés par les sons** [il], [yl] **ou** [al].

La municipalité a rasé le bid… qui défigurait le quartier ; à la place s'élève maintenant un bel immeuble. – Dans cette carrière, les géologues ont découvert de nombreux fo… datant de l'ère secondaire. – Pour préparer une bonne sauce de salade, rien ne vaut l'h… d'olive. – La m… du pape d'Avignon avait la rancune tenace ; elle attendit sept ans pour se venger de Tistet Védène. – Ce pont est interdit aux vé… de plus de cinq tonnes. – Le ven… droit du cœur envoie le sang dans les poumons pour que les gl… rouges s'oxygènent. – Les péniches empruntent le ca… de la Marne au Rhin. – Le jour de la rentrée, le pri… du collège accueille les nouveaux élèves de 6e.

Vocabulaire

une **vill**e – un rept**ile** – un miss**ile** – le text**ile** – le prof**il** – le chen**il**
un anim**al** – un sign**al** – un capit**al** – un interv**alle** – une **sall**e – une d**alle**
un véhic**ule** – une libell**ule** – une pellic**ule** – un scrup**ule** – une majusc**ule**

Les noms terminés par les sons [iʀ], [yʀ], [aʀ] et [ɛʀ]

RÈGLE

- **Les noms féminins et masculins** terminés par le son [iʀ] s'écrivent « -ir » ou « -ire ».

« -ir » : *le tir – un saphir*   « -ire » : *une satire – le cachemire*
Exceptions : le martyr(e) – une lyre – le zéphyr – un satyre

- **Les noms féminins et masculins** terminés par le son [yʀ] s'écrivent « -ure ».

le mercure – la toiture – une parure
Exceptions : le mur – le fémur – le futur – l'azur

- **Les noms masculins** terminés par le son [aʀ] s'écrivent :

« -ar » : *un jaguar – le dollar*   « -are » : *un avare – un centiare*
« -art » : *un rempart – un faire-part*   « -ard » : *un foulard – un boulevard*
Exceptions : un tintamarre – un jars – un bécarre

- **Les noms féminins** terminés par le son [aʀ] s'écrivent « -are » ou « -arre ».

« -are » : *une mare – une gare*   « -arre » : *une escarre – une amarre*
Exceptions : la part – la plupart – des arrhes

- **Les noms masculins et féminins** terminés par le son [ɛʀ] s'écrivent :

« -aire » : *une paire – un adversaire*   « -ert » : *le couvert – un expert*
« -erre » : *la guerre – le tonnerre*   « -er » : *un fer – un ver – la mer*
« -ère » : *le frère – la misère*   « -ers » : *l'envers – l'univers*
Exceptions : le nerf – le flair – un clerc

---

92 Complétez les noms terminés par le son [iʀ].

le dél…   un soup…   un r…   la c…   le p…
un sour…   le deven…   un menh…   l'emp…   un sat…

93 Complétez les noms terminés par le son [yʀ].

l'avent…   la nat…   l'encol…   le fut…   la fig…
une ray…   la capt…   un murm…   la frit…   l'all…
un m…   une m…   la caricat…   une grav…   une créat…

94 Complétez les noms terminés par le son [aʀ].

un squ…   un canul…   la fanf…   une bag…   une cith…
un branc…   un doss…   un buv…   un milli…   un nénuph…
un can…   un autoc…   un éc…   du cavi…   le blizz…

95 Copiez les phrases en complétant les noms terminés par le son [ir].

Seuls les nav… de tonnage moyen peuvent emprunter le canal de Suez. – Le petit frère de Rachel place ses économies dans une tirel… en forme de petit cochon. – C'est avec plais… que je répondrai à votre invitation amicale. – La l… était un instrument de musique fort répandu dans la Grèce antique. – J'ai gardé un excellent souven… de ma dernière visite au parc d'attractions. – Le vamp… est une chauve-souris qui suce le sang de ses victimes animales.

96 Complétez les noms terminés par le son [ɛr].

la bi…	le p…	une pr…	un ov…	un ulc…
le las…	une sph…	la gal…	une vip…	un conc…
une pi…	la gu…	le li…	un piv…	une aff…
un hor…	une lani…	une visi…	la lisi…	un estu…

97 Copiez les phrases en complétant les noms terminés par le son [yr].

De nombreux panneaux publicitaires sont placés en bord… de la route nationale. – L'enverg… de l'albatros est prodigieuse : plus de trois mètres ! – Cette broch… vous donnera tous les détails sur la cult… des orchidées. – Trop de pays vivent encore sous des dictat… militaires. – Avez-vous déjà goûté de la confit… de rhubarbe ? – Le fém… est l'os le plus long du corps humain. – C'est la doubl… de l'acteur principal qui sautera en parachute ; une bless… retarderait le tournage de la fin du film. – Cet haltérophile fait admirer sa musculat… : quelle carr…! s'exclame le public.

98 Copiez les phrases en complétant les noms terminés par le son [ar].

Les Indiens d'Amazonie enduisaient leurs flèches de cur… . – Le dép… du vol à destination de Pékin s'effectuera avec un ret… de trente minutes. – La surface d'un terrain de football est d'environ un hect… . – Le capitaine de l'équipe de Strasbourg porte un brass… jaune. – Yohan se réveille en sursaut ; il a fait un cauchem… . – De nombreux rad… sont installés au bord des routes pour contrôler la vitesse des chauff… . – Le vautour est un charogn… qui survole les cadavres de bêtes que les fauves ont tuées. – Ce hors-bord en forme de cig… semble voler au ras des flots. – Un mot… ne se sépare jamais de son casque. – Django Reinhardt fut le joueur de guit… de jazz le plus célèbre.

99 Copiez les phrases en complétant les noms terminés par le son [ɛr].

Il n'y a que dans les contes que les berg… épousent les princes. – Les ouvriers ont réclamé une augmentation de sal… . – Les mol… des ruminants sont extrêmement développées. – Le véritable camemb… est fabriqué en Normandie à partir de lait cru. – Le dés… du Sahara a longtemps constitué un obstacle aux échanges entre l'Afrique du Nord et les pays du Sahel. – Autrefois, avant d'opérer une personne, on lui faisait respirer de l'éth… .

Vocabulaire _____

le plais**ir** – un aven**ir** – un souven**ir** – un menh**ir** – l'emp**ire** – un vamp**ire**
un reg**ard** – un hom**ard** – un pét**ard** – un hang**ar** – un rad**ar** – un auto**car**
la dict**ature** – la nourrit**ure** – la candidat**ure** – la littérat**ure** – la mors**ure**

17ᵉ
Leçon

Les noms terminés par le son [ãs]

RÈGLE

- **Les noms féminins terminés par le son** [ãs] s'écrivent généralement avec deux terminaisons différentes « -ance » ou « -ence », aussi fréquentes l'une que l'autre.

– « -ance » : *la chance – la puissance – la nuance*
Beaucoup de ces noms sont des substantifs dérivés d'adjectifs qualificatifs ou d'adjectifs verbaux terminés par -ant.
obéissant → l'obéissance   confiant → la confiance

– « -ence » : *la fréquence – la négligence – la diligence*
Beaucoup de ces noms sont des substantifs dérivés d'adjectifs qualificatifs terminés par -ent.
fréquent → la fréquence   différent → la différence
Exceptions à cette règle de formation :
exigeant → l'exigence   existant → l'existence

- On peut **trouver la terminaison correcte** en pensant à un **mot de la même famille** que l'on sait orthographier.
avancer → l'avance   un absent → l'absence

- Quelques noms ont des **terminaisons particulières**.
« -anse » : *la danse – l'anse – la panse – la transe*
« -ense » : *la défense – l'offense – la dépense – la récompense – la dispense*

Remarque :
Un seul nom terminé par le son [ãs] est masculin : *le silence.*

Voir « La suffixation », pp. 198-199.

---

 100 Écrivez les noms terminés par le son [ãs] dérivés de ces adjectifs qualificatifs ou de ces adjectifs verbaux.
Ex. : *conscient → la conscience*

bienfaisant	médisant	constant	clément	confiant
excellent	ignorant	intelligent	insignifiant	innocent
influent	dépendant	patient	bienveillant	violent

101 Écrivez les noms terminés par le son [ãs] dérivés de ces verbes.
Ex. : *lancer → une lance*

exiger	assurer	briller	croire	prévenir
danser	offenser	se méfier	errer	agencer
suppléer	exister	assister	souffrir	semer
ignorer	négliger	dépendre	converger	délivrer

Copiez les phrases en complétant les noms terminés par le son [ɑ̃s].

Devant le maire, les mariés échangent leurs alli…. – On ignore dans quelles circonst… ce navire s'est échoué. – J'ai pu voir quelques séqu… de ce film ; il me semble intéressant. – Quelle est la date de naiss… de Victor Hugo ? – La compét… de ce dentiste n'est pas à mettre en doute. – Le professeur d'EPS nous demande d'effectuer une course d'endur…. – Approcher une flamme d'une bouteille de gaz : quelle imprud…! – L'espér… de vie des Français et des Françaises ne cesse d'augmenter. – Le Sénégal n'a accédé à l'indépend… qu'en 1960. – Assisterez-vous à la sé… de 15 heures ?

 Copiez les phrases en les complétant avec des noms, terminés par le son [ɑ̃s], **de la même famille que les mots entre parenthèses.**

Si vous les arrosez régulièrement, la … (croître) de vos plantes vertes en sera améliorée. – Tu te rends à l'… (un intendant) pour payer la demi-pension. – Où allez-vous passer vos … (vaquer) ? – Depuis qu'une ligne TGV traverse Saint-Martin, les … (nuire) sonores sont importantes. – Même si le crocodile a l'… (apparaître) d'un simple tronc d'arbre, ne vous aventurez pas au bord du fleuve. – C'est une entreprise spécialisée qui assure la … (maintenir) de tous les ordinateurs du collège. – On ne voit pas où est la … (cohérent) entre votre discours et vos actes. – Le train en … (provenir) de Limoges entrera en gare dans deux minutes. – Nasser a été élu à la … (présider) du foyer des élèves.

104 **Copiez les phrases en les complétant avec des noms terminés par le son** [ɑ̃s].

Cette année, il y a des cerises en … ; nous allons nous régaler. – Après son opération du genou, mon cousin partira en … dans une maison de repos. – La … poursuit ce coureur : après une crevaison, il est victime d'une chute. – Quand on rédige un texte, il faut toujours respecter la … des temps. – Félix est trop impulsif ; il ne mesure pas toujours les … de ses actes. – En remportant la finale départementale, l'équipe de hand-ball du collège a accompli une … exceptionnelle. – Quelle est la … de cet arrosoir ? – Alors qu'il allait ouvrir la porte blindée, l'espion a reçu un coup sur la tête ; il a perdu …. – Corentin souffre de la cheville ; il bénéficie d'une … de rééducation.

105 **Trouvez les noms – terminés par le son** [ɑ̃s] **– dont voici les définitions telles qu'on les trouve dans les mots croisés.**

Un instrument de mesure des poids.	→ une … (7 lettres)
Entre deux jumeaux, elle est souvent frappante.	→ la … (12 lettres)
On la verse dans les réservoirs des automobiles.	→ l'… (7 lettres)
Entre l'enfance et l'âge adulte.	→ l'… (11 lettres)
Elle exige de prendre des précautions quand on conduit.	→ la … (8 lettres)
Un véhicule pour transporter les blessés.	→ une … (9 lettres)
Le médecin la délivre et on la présente au pharmacien.	→ l'… (10 lettres)

Vocabulaire

la pati**ence** – l'abs**ence** – l'ess**ence** – l'intellig**ence** – la prud**ence** – l'urg**ence**
l'assur**ance** – la prévoy**ance** – la croy**ance** – la tolér**ance** – l'élég**ance**
la déf**ense** – l'off**ense** – la disp**ense** – la récomp**ense** – la d**anse** – l'**anse**

La lettre « h »

RÈGLE

- **Lorsqu'un mot commence par un « h » aspiré**, on ne place pas d'apostrophe et la liaison avec le mot qui précède est impossible.
  le hublot – la hache – la hutte
  les hublots – les haches – les huttes

- **Lorsqu'un mot commence par un « h » muet**, on place l'apostrophe au singulier et on fait la liaison au pluriel.
  l'herbe – l'homme – l'homonyme
  les_herbes – les_hommes – les_homonymes
  Dans ce cas, seule la mémorisation des mots ou la consultation d'un dictionnaire permet de savoir s'il y a un « h » initial.

- On peut trouver **la lettre « h » à l'intérieur des mots.**
  Elle **sépare** parfois **deux voyelles** et tient le rôle d'un tréma, en empêchant que ces deux voyelles ne forment qu'un seul son.
  ahurissant – un véhicule – un bahut – la cohue

Remarque :
On trouve parfois la lettre « h » **à la fin** de quelques **noms** ou **interjections**.
oh – eh – un mammouth – la casbah – l'aneth

Voir « L'apostrophe », pp. 12-13.

106 Complétez les mots, si nécessaire, avec la lettre « h ».

un …éritage	un g…etto	un pit…on	l'ent…ourage
un …érisson	le t…ermalisme	un pyt…on	l'ent…ousiasme
une …éraflure	le t…erminus	une prot…èse	une pant…ère
un da…lia	un …orme	l'acrobat…ie	un crit…ère
l'…apot…éose	une …ormone	la sympat…ie	des spag…ettis

107 Copiez les phrases en complétant, si nécessaire, les mots avec la lettre « h ».

Les jeunes chevaux disputent une course de …aies. – La …aine est un vilain défaut. – Un at…lète a mal lancé son javelot qui a atteint un autre at…lète à l'…aine. – Les gladiat…eurs romains s'affrontaient dans d'immenses amp…it…éâtres. – Un choc violent sur un rocher a endommagé l'…élice du bateau. – Avant l'âge de dix-…uit ans, on n'est pas …éligible aux …élections municipales. – Le vendeur renseigne aimablement les …acheteurs. – Le boucher prépare des biftecks …achés. – L'…exagone est un polygone de six côtés, alors que l'…octogone en a huit. – Par cette t…empérature, ne restez pas de…ors, vous allez vous enr…umer. – Tous les mat…ématiciens ont appris, au cours de leurs études, à démontrer le t…éorème de Pyt…agore.

108 **Copiez les phrases en les complétant avec des homonymes des mots entre parenthèses.**

Le carreleur pose des … (la plainte) au bas des murs de la salle de bains. – Savez-vous quelle est la … (un auteur) exacte de la tour Eiffel ? – L'… (l'autel) Crillon est l'un des plus beaux palaces de Paris. – Tu as couru à perdre … (une alène) pour ne pas être en retard à ton rendez-vous. – Il paraît qu'un fantôme … (il ente) les couloirs de ce vieux château. – Avec les feuilles de … (la mante religieuse), on prépare un sirop d'une belle couleur verte. – Autrefois, les péniches étaient … (l'allée) par des chevaux.

109 **Copiez les phrases en les complétant avec des noms, dans lesquels se trouve la lettre « h », de la même famille que les mots entre parenthèses.**

La … (un traître) de Ganelon a entraîné la mort de Roland à Roncevaux. – On peut déguster les … (un ostréiculteur) avec un filet de citron ou de vinaigre à l'échalote. – Les … (l'heure) des trains en partance sont affichés sur un panneau électronique. – L'expert a … (authentique) ce tableau : il est bien dû au pinceau de Claude Monet. – La … (le mythe) grecque a inspiré nombre de tragédies. – Les barrages des Alpes produisent de l'électricité d'origine … (hydrophile). – L'… (hélice) est un engin volant à décollage vertical. – Lors de la guerre de 14-18, les poilus ont eu une conduite … (un héros). – Les jeunes adolescents fréquentent assidûment la … (le disque) où ils dansent.

110 **Trouvez les noms – débutant par la lettre « h » – dont voici les définitions telles qu'on les trouve dans les mots croisés.**

Un mammifère qui ne se nourrit que d'herbe.	→ un …	(9 lettres)
Vaste construction qui abrite des marchandises.	→ un …	(6 lettres)
Instrument en forme de flèche pour pêcher.	→ un …	(6 lettres)
Un groupe de maisons isolées dans la campagne.	→ un …	(6 lettres)
Un des ingrédients de la sauce de salade.	→ l'…	(5 lettres)
Accumulation de sang sous la peau.	→ un …	(8 lettres)
La Terre est partagée en deux par l'équateur.	→ les …	(11 lettres)

111 **Trouvez les noms – dans lesquels se trouve la lettre « h » – dont voici les définitions telles qu'on les trouve dans les mots croisés.**

Il permet de maintenir la température à la même valeur.	→ le …	(10 lettres)
Cet animal imposant a une ou deux cornes sur le nez.	→ un …	(10 lettres)
Gros poisson à la chair rouge ou blanche.	→ le …	(4 lettres)
Un style de construction à partir du XIIᵉ siècle.	→ le …	(8 lettres)
Forme qui se projette en noir sur un fond clair.	→ une …	(10 lettres)
Obélix adore les tailler et les transporter sans efforts !	→ les …	(7 lettres)
Artisan qui fabrique des violons ou des contrebasses.	→ un …	(7 lettres)

Vocabulaire

l'honneur – l'habitude – l'humanité – la hauteur – un hélicoptère – hésiter
la hiérarchie – l'hôpital – la houle – l'horizon – l'hydrogène
le rythme – un adhérent – un athlète – une panthère – une discothèque

La lettre « x »

RÈGLE

- **La lettre** « x » est la seule lettre de l'alphabet français à transcrire deux sons.
La lettre « x » **se prononce** :
  – [ks] : l'e*x*térieur – le lu*x*e – l'e*x*périence – une ta*x*e
  – [gz] lorsque « x » **débute le mot** :
    un *x*ylophone – *x*énophobe – *X*avier
  – [gz] dans les mots commençant par « ex- », si le « x » est suivi d'une voyelle ou d'un « h » :
    un e*x*ercice – l'e*x*igence – e*x*hiber – e*x*ubérant

- Pour que le « x » ait la valeur de [ks] **dans les mots commençant par** ex-, il faut ajouter un « c » **après** le « x ».
    un ex*c*ès – ex*c*iter – ex*c*ellent

- Le son [ks] peut aussi être transcrit :
  – par deux « c » **devant** « e » ou « i » : un a*cc*ident – su*cc*éder – a*cc*essible
  – par « ct » : une a*ct*ion – la réa*ct*ion – la perfe*ct*ion

- **En fin de mot**, le son [ks] peut s'écrire « x » ou « xe ».
    un inde*x* – un lyn*x* – un préfi*x*e – un réfle*x*e

Comme la lettre « x » équivaut à deux consonnes, il n'y a jamais d'accent sur le « e » qui la précède.

Remarque :
La lettre « x » est muette quand elle marque le pluriel de certains noms et adjectifs, ainsi qu'à la fin de quelques mots, même au singulier.

Voir « Le pluriel des noms », pp. 66-67 et « Les consonnes muettes », pp. 48-49.

---

112 Copiez les phrases en les complétant par les mots suivants dont vous aurez cherché le sens dans un dictionnaire. Accordez.

exorbitant – exaction – extravagant – exulter – excédent – équinoxe – exaucé

Lorsqu'il est en vacances, Farid porte toujours des tenues … pour se faire remarquer. – Le prix de cette voiture est … ; qui peut bien s'offrir un tel bolide ? – Pendant la Guerre de Cent Ans, les paysans redoutaient les … commises par les mercenaires au service des différentes armées. – Les maraîchers en colère déversent les … de choux-fleurs sur les routes ; le prix de vente de leurs produits a chuté. – Au Mont-Saint-Michel, les marées d'… sont spectaculaires. – Mes vœux sont … ; mes parents acceptent que je parte en séjour linguistique à Londres. – Les supporters espagnols … ; leur équipe a remporté la coupe d'Europe.

113 Copiez les phrases en complétant les mots qui se terminent par le son [ks].

La ta… appliquée lors de la délivrance d'un passeport est trop élevée. – La secrétaire envoie un fa… au fournisseur de cartons d'emballage. – Obtenir du feu en frappant deux sile…, ce n'est pas facile ! – Pour s'inscrire sur les listes électorales, on peut se rendre à l'anne… de la mairie. – De nombreux noms de métiers sont formés avec un suffi… . – En jouant au rugby, Paul a ressenti une violente douleur au thora… ; il se rend chez le médecin. – La famille Pérez a loué un duple… dans le quartier des Batignolles. – Le lyn… est un félin qui chasse la nuit. – Les cordes vocales sont placées dans le laryn… .

114 Copiez ces mots en complétant, si nécessaire, avec un « c ».

ex…iter	ex…agérer	un ex…amen	une ex…roissance
un ex…utoire	une ex…ursion	une ex…écution	ex…eptionnel
ex…essif	ex…ommunier	en ex…ergue	ex…écrable
une ex…eption	une ex…igence	ex…éder	ex…entrer

115 Copiez les phrases en plaçant les mots suivants que vous aurez complétés correctement.

a…élérateur – su…ès – gala…ie – va…in – infra…ion – a…ident

Les gendarmes arrêtent les automobilistes qui commettent des … au code de la route avant qu'ils ne soient victimes d'un … . – Quand découvrira- t-on un … contre le sida ? – Le … de ce groupe de rock ne se dément pas. – Il vaut mieux ne pas confondre la pédale de frein avec celle de l'… ! – Les astronomes ont découvert une nouvelle … .

116 Copiez les phrases en les complétant avec des mots dans lesquels on trouve la lettre « x ».

L'… est un gaz indispensable à la respiration des mammifères. – La … est un sport violent. – Pour éteindre un début d'incendie, il est bon d'avoir un … . – L'… est l'un des cinq doigts de la main. – Dans les orchestres de jazz, il y a très souvent des joueurs de … . – L'… des œuvres de ce jeune peintre a permis au public de découvrir un artiste talentueux. – Quand on arrive en retard, la moindre des choses est de présenter ses … . – L'accent … modifie la prononciation de la lettre « e », mais pas celle de la lettre « i ». – Pour conjuguer un verbe à un temps composé, on place un … devant le participe passé. – Dans ces villes, des couloirs de circulation sont réservés aux … et aux autobus.

117 Écrivez le nom des actions exprimées par ces verbes.

Ex. : *tracter une caravane → **la traction** d'une caravane*

connecter deux câbles	élire les délégués	joindre deux points
fléchir les genoux	un flux dans la poitrine	sanctionner une erreur
réfléchir longuement	annexer un territoire	éjecter un pilote d'avion

Vocabulaire

le paradoxe – la réflexion – flexible – luxueux – le lexique – un boxeur une excuse – l'expérience – excellent – un exploit – l'expression exécuter – exagérer – exact – un examen – exotique – exiger – un exercice

20e Leçon — Les consonnes muettes

À la fin de certains noms ou adjectifs, il peut y avoir **des consonnes muettes**.

- **Pour trouver cette consonne muette**, on peut :
  – essayer de **former le féminin**

  grand → grande   *petit → petite*

  – chercher un **mot de la même famille**

  l'accord → accorder   *le permis → la permission*

Remarques :
– La consonne finale muette se trouve parfois modifiée dans un mot de la même famille.

la croix → croiser   un nerf → nerveux

– Quelquefois on ne trouve pas de mot de la même famille :

le remous – un bahut – un compas – un artichaut

ou bien les mots de la même famille peuvent entraîner une erreur :

un bijoutier → un bijou   juteux → le jus   s'abriter → un abri

- On peut également trouver des lettres muettes à l'intérieur des mots.

un baptême – le dénouement – une sangsue – l'alcool – la condamnation

En cas de doute, il est prudent de consulter un dictionnaire.

Voir « Le féminin des adjectifs », pp. 72-73, et « La lettre « h » », pp. 44-45.

---

118 Copiez ces noms en les complétant avec une lettre muette que vous justifierez avec un mot de la même famille. Ex. : *un tamis → tamiser*

le paradi…	le débarra…	l'appâ…	le persi…	le gigo…
le bour…	le standar…	le galo…	le refu…	le salu…
le jon…	l'univer…	le tro…	un pay…	le cham…
une par…	un cadena…	le repo…	un intru…	un exper…
le lar…	un comba…	l'accro…	l'échafau…	un fusi…

119 Écrivez les adjectifs au masculin selon l'exemple.
Ex. : *une ligne droite → un trait droit*

une tranche épaisse → un bifteck …   une lourde malle → un … bagage
une table ronde → un plateau …   une route étroite → un passage …
une mêlée confuse → un match …   de la crème fraîche → un fromage …
une mauvaise affaire → un … contrat   une nappe blanche → un napperon …
une matinée grise → un ciel …   une douche chaude → un bain …
une consigne précise → un résultat …   une poule rousse → un coq …

Complétez, si nécessaire, ces noms avec des lettres muettes. Vous pouvez utiliser un dictionnaire.

un foulard…	l'égou…	un taudi…	le dépô…	le tem…
un hangar…	le bambou…	un taxi…	un silo…	le respe…
un homar…	un épou…	l'appéti…	un sabo…	un pui…
un radar…	un jou…	un rôti…	un studio…	exa…

 Copiez les phrases en complétant les mots avec des lettres muettes.

Les cro… de ce molosse sont impressionnants. – Un garro… peut arrêter une …émorragie, mais il ne doit pas être maintenu plus de vin… minutes. – L'agriculteur répand un engrai… sur son champ de colza. – Les tron… d'arbres sont conduits à la sci…rie pour être débités en planches. – Le haren… est un poisson de mer ; vous n'avez aucune chance d'en pêcher un dans un étan… . – Les se…t meilleurs chevaux de ce hara… participeront au prochain concour… de sau… d'obstacles. – C'est le printem… ; le lila… refleurit.

 Copiez les phrases en plaçant les mots suivants que vous aurez complétés.

acom…te – amy…dales – cor… – soi…rie – enrou…ment – remor…

Le … a poursuivi Caïn, meurtrier de son frère cadet Abel. – Le tissage de la … a longtemps fait la réputation de la ville de Lyon. – Victor vient d'être opéré des … ; il ne peut plus parler. – Le professeur n'assurera pas son cours aujourd'hui : il est victime d'un léger … . – Lors de la commande d'un meuble, il faut verser un … . – Quel est l'os le plus long du … humain ?

123 **Complétez, si nécessaire, ces noms. Attention aux anomalies.**

hasarder	→ le hasar…	flancher	→ le flan…
bazarder	→ un bazar…	choisir	→ un choi…
caillouteux	→ un caillou…	schématique	→ un schéma…
noyauté	→ un noyau…	caoutchouteux	→ le caoutchou…
une tabatière	→ le taba…	un souriceau	→ une souri…
favoriser	→ un favori…	une fourmilière	→ une fourmi…
numéroter	→ un numéro…	l'héroïsme	→ un héro…
marécageux	→ un marai…	clouté	→ un clou…

124 **Copiez les phrases en les complétant avec un mot contenant une lettre muette.**

Kamel a enfin réparé le moteur de son vélomoteur, mais il a les mains pleines de … . – Auguste Rodin fut certainement le plus grand … français du XIXe siècle. – En mangeant trop vite, vous risquez d'avoir des crampes d'… . – Dans les religions chrétiennes, le … est le premier des sacrements. – En …, beaucoup d'arbres perdent leurs feuilles. – Depuis 1981, les tribunaux français ne … plus les accusés à la peine de mort.

Vocabulaire _____

le fusil – le persil – un outil – le paradis – un avis – un colis – un rubis
le doigt – le poids – l'aspect – le corps – un puits – le temps – le pouls
le sculpteur – l'automne – le dévouement – une sangsue – la soierie

21e

Leçon

Des mots invariables (1)

RÈGLE

- Dans une phrase, **certains mots ne s'accordent jamais**, ni en genre ni en nombre. **Ils sont invariables.**

- Parmi les mots invariables, on trouve **les prépositions**.
  Le camion est garé sur le parking.
  Les camions sont garés sur les parkings.

- **Les adverbes** sont également des mots **invariables**.
  Le camion est mal garé.   *Les camions sont mal garés.*

- Lorsque les prépositions et les adverbes sont formés de **plusieurs mots**, ce sont des **locutions prépositives** ou des **locutions adverbiales** ; elles sont également **invariables**.
  Les camions sont garés au milieu du parking.
  Les camions sont garés quelque part.

- Certains **adjectifs** sont quelquefois **employés comme des adverbes** ; ils sont alors **invariables**.
  adjectifs : *Le prix de la marchandise est net.*
                Les prix des marchandises sont nets.
  adverbes : *Le camion s'arrête net.*
                Les camions s'arrêtent net.

Voir « Les prépositions », pp. 228-229 et « Les adverbes », pp. 246-247.

125 Copiez les phrases en plaçant les prépositions suivantes que vous aurez complétées, si nécessaire.

contre… – duran… – pour… – entre… – che… – malgré… – depui… – ave… – avan…

Ce cheval a remporté la course de trot … un handicap de vingt-cinq mètres. – On ouvre les huîtres … un couteau spécial. – Le maçon place l'échelle … le mur. – Tu relis ta copie … de la rendre. – L'orateur a parlé … trois heures ! – M. Frachet utilise une moto … se déplacer. – Samir attend l'autobus … un quart d'heure. – Adeline se rend … la coiffeuse. – J'hésite … ces deux modèles.

126 Copiez les phrases en plaçant les adverbes suivants que vous aurez complétés, si nécessaire.

toujour… – beaucou… – partou… – ailleur… – bien… – bientô… – loin…

… calés devant leur volant, les pilotes du Grand Prix attendent le départ. – Au printemps, on ne voit plus … de papillons dans nos campagnes. – Votre sac ne se trouve pas dans le vestiaire ; cherchez … . – Avec ce soleil, le linge sera … sec. – Je n'habite pas … du collège. – Le médecin se dépense sans compter, mais il ne peut pas être … à la fois. – Ce conifère reste … vert.

50

Recopiez les phrases en les complétant avec les locutions prépositives suivantes.

à travers – au moyen de – vis-à-vis – à partir de – le long – au fur et à mesure

Les pêcheurs sont nombreux à s'installer … du canal. – Dans ce musée, des tableaux modernes sont placés … des sculptures africaines ; cela ne choque personne. – Voyager … les âges, qui n'en a pas rêvé ? – Le Rhône n'est navigable qu'… son confluent avec la Saône. – Les navigateurs de la Renaissance se dirigeaient … cartes et d'une boussole. – … de l'avancement des travaux, on devine quel sera l'aspect de ce nouveau bâtiment.

 Copiez les phrases en remplaçant les mots en bleu par leur contraire.

Nous passerons au self du collège avant les élèves de la classe de 4ᵉ C. – Cette émission dure plus longtemps que prévu. – Les voyageurs se dirigent vers la salle d'embarquement sans leurs bagages. – Vous ne pouvez pas vous tromper : l'entrée du gymnase se trouve à droite de la poste. – Les boîtes aux lettres sont placées en haut de l'immeuble. – Pourquoi les comédiens se trouvent-ils devant le décor ? – Le document que je cherchais depuis un moment se cachait en fait sur la pile de livres. – Pour pénétrer dans le pré, le ramasseur de champignons passe par-dessus les fils de fer barbelés.

 Recopiez les phrases en les complétant avec les locutions adverbiales suivantes.

tout à fait – tant soit peu – à peu près – en outre – par cœur – à tue-tête – par hasard – peu à peu – de temps en temps

Fatigué, le routier s'arrête … pour se reposer. – La selle de ce vélo est trop basse ; … les pneus ne sont pas assez gonflés. – On doit connaître … les tables de multiplication. – Les supporters se dirigent vers le stade en chantant … . – À vol d'oiseau, de Dunkerque à Perpignan il y a … mille kilomètres. – Le rôti n'est pas … cuit, laissez-le encore un peu dans le four. – Comme ce vêtement est … délicat, il ne faut pas le placer dans une machine à laver. – Les dangereux passages à niveau sont … remplacés par des passages surélevés pour éviter les accidents. – C'est … que Ian Fleming a découvert la pénicilline ; il avait oublié une préparation sur une étagère et les bactéries avaient disparu.

130 Copiez les phrases en écrivant les noms en bleu au pluriel et accordez comme il convient.

L'angle de cette figure est droit. – S'il continue ainsi, le voilier va droit sur les rochers. – Êtes-vous sûrs que le résultat soit juste ? – À la chorale, le jeune enfant chante juste. – Pourquoi le commentateur parle-t-il si fort ? – Ce lutteur paraît si fort que personne n'ose le défier ! – Ce paragraphe nous semble bien court. – L'actrice s'habille court. – La nuit, le chat voit clair. – Ce résumé est clair ; il n'y a pas lieu de le modifier. – Le sergent parle sec à ses soldats.

Vocabulaire _____

ailleurs – jamais – toujours – aussitôt – bientôt – volontiers – malgré – parmi
presque – enfin – depuis – auparavant – jusque – la plupart – longtemps
maintenant – dehors – quelquefois – selon

Des mots invariables (2)

RÈGLE

- Parmi les mots invariables, on trouve **les conjonctions** :

– **conjonctions de coordination** qui **relient des mots** ou des groupes de mots de même nature et de même fonction.

Je choisis un livre, car je suis un passionné de lecture.
J'hésite entre ce livre de contes et un album de bandes dessinées.

– **conjonctions de subordination** qui **relient une proposition** subordonnée **à une proposition** principale.

Je choisis un livre lorsque j'ai un moment de libre.

- Lorsque les conjonctions sont formées de **plusieurs mots**, ce sont des **locutions conjonctives**. Elles sont également **invariables**.

Je choisis un livre en espérant qu'il me plaira.

- Certains **pronoms relatifs** sont **invariables** :

qui – que – quoi – dont – où

Je choisis un livre dont on m'a dit le plus grand bien.
Les romans d'aventures sont les livres que je préfère.
L'île où se reposa Ulysse se trouve dans la mer Tyrrhénienne.

Remarque :
Certains **adverbes peuvent être employés** comme **conjonctions de coordination**.

Je choisis un livre, ensuite je me rends auprès de la bibliothécaire.
Ce livre ne compte que cent pages, aussi devrais-je le lire rapidement.

Voir « Les conjonctions », pp. 228-229 et « Les propositions relatives », pp. 242-243.

 Copiez les phrases en les complétant avec des mots invariables qui conviennent.

Le cargo s'approche du quai af... que les dockers saisissent les amarres. – Qu... les pêches seront mûres, elles seront cueillies, calibrées, pu... emballées dans des cageots qu... seront placés da... une chambre froide. – Un arbre s'est abattu en tr... de la chaussée, par co... la circulation est interrompue. – Il est pr... dix heures et le cours de français va se terminer. – Dés..., nous devons trier nos déchets ; en ef... certains peuvent être recyclés. – Dè... la sortie de ce film, on a enregistré des millions d'entrées. – Il ne reste que peu de places sur le parking, né... M. Paulin parvient à se garer. – Co... de pots de peinture seront-ils nécessaires pour recouvrir la totalité de la façade ? – Je t'ai envoyé un SMS il y a se... cinq minutes ; l'as-tu reçu ? – Prenez une planche, a... vous améliorerez votre battement de jambes e... vous gagnerez en vitesse. – Les lettres de ce texte sont bien petites, m... si tu prends tes lunettes, tu les déchiffreras facilement.

Copiez les phrases en les complétant avec des mots invariables qui conviennent.

L'Île au trésor, est-ce un roman écrit par Jack London o… Robert Louis Stevenson ? – Cette petite bestiole a huit pattes, d… ce n'est pas un insecte, m… une araignée. – Nous n'aurons pas classe lundi prochain, c… le collège a été désigné comme centre d'examen pour le brevet. – Le cerf-volant ne veut pas décoller, p… il y a suffisamment de vent : je n'y comprends rien. – Dans ce magasin, on n'accepte pas les paiements par chèque, o… Kamel n'a pas de monnaie ; comment va-t-il faire ? – Si tu sors par ce temps, prends un parapluie, s… tu rentreras trempé.

 Copiez les phrases en les complétant avec des conjonctions (ou des locutions conjonctives) de subordination de votre choix.

Av… de vous exposer au soleil, n'oubliez pas votre crème solaire. – À me… que la mer monte, les rochers disparaissent. – Lo… les Mésopotamiens inventèrent l'écriture, la civilisation fit un pas de géant. – Ta… que le maçon place les dernières briques, son apprenti nettoie la bétonnière. – Je ne te propose pas une glace au chocolat pu… tu n'aimes pas ce parfum. – Co… leurs ailes sont gigantesques, les albatros sont obligés de courir pour décoller. – Bi… que tu ne disposes pas d'un dictionnaire anglais-français, tu parviendras à traduire ce petit texte. – Kilian place ses mains autour de la bougie de pe… que le vent éteigne la flamme. – Se… le temps qu'il réalisera au slalom, Christophe obtiendra le chamois de bronze ou celui d'argent.

 Copiez les phrases en les complétant avec des mots invariables qui conviennent.

Po… mon repas de midi, je prendrai une salade en entrée, pu… une escalope av… du riz. – Les moissons ont débuté ; po… qu'il ne pleuve pas. – Au… que la sonnerie du téléphone retentit, Sandra décroche. – Il faut protéger de nombreuses espèces animales pa… que la diversité biologique est essentielle po… l'avenir de la planète. – Pour aller plus vi…, vous emprunterez le raccourci qu… conduit di… à la salle de sport.

135 **Copiez les phrases en les complétant avec des mots invariables qui conviennent.**

Dè… que le chanteur parut su… scène, ses admirateurs poussèrent des cris de joie. – Olga changera sa paire de baskets, à co… qu'elle trouve sa pointure da… le modèle qui lui plaît. – Po… certains joueurs de tennis portent-ils leur casquette à l'en…, même s'il n'y a pas de soleil ? – En att… que les ingénieurs découvrent un nouveau carburant, il faut tou… remplir le réservoir des automobiles av… de l'essence o… du gazole. – Les rails du TGV sont posés, le pl… so…, loin des agglomérations. – En su… que tu puisses aller étudier dans un pays étranger, lequel choisirais-tu ?

 _____

cependant – pourtant – par conséquent – lorsque – toutefois – néanmoins
ainsi – sinon – pourvu que – en supposant que – selon que – depuis que
jusqu'à ce que – parce que – de façon que – de sorte que

Révisions ....

 136 Copiez les phrases en plaçant correctement les accents et les trémas oubliés. (leçon 1)

Certains sont bien naifs de croire que des fantomes, vetus de draps blancs, se promenent des que minuit sonne. – En effectuant des recherches a la mairie, M. Denis a decouvert que ses aieux elevaient des vers a soie qu'ils nourrissaient avec des feuilles de murier. – Retrouver un vetement dans ce placard releve de l'exploit : quelle pagaie ! – L'heroine de ce roman fantastique vit une etrange aventure : lorsqu'elle prononce certains mots, elle disparait aussitot. – Il est dommage que cette soupiere en faience soit felee ; elle a perdu beaucoup de valeur.

 137 Copiez les phrases en plaçant correctement les traits d'union et les apostrophes. (leçon 2)

Puisque il fait beau, la route est sèche et les garde boue des vélos sont inutiles. – Le antiquaire expose de véritables chefs de œuvre dans sa boutique. – La diffusion du portrait robot a permis la arrestation de un individu suspect. – Veux tu boire un verre de jus de orange au petit déjeuner ? – Lorsque je aurai choisi un métier, je irai peut être travailler en Belgique. – Le terrain lourd favorise t il la équipe de France ? – Effrayé par un bruit, le oiseau se envole et se réfugie dans le arbre.

138 Complétez les mots dans lesquels on entend les sons [s] et [z]. (leçon 3)

Quel est votre …igne du …odiaque ? Le Can…er ou les Poi…ons ? – Les hommes politiques doivent faire preuve de di…ernement lorsqu'ils prennent des déci…ions importantes. – Les adole…ents sont malheureu…ement une des …ibles privilégiées des publi…itaires. – Dans les démocra…ies, les gouvernements n'organi…ent pas de plébi…ites. – Perdue dans le noir, et en l'ab…en…e de toute …our…e lumineu…e, Laura avan…ait un peu au ha…ard. – Du …ommet du minaret, le mue…in appelle les mu…ulmans à la prière. – Bien a…is devant son télévi…eur, Victor …appe à la recherche d'un programme intére…ant. – Les terminai…ons des verbes au pré…ent du condi…ionnel sont identiques à …elles de l'imparfait de l'indicatif.

139 Copiez les phrases en complétant les mots dans lesquels on entend le son [k]. (leçon 4)

À l'approche de l'arrivée, le jo…ey est en é…ilibre sur son cheval. – Le …amion décharge une …inzaine de …ageots de …arottes. – Le père de la mariée porte un superbe smo…ing. – Le jeu de …illes est l'ancêtre du bowling. – Pour trouver le …otient de cette division, il est préférable d'utiliser une …alculatrice. – Le fa…ir s'allonge sur un lit couvert de …lous. – La blan…ette de veau est la spécialité de ce …uisinier. – La chenille se change en …rysalide qui deviendra un beau papillon. – Connaissez-vous la règle de l'a…ord du participe passé employé comme adje…tif …alifi…atif ? – Autrefois, les femmes filaient la …enouille.

140 Copiez les phrases en complétant les mots dans lesquels on entend les sons [ɑ̃] et [ɛ̃]. (leçon 5)

Le r… est un organe qui filtre le s…g. – Comm…t se nomment les plus …portants afflu…ts de la Loire ? – Le tr… a permis aux villageois de se r…dre plus facilem…t dans les gr…des villes. – L'apiculteur est …tervenu pour déplacer un ess… d'abeilles. – Cert…s adhér…ts de l'association n'ont pas …core payé leur cotisation. – Une c…taine de concurr…ts pr…d le départ du triathlon de Nice. – Comme le verre de m…the est pl…, vous allez boire avec une paille. – M. Larrieu est bi… …barrassé, il ne sait quelle p…ce choisir pour couper ce câble. – Sylv… se r…d au gymnase avec ses cop…s. – N'…troduisez pas un …strum…t pointu dans votre oreille, vous pourriez vous crever le t…p… .

141 Copiez les phrases en complétant les mots dans lesquels on entend le son [f]. (leçon 6)

Les anthropo…ages mangeaient de la chair humaine. – Les Romains transportaient l'huile et le vin dans des am…ores ; certaines sont par…aitement conservées. – Charline parle avec di…iculté car elle a un a…te dans la bouche. – Les Égyptiens plaçaient les …araons dans des sarco…ages qu'ils en…ouissaient au plus pro…ond des pyramides. – On met les apostro…es par eu…onie ; on évite ainsi de prononcer deux voyelles de suite. – La dispute s'est terminée en échau…ourée, sans gravité néanmoins. – Les par…ums sont par…ois un peu trop capiteux ; ils …ont tourner la tête. – Le coureur a accompli une per …ormance exceptionnelle : …ranchir plus de neu… mètres lors du concours du saut en longueur.

142 Copiez les phrases en complétant les mots dans lesquels on entend les sons [g] et [ʒ]. (leçon 7)

Un ma…icien ne divul…era …amais le secret de la femme coupée en morceaux. – Le verbe « savoir » n'est pas facile à con…u…er à l'imparfait du sub…onctif ! – On ne doit pas laisser diva…er les animaux domestiques. – M. Studer a acheté un ca…ot de pêches au marché. – Avant la représentation, nous visitons la ména…erie du cirque. – Lionel accroche des …irlandes au sapin de Noël. – Quand on connaît le périmètre et la lon…eur d'un rectan…le, on peut facilement calculer la lar…eur. – Une di…e protè…e le village des crues de la rivière.

143 Copiez les phrases en complétant les mots dans lesquels on entend le son [j]. (leçon 8)

Vous n'allez pas vous fâcher pour des brouti…es ; il doit b…en y avoir un terrain d'entente. – Après plusieurs essa…ages, le ta…eur a enfin terminé le costume du marié ; il sera prêt pour la cérémonie. – Le mistral éparpi…e les nuages, le sole… bri…e mais la température n'est pas très élevée. – Le tonnel…er donne des petits coups de ma…et pour cercler ses tonneaux. – Le courageux maître nageur a sauvé un baigneur imprudent de la no…ade. – Chaque soir, les portes du garage sont verrou…ées. – On dit qu'au ro…aume des aveugles les borgnes sont rois. – M. Bayard a allumé le barbecue pour préparer des gri…ades. – À minuit, Dracula sortit de son cercue… .

Copiez les phrases en complétant les mots avec une consonne simple ou une consonne double. (leçon 9)

Lorsqu'on effectue une a…ition, il faut prendre soin de placer les chi…res en co…o…es si l'on ne veut pas faire d'e…eur. – Lorsqu'il y a un désa…ord entre deux pays, la gue…e est toujours la plus mauvaise solution. – Le directeur de l'entreprise de travaux publics réu…it ses co…aborateurs. – Quand on doit fermer de nombreuses enve…o…es, il vaut mieux qu'elles soient autoco…antes. – On n'i…agine pas un orchestre de rock sans un exce…ent ba…eur ; c'est lui qui do…era le rythme. – Cette insta…ation électrique doit être entièrement re…aite ; il serait dange…eux de la lai…er en l'état.

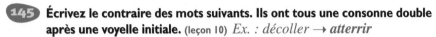 **Écrivez le contraire des mots suivants. Ils ont tous une consonne double après une voyelle initiale.** (leçon 10) *Ex. : décoller → atterrir*

freiner – s'éloigner – disparaître – refuser – défendre – raccourcir – coupable – alourdir – moral – éteindre – déménager – rassurer – repousser – distrait

146 **Copiez les phrases en complétant les noms terminés par le son** [œʀ]. (leçon 11)

Mermoz, un grand aviat…, fut le premier à traverser l'Atlantique Sud. – Les spectat… sont nombreux à regretter que le chant… soit sorti de scène aussi vite. – On mesure les angles à l'aide d'un rapport… . – Quelle est la profond… de ce puits de mine ? – Les voyag… présentent leur billet au contrôl… . – Le remorqu… assiste le paquebot pour faciliter son entrée au port. – Les ordinat… ont bouleversé notre vie quotidienne. – Les cherch… s'efforcent de trouver des vaccins contre les maladies. – Au niveau de l'équat…, la durée du jour et celle de la nuit sont à peu près les mêmes, quelle que soit la saison.

147 **Copiez les phrases en complétant les noms terminés par le son** [waʀ]. (leçon 11)

Les enfants de la maternelle s'installent sur les balanç… de la cour de récréation. – Il paraît que ce vieux man… est hanté par un fantôme ; c'est certainement une légende de plus ! – La traject… a dérouté le gardien de but qui n'a pu arrêter le ballon. – Le carrelage entourant la baign… est d'une belle couleur rose. – Au sortir de la piscine, Laure enfile immédiatement son peign… . – Ce coul… vous conduira en salle informatique qui se trouve juste après le laborat… de physique.

148 **Copiez les phrases en complétant les noms terminés par le son** [o]. (leçon 12)

Au début du XIXᵉ siècle, Victor Hugo et Alphonse de Lamartine furent les hér… du mouvement romantique. – Lors des tournois, un hér… annonçait les titres des chevaliers qui allaient s'affronter, la lance à la main. – Le camel…, grâce à son franc-parler, attire les bad… ; il vend un appareil révolutionnaire qui épluche les poir… en quelques secondes ! – Coluche disait que l'artich… est le légume du pauvre parce que « lorsque vous l'avez mangé, votre assiette est plus garnie qu'au début du repas » ! – À la campagne, l'épicerie fait aussi office de dép… de pain. – Les sangl… de l'actrice ont ému les spectateurs.

Copiez les phrases en complétant les noms terminés par le son [ɛ]. (leçon 13)

La caravane se repose dans une palmer… avant une longue étape à travers le Ténéré. − Les t… d'oreiller sont assorties à la couleur de la couette. − Le meilleur moyen de ne pas avoir de bourrel… de graisse est de pratiquer régulièrement une activité physique. − En fin d'année, le professeur remplit les livr… scolaires des élèves. − Comme elle n'a pas de monn…, Déborah paie ses achats avec un chèque. − Il fait froid, n'oublie pas ton bonn… . − Une h… de charmille borde le jardin public. − Le ge… est un bel oiseau au plumage bigarré. − Pour soutenir la poutre qui s'affaisse, le maçon place un ét… .

150 **Copiez les phrases en complétant les noms terminés par le son** [e]. (leçon 14)

La mortalit… infantile fait des ravages dans les pays pauvres. − Victime d'une embard…, cette voiture a terminé dans le foss… . − Le champ de bl… est envahi par les coquelicots. − Le boulang… est le seul commerçant du quarti… à ouvrir le dimanche. − Le maraîch… est catastrophé, car la gel… a détruit la moiti… de sa récolte de chicor… . − Il faut toujours laisser la priorit… aux véhicules de pompi… . − La renomm… de ce luthi… n'est plus à faire ; il fabrique des violons de qualit… . − Le bouch… découpe la viande avec une dextérit… étonnante.

151 **Copiez les phrases en complétant les noms terminés par les sons** [il], [yl] **ou** [al]. (leçon 15)

Mme David lit l'éditori… de son journ… quotidien. − La rot… est un os plat qui protège l'articulation du genou. − Cette crap… a été enfermée par le shérif dans une cell… de la prison de Santa Fe. − Savez-vous faire les b… de savon ? − La myg… est une araignée impressionnante à la morsure douloureuse. − Le bac… de Koch est responsable de l'apparition de la tuberculose, redoutable maladie. − La ruche se trouve sur un petit montic… à l'orée d'un bois d'acacias. − Les naufragés ont trouvé un as… provisoire sur un îlot rocheux. − Une centr… électrique fonctionne au pied du barrage de Serre-Ponçon. − La diagon… d'un rectangle est-elle plus longue que la largeur ? − Remuez les pommes de terre avec une spat… en bois pour ne pas rayer la poêle.

152 **Copiez les phrases en complétant les noms terminés par les sons** [iʀ] **et** [yʀ]. (leçon 16)

La lect… est sans conteste le lois… préféré de Sébastien. − M. Drouard est bien installé dans un fauteuil en cu… ; il regarde la télévision. − Comment ce fak… fait-il pour marcher sur des tessons de bouteilles ? − L'ém… du Koweït surveille la production de ses puits de pétrole. − Le tuyau est percé ; il faudra faire une soud… . − Guillaume et Marion ont posé leur candidat… comme délégués de classe. − Ce parc est un véritable îlot de verd… perdu parmi les immeubles et les voies de circulation. − La manuc… peint les ongles des mannequins avant la présentation de la collection de haute couture.

153 Copiez les phrases en complétant les noms terminés par les sons [aʀ] et [ɛʀ]. (leçon 16)

L'agriculteur remise ses tracteurs et son matériel dans un vaste hang... . – Pendant la Seconde Guerre mondiale, les maquis... harcelaient les troupes ennemies. – Lorsqu'une art... est malencontreusement sectionnée, il faut d'urgence arrêter l'hémorragie. – Jeanne d'Arc est montée à l'assaut des remp... de la ville d'Orléans en brandissant son étend... . – Quand on joue au loto, il faut s'en remettre totalement au has... .

154 Copiez les phrases en complétant les noms terminés par le son [ãs]. (leçon 17)

Lorsqu'on réalise une expéri... de chimie, on porte des lunettes protectrices. – Les spécialistes annoncent l'immin... d'une éruption volcanique. – Le vendeur propose un modèle de luxe ; son insist... finit par indisposer le client qui voudrait un modèle moins coûteux. – Les haut-parleurs de la galerie marchande diffusent une musique d'ambi... . – L'éché... de remboursement du prêt est fixée au 5 de chaque mois.

155 Copiez ces phrases en complétant, si nécessaire, les mots avec la lettre « h ». (leçon 18)

Les chefs d'...État des pays ...européens se sont réunis à Bruxelles. – Gaëlle est ...eureuse ; toutes ses amies sont autour d'elle pour son ...anniversaire. – Le violoniste frotte son ...archet avec de la colophane pour ...obtenir des sons parfaits. – L'...archer prépare sa flèche et la place sur la corde avant de viser la cible. – Ce bac à fleurs est bien trop ...onéreux ; Mme Mercier renonce à l'...acheter. – Le frère de Denis a ...obtenu des résultats ...onorables aux épreuves du brevet.

156 Copiez ces noms en les complétant avec une lettre muette que vous justifierez avec un mot de la même famille. (leçon 20)

un toi...	un tron...	le ri...	le bor...	un dra...
un chan...	le confor...	le flo...	un pie...	un trico...
un réci...	un ran...	un for...	un avi...	le spor...
un arrê...	le débu...	le mépri...	un poignar...	un complo...
un abu...	un regar...	le clima...	le repo...	le ven...

157 Recopiez ce texte en complétant les mots invariables. (leçons 21-22)

À l'aube, ils [Sean et Annie] se retrouvèrent da... une étendue vide de désert aride o... ils ne trouvèrent aucun endroit po... dresser leur abri. Il n'y avait pas un rocher, p... un cactus, ri... d'autre que le désert plat, craquelé par la chaleur, qu... s'étendait à perte de vue dev... eux. Lor... le soleil toucha au lo... la ligne de vert et les montagnes situées derr..., elles semblèrent à pei... pl... proches que la veille. Discuter n'aurait servi à rien, tous deux savaient aus... bien l'un qu... l'autre qu'ils n'avaient pas le choix et qu'ils devaient continuer à marcher da... la chaleur torride qu... les écrasait.

Michael Morpurgo, *Le Trésor des O'Brien*, traduction de N. Chassériau.
© Éditions Gallimard Jeunesse, 1999.

Orthographe grammaticale

23ᵉ Leçon
Les points - les majuscules les virgules les points-virgules

Dès sept heures, d'énormes engins arrivent sur le chantier ; les travaux débutent aussitôt.

RÈGLE

1. Le point marque la fin d'une phrase dont le sens est complet.
Au début d'une phrase, on place une lettre majuscule.
Les engins déplacent des montagnes de terre.

2. Le point d'interrogation se place à la fin d'une phrase interrogative.
Le chantier a-t-il débuté ?   *Est-ce que le chantier a débuté ?*

3. Le point d'exclamation se place à la fin d'une phrase exclamative.
L'autoroute est enfin ouverte !

4. La virgule indique une courte pause. On l'emploie pour :
– séparer des éléments de même nature dans une proposition ou dans une phrase.
On utilise des bulldozers, des niveleuses, des rouleaux compresseurs et une bitumeuse.
– isoler des mots dans une phrase.
Le bulldozer, engin très puissant, rend de grands services sur les chantiers.
– isoler un complément.
Dès sept heures, les engins arrivent sur le chantier.

5. Le point-virgule sépare des propositions juxtaposées.
Les engins arrivent sur le chantier ; les travaux débutent aussitôt.

Voir « Les types de phrases », pp. 220-221 et « Les noms propres », pp. 68-69.

---

158 **Copiez les phrases en plaçant correctement les points et les majuscules.**

l'ascenseur du collège est aménagé pour les élèves handicapés – tu places tes achats dans un sac isotherme – le collectionneur recherche des objets en étain – les cosmonautes ont effectué une sortie de deux heures dans l'espace – les diligences malmenaient leurs passagers, car elles n'étaient pas très confortables – l'interphone ne fonctionne pas et nous ne pouvons pas vous parler – le château de villandry possède des jardins magnifiques – l'architecte dessine les plans d'une tour de trente étages – les jardiniers de la commune plantent des bégonias dans le massif du rond-point – les surfeurs emportent une balise qui signalera leur présence en cas d'avalanche – les manèges de la fête foraine attirent les jeunes et les moins jeunes

À la fin des phrases, placez un point **ou un** point d'interrogation.

Le comptable range soigneusement les factures dans des classeurs – À quelle heure les boutiques du centre commercial ouvrent-elles – Pourquoi n'accepterais-tu pas cette proposition de voyages – M. Meynier a remplacé ses lunettes de vue par des lentilles – Les espions s'efforcent de passer inaperçus – Est-ce que vous avez mis vos montres à l'heure d'hiver – Vous ne trouverez une aire d'autoroute que dans cinquante kilomètres – Les dernières pluies seront-elles suffisantes pour relever le niveau des nappes phréatiques – Chargé de conteneurs, le bateau entre dans le port de Marseille

 À la fin des phrases, placez un point d'interrogation **ou un** point d'exclamation.

Ces modèles de voitures sont absolument magnifiques – Serons-nous assez nombreux pour jouer au volley-ball – Prendre connaissance de l'intégralité de la notice de montage, c'est impossible – Le brouillard se dissipera-t-il avant midi – Ce conducteur téléphone au volant ; quelle imprudence – Nous n'avons jamais connu un hiver aussi froid – Adrien a-t-il reçu le résultat de ses analyses – En dix minutes, le dromadaire peut boire cent trente litres d'eau – Tu as réussi à monter dans l'autobus au dernier moment – Quelle est la distance Paris-Moscou – Deux jours après son opération, M. Rossi était déjà sur pied

 Copiez les phrases en plaçant correctement les points-virgules.

Nos places sont au premier rang nous profiterons mieux du spectacle. – Les séquoias atteignent des hauteurs fantastiques ce sont les arbres les plus hauts du monde. – Les acteurs connaissent leur rôle à la perfection le tournage peut débuter immédiatement. – Les sables mouvants engloutissent les animaux imprudents ils ne doivent pas s'en approcher. – La réparation des horloges exige beaucoup de minutie seuls quelques ouvriers parviennent à les remettre en marche. – Les Égyptiens ont bâti des pyramides gigantesques comment ont-ils procédé ? – Il y a au moins cinquante boîtes aux lettres le facteur sait où se trouve chacune d'elles. – Ces vis sont rouillées sans un tournevis adapté, vous ne pourrez pas les desserrer.

162 **Copiez les phrases en plaçant correctement les** virgules.

Comme la profondeur est insuffisante il est dangereux de plonger dans la rivière. – Si vous voulez rester en bonne santé faites du sport. – À marée basse les promeneurs ramassent des coquillages. – S'ils ont un joli plumage les cygnes sont néanmoins des oiseaux difficiles à approcher. – Avec notre classe nous avons visité une exposition de peinture. – Avec son amie Rachel Déborah n'hésite pas à parcourir des kilomètres dans la forêt à camper au milieu des clairières à goûter le silence de la nuit. – L'artisan propose pour un prix raisonnable de repeindre les portes les fenêtres et les volets de la maison. – Sans attendre l'arrêt complet de l'autobus certains imprudents essaient de monter. – Ravie d'apprendre qu'elle a gagné un lot Mme Calvet nous prévient aussitôt.

Citation ─────────────────────────────────

Ô rage ! ô désespoir ! ô vieillesse ennemie ! (**Pierre Corneille**, *Le Cid*)

24ᵉ Leçon

Les guillemets - les tirets les deux points les parenthèses

Le guide (compagnie de Chamonix) prévint les alpinistes de la cordée :
« Surtout ne quittez pas mes traces. »

┌─ **RÈGLE** ───

1. Les guillemets encadrent un discours direct. L'ouverture des guillemets est souvent précédée de **deux points**.

• Dans un dialogue, on place **un tiret** au début de chaque intervention d'une des personnes, sauf pour la première.
  Un des alpinistes interrogea le guide :
  « Pouvons-nous avancer sur ce glacier ?
  – Ne faites surtout pas ça, il y a des crevasses.
  – Entendu, nous vous attendrons. »

• Dans un dialogue, il faut parfois indiquer la personne qui parle. Dans ce cas, on ne ferme pas les guillemets après ses propos, on place simplement une courte phrase entre deux virgules. Cette proposition incise n'est jamais précédée d'un point et ne commence jamais par une majuscule.
  « Surtout n'avancez pas, prévint le guide, les crevasses sont nombreuses. »

• On peut également utiliser les **deux points** pour annoncer une explication, une énumération.
  Il est dangereux de marcher sur le glacier : il y a beaucoup de crevasses.

2. Les parenthèses permettent d'insérer une explication ou une brève précision.
  L'alpinisme (activité dangereuse) est réservé aux personnes en forme.

└──

163 Copiez les phrases en plaçant correctement les deux points.

Les chevaliers firent l'inventaire de leurs armes une épée, une lance, un bouclier et un coutelas. – Après avoir examiné le moteur, le mécanicien déclara « Il faut changer la courroie de l'alternateur, les bougies, le carburateur et la moitié des soupapes, pas moins ! » – Denis s'approche du panneau et lit « Ne pas pénétrer dans le souterrain. » – À l'école primaire, nous avons lu plusieurs livres d'aventures *Croc blanc, Les Trois Mousquetaires, L'œil du loup, L'Enfant et la rivière* et *Charlie et la chocolaterie.* – Place immédiatement les merguez sur le barbecue nous avons tous très faim ! – Ce port est un refuge sûr pour les voiliers une énorme digue les protège des tempêtes. – Je connais les noms des principaux compagnons de Jeanne d'Arc Robert de Baudricourt, Dunois, Gilles de Rais, La Hire et Arthur de Richemont.

Copiez les phrases en plaçant correctement les guillemets **et les** deux points.

Galilée aurait déclaré à l'issue de son procès Et pourtant, elle tourne! – Le maître nageur conseille les débutants Accélérez vos battements de jambes. – Le pilote de l'Airbus est confiant L'avion partira à l'heure. – L'ingénieur de la météorologie est formel Il ne neigera pas avant demain matin. – Le vendeur s'efforce de convaincre le client Jamais vous ne trouverez un article aussi performant à un prix aussi bas.

 Copiez les phrases en plaçant correctement les parenthèses.

La troupe théâtrale dirigée par Jean-Yves Clément prépare une représentation du *Bourgeois gentilhomme*. – L'araignée qui n'est pas un insecte possède huit pattes et n'a ni ailes ni antennes. – Ce tableau probablement peint par Utrillo évoque les rues de la Butte Montmartre au début du xxe siècle. – Le VTT vélo tout terrain permet d'effectuer des promenades dans les sous-bois. – Les élèves de 5e 3 classe musique bénéficient d'un emploi du temps aménagé.

 Copiez le texte en plaçant correctement les signes de ponctuation (deux points, guillemets **et** tirets**) aux emplacements indiqués.**

Marinette fit poser l'âne de profil et se mit à peindre. De son côté, Delphine entreprit le portrait d'une sauterelle […].
Au bout d'un moment, l'âne, qui n'avait pas encore bougé, demanda *
* Je peux aller voir?
* Attends, répondit Marinette, je suis en train de faire les oreilles.
* Ah! bon. Ne te presse pas. À propos des oreilles, je voudrais te dire : elles sont longues, c'est entendu, mais tu sais, pas tellement.
* Oui, oui, sois tranquille, je fais juste ce qu'il faut. *
   M. Aymé, « Les boîtes de peinture » dans *Les Contes du Chat perché*, © Éditions Gallimard.

167 **Copiez le texte en plaçant correctement les signes de ponctuation (**guillemets, tirets **et** points d'exclamation**) aux emplacements indiqués.**

Assis en face de Robin, frère Tuck, le gros, raconte comment il a assommé le capitaine du duc de Sherwood en se laissant tomber sur son casque, ventre en avant, de la branche basse d'un chêne.
* Je lui ai cabossé le casque comme un vieux saladier, ça lui a écrabouillé le nez et plié les oreilles en quatre*
* Bien joué frère Tuck*
* Le seul ennui c'est que ça m'a donné un petit creux à l'estomac**
Il se frotte le ventre à deux mains et tous les convives éclatent de rire.
Robin se dresse et pique un poulet rôti au bout de sa dague.
* Tiens, frère Tuck, remplis ton creux.*
   P. Fournel, *Les Aventures très douces de Thimothée le rêveur*, © Éditions Hachette Jeunesse, 1982.

 itation _____

À la question toujours posée : « Pourquoi écrivez-vous? », la réponse du Poète sera toujours la plus brève : « Pour mieux vivre. »
(**Saint-John Perse**, *Réponse à un questionnaire sur les raisons d'écrire*)

Le genre des noms

Les acteurs et les actrices écoutent les conseils du metteur en scène.

RÈGLE

- On forme généralement le **féminin des noms** d'êtres animés en ajoutant un « e » à la forme du nom masculin.   un ami → une amie

Cependant, la terminaison du nom masculin est quelquefois modifiée.

un ouvrier → une ouvrière	un champion → une championne
un acteur → une actrice	un nageur → une nageuse
un sportif → une sportive	un malheureux → une malheureuse
un chat → une chatte	un prince → une princesse

Parfois le nom féminin est un nom tout à fait différent du nom masculin.

un roi → une reine   un père → une mère

Remarque :
Aujourd'hui, beaucoup de noms de métiers peuvent être employés au féminin. Souvent, on place simplement un article féminin devant le nom masculin. Dans d'autres cas, il suffit d'ajouter un « e ».

un ministre → une ministre   un écrivain → une écrivaine

- On peut hésiter sur le genre de certains noms.

une oasis – une primeur – une vis – une paroi
un pétale – un épiderme – un équinoxe

Dans ce cas, il faut consulter un dictionnaire.

- Certains noms ont un sens différent au masculin et au féminin.

le vase de fleurs   la vase de l'étang

---

168 Écrivez le féminin de ces noms.

un noyé	un habitué	un concurrent	un marquis	un blond
un candidat	un figurant	un cousin	un bourgeois	un ours
un bavard	un lapin	un professeur	un avocat	un employé

169 Écrivez le féminin de ces noms.

un collégien	un lycéen	un comédien	un citoyen	un gardien
un espion	un chien	un musicien	un lion	un doyen
un technicien	un patron	un pharmacien	un baron	un païen

170 Écrivez le féminin de ces noms.

un cavalier	un fermier	un passager	un écolier	un romancier
un couturier	un cuisinier	un hôtelier	un laitier	un étranger
un prisonnier	un écuyer	un berger	un boucher	un messager

un escrimeur   un inspecteur   un éducateur   un chanteur   un électeur
un patineur   un conducteur   un coiffeur   un voyageur   un plongeur
un voleur   un danseur   un visiteur   un spectateur   un moniteur
un instituteur   un auditeur   un explorateur   un rameur   un joueur
un menteur   un golfeur   un marcheur   un accusateur   un chômeur

172 **Complétez les phrases avec des noms féminins de la même famille que les noms masculins suivants.**

un dépanneur – un marinier – un trotteur – un jardinier – le cafetier – un veilleur – le mandarin – le portier – le médecin – le chevalier

Dans une montre, c'est la … qui indique les secondes. – Le rôti de veau est servi avec une … de légumes. – Sandrine a fait l'acquisition d'une nouvelle … électrique. – Pourquoi as-tu laissé la … du téléviseur allumée ? – Les initiales de M. Dubois sont gravées sur sa … . – Certaines personnes ont recours à la … douce pour se soigner. – En voulant garer sa voiture, mon père a rayé la … contre un poteau. – La … est un fruit riche en vitamines qu'on trouve sur les marchés. – La … se rend rapidement sur les lieux de l'accident. – Jennifer porte une … bleue par-dessus sa jupe.

173 **Complétez les phrases avec l'article qui convient.**

Dans … livre, … page de gauche a toujours un numéro pair. – Combien faut-il de litres de crème pour obtenir … livre de beurre ? – Au Moyen Âge, … page prenait soin de l'équipement de son seigneur. – … pendule du professeur Tournesol indiquait toujours l'ouest. – … pendule avance de cinq minutes chaque jour ; c'est ennuyeux. – … seconde manche du match de tennis a duré plus d'une heure. – Dans un avion, savez-vous à quoi sert … manche à balai ? – À la différence de l'huître, … moule se fixe sur un rocher ou sur un bouchot. – Simon étale la pâte brisée dans … moule à tarte.

174 **Écrivez le féminin de ces noms.**

un roux   un empereur   un cerf   un taureau   un duc
un mâle   un loup   un maître   un roi   un diable
un poulain   un héros   un chevreau   un poète   un âne
un tigre   un homme   un gendre   un copain   un dieu
un dindon   un neveu   un comte   un compagnon   un neveu

175 **Placez l'article qui convient (un ou une) devant chaque nom.**

… atome   … atmosphère   … nacre   … agrafe   … autoroute
… amalgame   … hémisphère   … molécule   … météorite   … analogie
… abîme   … planisphère   … globule   … icône   … azalée
… ancre   … apostrophe   … tentacule   … éloge   … intermède
… artère   … astérisque   … orgue   … amorce   … orbite

Citation _____

Les mots ne sont pas assez nombreux pour courir après la guerre.
(**J.-M. G. Le Clézio**, *La Guerre*)

26e Leçon — Le pluriel des noms

Les poux, animaux parasites, s'accrochent parfois aux cheveux des enfants; heureusement il existe des produits efficaces pour les éliminer.

RÈGLE

- **Au pluriel**, on place un « s » à la fin des noms, et un « x » pour les noms terminés par -au, -eau, -eu.
  des trottoirs – des routes – des tuyaux – des panneaux – des jeux
  Principales exceptions : *des pneus – des bleus – des landaus.*

- La plupart des noms terminés par -al au singulier font leur pluriel en -aux.
  des journaux – des signaux – des animaux
  Principales exceptions : *des bals – des festivals – des carnavals – des récitals – des chacals.*

- La plupart des noms terminés par -ail au singulier font leur pluriel en -ails.
  des rails – des détails – des portails
  Principales exceptions : *des coraux – des travaux – des vitraux – des émaux.*

- Les noms terminés par -ou au singulier prennent un « s » au pluriel.
  des trous – des clous – des écrous
  Exceptions : *des bijoux – des cailloux – des choux – des genoux – des hiboux – des joujoux – des poux.*

- Les noms terminés par « s », « x » et « z » au singulier ne prennent pas la marque du pluriel.

---

176 Écrivez les articles et les noms au pluriel.

un nez	un balcon	une merveille	un appareil	une merguez
un riz	une page	un papillon	une canne	un parfum
un gaz	un pantalon	une paire	un monstre	une moto
un colis	un orage	un groupe	une heure	un guichet
un œuf	un album	une nuit	une assiette	un oranger
un œil	un poing	un emploi	un étang	une lettre

177 Écrivez les déterminants et les noms au pluriel.

un roseau	un coucou	un rouleau	un étau	un bal
notre neveu	ce verrou	un tonneau	un fléau	un vaisseau
un jeu	un mérou	ton couteau	un landau	son cerceau
un lieu	un écrou	un plateau	un amiral	cet escabeau
une lieue	mon genou	un oiseau	ce poteau	un total
un bleu	un hibou	un écriteau	votre râteau	un filou

Écrivez les articles et les noms au pluriel.

un hôpital	un vitrail	un bail	un végétal	un traîneau
un manteau	un festival	un veau	un tribunal	un chameau
un bambou	un général	un signal	un autorail	un capital
un agneau	un arsenal	un morceau	un gouvernail	un cristal
un cardinal	un réseau	un fou	un tableau	un caribou
un feu	un cachou	un quintal	un canal	un travail

179 **Écrivez les articles et les noms au singulier. Vous pouvez utiliser un dictionnaire.**

des houx	des pieux	des parcours	des champs	des prix
des permis	des vœux	des tambours	des temps	des croix
des relais	des verrous	des fourmis	des propos	des matériaux
des délais	des remous	des souris	des photos	des noix
des balais	des tournois	des apprentis	des micros	des fois
des villas	des parois	des velours	des dominos	des aveux
des coutelas	des tissus	des discours	des héros	des joujoux

180 **Copiez les phrases en accordant les noms entre parenthèses au pluriel.**

Que se passerait-il si les (rail) des (ligne) des (chemin) de fer n'étaient pas exactement parallèles ? – Dans le métro, on trouve désormais des (journal) d'information gratuits. – L'éleveur s'approche des (poulet) avec deux (seau) remplis de maïs. – Les (cheval) qui participeront aux prochaines (épreuve) sur l'hippodrome d'Auteuil sont mis au repos pendant quelques (jour). – Avec cette loupe, vous verrez mieux les (détail) des (carapace) des (tortue) que vous avez trouvées dans le bois de Cogolin. – Les (récital) en plein air de Bénabar réunissent chaque fois des milliers de personnes. – Seuls d'étroits (soupirail) permettent d'aérer les (cave) de l'immeuble. – Nadine n'a pas son pareil pour confectionner les (bijou) qu'elle vendra aux (promeneur) sur le port de Saint-Raphaël.

181 **Copiez les phrases en les complétant avec ces noms écrits au pluriel.**
joyau – monceau – robot – noyau – canal – moineau – acajou – caillou – bocal – travail – paysage – fruit – épouvantail

Les … effectuent des … longs et pénibles à la place des ouvriers des usines automobiles. – Des … de … sont nécessaires pour empierrer la chaussée avant de pouvoir la goudronner. – Naviguer sur les … permet d'admirer des … très différents. – M. Chevrier remplit des … avec les confitures qu'il prépare en faisant cuire les … de son verger, sans oublier d'ôter au préalable les … . – Les … sont des arbres tropicaux largement utilisés en ébénisterie. – Les … de la couronne d'Angleterre sont exposés dans une salle de la Tour de Londres. – Pour éloigner les …, mon voisin place des … au pied de ses cerisiers.

Citation

Le travail éloigne de nous trois grands maux : l'ennui, le vice et le besoin.
(**Voltaire**, *Candide*)

27ᵉ Leçon

Le pluriel des noms propres et des noms d'origine étrangère

Les lancements des fusées Ariane obéissent à des plannings rigoureux, établis après de multiples tests.

RÈGLE

- **Les noms propres** ne prennent pas la marque du pluriel.
  Les Maxime et les Julie sont fort nombreux dans notre collège.
  Les fusées Ariane décollent de la base de Kourou.

Font exception :
— les noms de population ou de lieux géographiques qui désignent un ensemble.
  les Italiens – les Alpes – les Canaries
— certaines familles royales, princières ou illustres.
  les Mérovingiens – les Césars – les Capétiens

- **Les noms d'origine étrangère** peuvent :
— prendre un « s » au pluriel s'ils sont francisés depuis longtemps.
  des pizzas – des duos – des matadors
— garder leur pluriel étranger.
  des scénarii – des derbies
— avoir indifféremment le pluriel étranger ou le pluriel français :
  des sandwiches – des sandwichs   des maxima – des maximums
— rester invariables pour certains noms d'origine latine.
  des extra – des credo

---

182 Copiez les phrases en écrivant correctement les noms entre parenthèses.

Les (Ferrari) et les (Renault) ne participeront pas au grand prix des (Émirat) arabes unis. – Les (Goncourt), membres d'un jury littéraire, décernent chaque année un prix prestigieux. – Lorsqu'il partit à travers l'Atlantique, Christophe Colomb voulait atteindre les (Inde). – La Martinique et la Guadeloupe appartiennent aux (Antille) françaises. – Les (Canadien) et les (Norvégien) disputent un match de hockey sur glace. – Les (Cendrillon) de la Coupe de France parviennent, parfois, à vaincre des équipes professionnelles.

183 Copiez les phrases en écrivant correctement les noms entre parenthèses.

L'expert examine deux (Picasso) et déclare que l'un d'eux devra être restauré avant d'être mis aux enchères. – Le règne de Louis XIV est l'époque la plus brillante de la dynastie des (Bourbon). – Les premiers romans d'Émile Zola, les (Rougon-Macquart), ne rencontrèrent que peu de succès ; il fallut attendre la publication de *L'Assommoir* pour que vienne la célébrité.

184 **Copiez les phrases en écrivant correctement les noms entre parenthèses.**

Le tour des (Flandre) s'est déroulé sous la pluie ; il a été animé par les (Belge) qui sont habitués aux conditions météorologiques défavorables. – Les deux (Sèvre), rivières de l'Ouest, ont donné leur nom à un département. – Cet été, Valérie a lu cinq (Maupassant), des recueils de nouvelles essentiellement. – Les deux (Allemagne) ont été réunifiées après la chute du mur de Berlin. – Dans les (Pyrénée), les cols relient les vallées d'est en ouest. – Les (Cayla) ont passé la soirée chez leurs voisins les (Trève). – Il y a en France plusieurs (Milly) ; l'origine du nom de ces communes viendrait d'une ancienne mesure de distance utilisée par les (Romain).

185 **Copiez les phrases en écrivant correctement les noms entre parenthèses.**

Trois des îles (Comore) ont demandé et obtenu leur indépendance en 1975. – Les trois frères (Herrero) furent d'excellents joueurs de rugby, mais seul André fut international. – Les (Grimaldi) règnent sur la principauté de Monaco depuis des siècles. – Seuls quelques (Mexicain) sont des descendants directs des (Aztèque). – Les (Canon) sont des appareils photos d'excellente qualité. – Les lettres des jeux de (Scrabble) sont différentes selon les pays. – Lors des soirées entre amis, on sert des (Orangina) et des (Coca-Cola). – Sur la route des (Amérique), les (Açore) offrent un refuge pour les voiliers en cas de tempête.

186 **Copiez les phrases en écrivant correctement les noms entre parenthèses.**

Le chef de rayon est inquiet, les (stock) de (spaghetti) sont au plus bas car les clients en remplissent leurs (caddie). – Les (clown) ont souvent des nez rouges et des visages blancs. – Pour ne pas oublier ses rendez-vous, M. Galet colle des (Post-it) sur les murs. – Les jeunes portent souvent des (tee-shirt) bariolés et des (jean) aux coutures renforcées. – Les (flash) des photographes éclatent dans la nuit cannoise ; les (star) montent les escaliers conduisant à la salle de projection. – Dans les (western), les (cow-boy) passent plus de temps à se battre qu'à capturer les (alezan) au (lasso). – Les (graffiti) et les (tag) enlaidissent les murs de nos villes. – Où M. Stanev va-t-il pouvoir échanger ses (rouble) contre des (dollar) ?

187 **Copiez les phrases en écrivant correctement les noms entre parenthèses.**

Ces statuettes représentent de parfaits (spécimen) de l'art africain. – Les (référendum) permettent de consulter l'ensemble des électeurs sur un sujet précis. – Les (requiem) accompagnent les enterrements d'hommes illustres. – L'admission dans certaines écoles est soumise à des (quota). – Au fil des années, les (imprésario) ont constitué plusieurs (trio) avec différents (jazzman). – Habituellement, les (tennisman) disputent leurs (match) en trois (set) gagnants. – Les (rail) des (tramway) peuvent être de redoutables pièges pour les cyclistes inattentifs.

Citation _____

Dis-lui que l'amitié, l'alliance et l'amour/Ne pourront empêcher que les trois Curiaces/Ne servent leur pays contre les trois Horaces.
(Pierre Corneille, *Horace*)

28^e
Leçon

Le pluriel des noms composés

Dans les villes-dortoirs, les petits pavillons remplacent progressivement les gratte-ciel.

RÈGLE

- **Dans les noms composés**, seuls les noms et adjectifs peuvent se mettre au pluriel.
  des wagons-restaurants – des basses-cours
  Les autres mots (verbes, adverbes, prépositions) sont invariables.
  des protège-cahiers – des non-lieux – des avant-toits

- **Les noms et les adjectifs** ne prennent la marque du pluriel que si le sens le permet.
  des timbres-poste → des timbres pour *la* poste → pas d'accord
  des sans-abri → des personnes qui n'ont pas *un* abri → pas d'accord

- **Le sens peut imposer le pluriel** pour l'un des deux mots, même si le nom composé est au singulier.
  un mille-pattes → l'insecte a mille pattes → pluriel

- Si le premier mot d'un nom composé est **un élément terminé par la voyelle « o »**, il reste invariable.
  des micro-ordinateurs – des micro-ondes

- Lorsque le nom composé est formé de **deux noms unis par une préposition**, en général, seul le premier nom prend la marque du pluriel.
  des arcs-en-ciel – des crocs-en-jambe

 Écrivez ces noms composés au pluriel. Vous pouvez utiliser un dictionnaire.

un abat-jour	un casse-croûte	un cessez-le feu	une chauve-souris
un chou-fleur	un pont-levis	une arrière-boutique	un porc-épic
un café-théâtre	un bric-à-brac	un chasse-mouche	un presse-citron
un tiroir-caisse	un trouble-fête	un radio-taxi	un avant-projet
un chêne-liège	un quartier-maître	un faire-part	un garde-chasse

 Écrivez ces noms composés au pluriel. Vous pouvez utiliser un dictionnaire.

un hors-jeu	un lave-vaisselle	un garde-boue	un expert-comptable
un fier-à-bras	une langue-de-chat	un hors-bord	une machine-outil
un rouge-gorge	une longue-vue	un haut-de-forme	un bas-côté
un dos-d'âne	un cache-pot	un micro-organisme	un roman-photo
un ciné-club	un chef-lieu	une pause-café	un sous-vêtement

Écrivez ces noms composés au singulier. Vous pouvez utiliser un dictionnaire.

des cure-dents   des compte-gouttes   des brise-lames   des chauffe-plats
des pèse-lettres   des canapés-lits   des casse-noisettes   des pare-chocs
des papiers-filtres   des quatre-mâts   des vide-poches   des lance-pierres
des trois-quarts   des rince-doigts   des sous-titres   des ouvre-boîtes

 Copiez les phrases en accordant les noms composés comme il convient.

Début mars, les premiers (perce-neige) font leur apparition. – En mer du Nord, on a installé des (plate-forme) de forage pour exploiter les champs pétrolifères. – La pose d'(appui-tête), à l'avant comme à l'arrière, est obligatoire dans les véhicules de tourisme. – M. Fornay change souvent d'opinion ; ses (volte-face) ne se comptent plus. – Les (sourd-muet) portent de petits appareils miniaturisés qui leur permettent d'entendre la plupart des sons. – Les (rhino-pharyngite) sont des maladies fréquentes dans les grandes villes. – Pendant les vacances, Damien passe tous ses (après-midi) devant sa console de jeux ; il n'est pas raisonnable. – Pour Noël, les (grand-mère) gâtent leurs (petit-enfant). – Verses-tu du sucre sur tes (petit-suisse) ?

 Copiez les phrases en les complétant avec les noms composés suivants que vous accorderez.

camion-citerne – contre-attaque – cerf-volant – haut-parleur – casse-cou – remonte-pente – homme-grenouille

Les … diffusent de la musique pour faire patienter les spectateurs qui attendent devant les guichets. – Ces acrobates sont de véritables … ; ils prennent des risques. – Sur la plage du Touquet, les enfants et leurs parents font tournoyer les … . – Des … ravitaillent les stations-service en carburant. – Les … tentent de fixer un câble sous l'épave du chalutier pour la renflouer. – Menés au score, les joueurs messins procèdent par de rapides … . – Les … des stations de ski doivent présenter toutes les garanties en matière de sécurité.

 Copiez les phrases en complétant les noms composés en bleu comme il convient.

Les délégués de la classe sont nos port…-pa… lors des conseils de classe. – Le gardien de l'immeuble possède un impressionnant port…-cl… pour ouvrir toutes les portes. – Autrefois, les écoliers écrivaient avec des port…-pl… et plaçaient un buvard sous leur main. – Le représentant en produits de beauté range ses commandes dans un port…-do… en cuir. – Certains croient que les trèfles à quatre feuilles sont des port…-bo… . – L'entraîneur utilise un port…-vo… pour encourager ses coureurs. – Deux mille hommes servent sur *Le Charles-de-Gaulle*, le seul port…-av… français. – Les port…-fe… de la salle de séjour s'ouvrent sur la terrasse. – On peut placer une petite valise sur le port…-ba… de cette moto.

Citation _____

Si les arcs-en-ciel duraient un quart d'heure, on ne les regarderait plus.
(**Goethe**, *Maximes et Réflexions*)

29ᵉ Leçon — Le féminin des adjectifs qualificatifs

À l'arrivée d'une longue randonnée, Julie, fatiguée mais heureuse, se désaltère au refuge.

RÈGLE

- On forme généralement **le féminin des adjectifs qualificatifs** en ajoutant un « e » à la forme du masculin.

  un court instant → une courte pause

- Il existe cependant **quelques formes particulières** au féminin. **La plupart des** adjectifs terminés par « -et » prennent un accent grave au féminin.

  complète – concrète – discrète

  Exceptions qui **doublent le « t »** : *nette - muette – coquette - violette*

- Les adjectifs **terminés par « -eur »** font généralement leur féminin en « -euse ».

  pollueuse – pleureuse – flatteuse

  Exceptions : *réducteur → réductrice   vengeur → vengeresse*
  intérieur → intérieure

- Autres modifications :

  un bon prix → une bonne affaire / un conseil précieux → une idée précieuse

  un été sec → une saison sèche / un drap blanc → une nappe blanche

  un véhicule neuf → une voiture neuve / un gros lot → une grosse somme

  un résultat nul → une partie nulle / un fruit amer → une orange amère

  un vent frais → une brise fraîche / un sourire doux → une voix douce

  Voir « Les adjectifs qualificatifs », pp. 76-77.

---

194 **Écrivez le féminin de ces adjectifs qualificatifs.**

un crayon pointu	→ une mine …	un passage étroit	→ une rue …
un caillou poli	→ une pierre …	un joli costume	→ une … robe
un garçon majeur	→ une fille …	un cheval fourbu	→ une jument …
le corps humain	→ la nature …	un teint uni	→ une couleur …
un monstre laid	→ une sorcière …	un meuble vieillot	→ une armoire …

195 **Écrivez le féminin de ces adjectifs qualificatifs.**

un menu varié	→ une liste …	un couloir exigu	→ une pièce …
un reproche muet	→ une lettre …	un accord parfait	→ une santé …
un propos confus	→ une réponse …	un regard plaintif	→ une voix …
un petit poisson	→ une … truite	un geste lent	→ une moto …
un ami loyal	→ une amie …	un acte quotidien	→ la vie …

196 Copiez les phrases en accordant les adjectifs qualificatifs entre parenthèses.

Vous ne trouverez cet appareil ménager que dans une boutique (spécialisé). – En menant une vie (sain), on se porte mieux. – La navigation (fluvial) n'est pas possible sur cette rivière bien trop (fougueux). – Le chirurgien a dû pratiquer d'urgence une transfusion (sanguin) sur un accidenté de la route. – Le grutier, par une (savant) manœuvre, parvient à déplacer de quelques mètres le panneau de béton (préfabriqué). – Comme viande, que prendras-tu ? une escalope (pané) ou une cuisse de pintade (rôti) ? – Sans une indication (précis), les pirates ne pourront pas retrouver la malle au trésor (enfoui) sur l'île de la Tortue. – Sans une autorisation (spécial), vous n'aurez pas accès aux coulisses du théâtre.

197 Écrivez le féminin de ces adjectifs qualificatifs.

un ruban violet	→ une écharpe …	un port breton	→ une crêpe …
mon cher oncle	→ ma … tante	un congé annuel	→ une fête …
un chapitre entier	→ une page …	un matin brumeux	→ une journée …
un bref récit	→ une … histoire	un air rêveur	→ une tête …
un acheteur naïf	→ une acheteuse …	un animal poltron	→ une bête …
un livre instructif	→ une lecture …	un défaut mineur	→ une erreur …

198 Écrivez le féminin de ces adjectifs qualificatifs.

un message secret	→ une porte …	un signe discret	→ une marque …
un exemple concret	→ une preuve …	un chat craintif	→ une chatte …
un heureux hasard	→ une … issue	un son aigu	→ une note …
un langage maternel	→ une langue …	un plat grec	→ une salade …
un remède ancestral	→ une tradition …	un tigre cruel	→ une tigresse …

199 Remplacez les noms en bleu par ceux entre parenthèses et accordez.

(aventure)	un film vraiment captivant	(main)	un très petit pied
(entreprise)	un projet fort ambitieux	(forme)	un aspect guère naturel
(pratique)	un usage quelque peu désuet	(phrase)	un mot plutôt ambigu
(péripétie)	un incident vite oublié	(matinée)	un temps tout à fait gris
(pièce)	un mur mal isolé	(fillette)	un garçon souvent ému
(machine)	un moteur facilement réparé	(situation)	un lieu totalement irréel

200 Copiez les phrases en accordant les adjectifs qualificatifs entre parenthèses.

Le clown porte une (étrange) perruque (roux). – Avec cette couverture (épais), vous n'aurez pas froid. – Jérémie t'a tiré d'un mauvais pas, tu lui dois une (fier) chandelle. – Selon une (ancien) coutume, on jette des grains de riz sur les mariés. – Je ne trouve pas la librairie que tu m'avais recommandée ; tu as dû me donner une (faux) adresse. – L'Histoire (romain) relate les faits et gestes des empereurs aux vies (tumultueux). – Patricia attend avec une impatience non (dissimulé) son émission (favori). – Il faut se garder d'une conclusion (hâtif) qui ne repose pas sur une analyse (concret) de la situation.

Citation ────────────────────────────────────

La fourmi n'est pas prêteuse, c'est là son moindre défaut.
(**La Fontaine**, *La Cigale et la Fourmi*)

30ᵉ Leçon

Le pluriel des adjectifs qualificatifs

Les horaires complets des activités sportives du mercredi figurent sur des panneaux muraux.

RÈGLE

- On forme généralement **le pluriel des adjectifs qualificatifs** en ajoutant un « s » à la forme du singulier.
  C'est notamment le cas pour tous les adjectifs qualificatifs féminins.
  un fruit sec → des fruits secs   une figue sèche → des figues sèches

- **Les adjectifs qualificatifs terminés par « s » ou « x »** au singulier ne changent pas au pluriel.
  un fromage frais → des fromages frais
  un cheval nerveux → des chevaux nerveux

- Les quelques **adjectifs qualificatifs terminés par -eau** au singulier prennent un « x » au pluriel.
  un nouveau maillot → de nouveaux maillots

- **Les adjectifs qualificatifs terminés par -al** au masculin singulier forment le plus souvent leur pluriel en -aux.
  un produit régional → des produits régionaux
  Exceptions : bancal – fatal – natal – naval → bancals – fatals – natals – navals

- **Les adjectifs qualificatifs composés** s'accordent lorsqu'ils sont formés de deux adjectifs.
  Si le premier terme est un mot invariable, il ne s'accorde pas.
  des personnes sourdes-muettes
  faire de tout-petits pas

Voir « Les adjectifs qualificatifs », pp. 76-77.

---

201 **Écrivez les noms en bleu au pluriel et accordez.**

un homme célèbre
un bruit régulier
un tissu réversible
une tôle ondulée
une fête populaire

une place libre
une chaise pliante
un panneau solaire
une barre rigide
un client exigeant

un semis annuel
un site touristique
une paroi rocheuse
un phare aveuglant
une remarque précise

202 **Écrivez le nom principal de ces expressions au pluriel et accordez.**

rapporter un fait réel aux enquêteurs
pianoter l'accord final de la chanson
manger un yaourt pasteurisé
visiter un pays oriental
porter une chemise rayée

se réfugier sous un abri protecteur
énoncer une remarque pertinente
signer une demande officielle
diviser un nombre pair par deux
visiter une cathédrale romane

203 Accordez les adjectifs qualificatifs en bleu avec chacun des noms.

social	un centre …	des accords …	la sécurité …
vif	des mouvements …	une réaction …	des paroles …
postal	une agence …	un compte …	des chèques …
naturel	des aliments …	une eau …	les sciences …
normal	un aspect …	des conditions …	des comportements …

204 Copiez les phrases en accordant les adjectifs qualificatifs entre parenthèses.

Avez-vous déjà goûté de la confiture d'oranges (amer)? – Les images du scanner sont (formel); il faut opérer d'urgence la tumeur (malin). – Le dortoir des garçons est équipé de lits (jumeau). – Les foyers (rural) maintiennent encore un peu de vie dans les petits villages (montagnard). – Des habitants de Saint-Nazaire travaillent aux chantiers (naval). – Les épisodes de ce feuilleton se suivent et sont tout aussi (palpitant) les uns que les autres. – Les mères de famille (nombreux) peuvent profiter des avantages des congés (post-natal). – Il paraît que dans les marchés (provençal) on trouve des variétés de tomates (odorant).

205 Accordez les adjectifs qualificatifs en bleu avec chacun des noms.

affectueux	un animal …	une biche …	des chiens …
bancal	une chaise …	des tables …	des meubles …
faux	de … papiers	une … piste	des opérations …
prodigieux	un bond …	une aventure …	des histoires …
spatial	une fusée …	un engin …	des vaisseaux …
inégal	un sol …	des forces …	des résultats …

206 Copiez les phrases en accordant les adjectifs qualificatifs entre parenthèses.

Pour tracer des droites (parallèle), on peut utiliser une règle et une équerre; avec une règle et un compas, c'est difficile, mais possible. – Dès 1950, des accords (franco-allemand) ont permis de maintenir la paix en Europe. – Dans un discours, il existe parfois des propos (sous-entendu). – La cuisine (vietnamien) fait un grand usage des sauces (aigre-doux). – Les propositions (relatif) appartiennent aux groupes (nominal). – Les centres (socio-éducatif) accueillent les enfants le mercredi et leur proposent des activités (intéressant). – Les conseillers (municipal) se réunissent tous les mois sous la présidence du maire.

207 Complétez les phrases avec des adjectifs qualificatifs de la même famille que les mots entre parenthèses; accordez.

(la beauté) Durant l'été indien, nous profitons des … jours. – (la brutalité) Les gestes … sont sévèrement sanctionnés par l'arbitre. – (la nullité) Au basket, les matchs … sont extrêmement rares; on joue les prolongations. – (le ménage) Toute la famille Lebrun participe à l'exécution des tâches … . – (le bas) Pourquoi t'adresses-tu à Manuel d'une voix … ? – (la jovialité) Les caractères … attirent d'emblée la sympathie. – (renouveler) Les énergies … permettront de faire des économies et pollueront moins la planète.

Citation ————————————————————————————

Les chants les plus nouveaux sont les plus captivants. (**Homère**, l'*Odyssée*)

75

31ᵉ

Leçon

Les adjectifs qualificatifs épithètes, attributs ou mis en apposition

Dépourvue de plan, Géraldine est égarée dans les petites ruelles sombres de la vieille ville.

RÈGLE

Les adjectifs qualificatifs et les participes passés peuvent être :

1. épithètes
Ils appartiennent à un groupe nominal et s'accordent avec le nom principal de ce groupe. L'épithète peut précéder ou suivre le nom et en être séparé par un adverbe.
> *Coralie prend part à une longue discussion.*
> *Coralie prend part à une discussion passionnante.*
> *Coralie prend part à une discussion vraiment passionnante.*

2. attributs
Ils sont **séparés du nom** (ou du pronom sujet) **par un verbe d'état** (être, sembler, demeurer, rester, paraître …), mais ils s'accordent toujours avec le nom principal du groupe sujet.
> *Coralie paraît affectée par les remarques de ses interlocuteurs.*

3. mis en apposition
Ils sont **séparés du nom par une ou des virgules** et peuvent se trouver éloignés du nom. Néanmoins, ils s'accordent avec le nom (ou le pronom) principal.
> *Blessée dans son amour-propre, Coralie refuse de nous répondre.*

Un adjectif qualificatif se rapportant à un nom masculin et à un nom féminin s'écrit au masculin pluriel.

Voir « Les adjectifs qualificatifs », pp. 72 à 75.

 Copiez les phrases en accordant les adjectifs qualificatifs et les participes passés entre parenthèses.

(Convaincu) de la justesse de son raisonnement, Adeline le recopie sur son cahier. – Les accidents d'avion sont peu (fréquent), mais ils sont (catastrophique). – Dans de (vieil) albums, Solange a retrouvé les photos (jauni) de sa jeunesse. – La tuberculose, que les médecins croyaient (vaincu), continue de faire des ravages dans les pays (pauvre). – (Formé) au contact de cuisiniers (confirmé), ces apprentis deviendront de (célèbre) chefs. – Les expéditions (spatial) sont désormais (habituel) ; les charges (transporté) sont de plus en plus (lourd) et les lancements plus (sûr). – Ces grottes recèlent des peintures (rupestre) d'une beauté sans (égal). – Le tracteur emprunte d'(étroit) chemins (forestier), heureusement (désert) en cette saison (hivernal).

Conjuguez les verbes au présent de l'indicatif.

être penché sur son travail   arriver épuisé   demeurer attentif
être malin comme un singe   être précis   rester sérieux
se trouver démuni devant la tâche   être absent   être satisfait du résultat
sortir frigorifié de l'eau   être mort de rire   ne pas être rancunier

 Copiez les phrases en accordant les adjectifs qualificatifs et les participes passés entre parenthèses.

Les pneus (gonflé), la chaîne (graissé), le guidon (relevé), la selle bien (réglé), Laurent peut entreprendre l'ascension du col de la Madeleine. − (Forgé) au long de (nombreux) années d'aventures (périlleux), les convictions de M. Karlin sont (clair) : il y a de par le monde des personnes (merveilleux) qui se dévouent sans compter pour le bien de l'humanité tout (entier). − (Accroupi) dans les rizières, les femmes (indonésien) repiquent les (jeune) plants. − Les clichés, (envoyé) sur Terre par une sonde (mis) en orbite autour de Jupiter, sont si (net) qu'ils semblent (irréel).

211 **Complétez les phrases avec les adjectifs qualificatifs et les participes passés suivants ; accordez comme il convient.**

gorgé − pris − acheminé - encensé − joué − brûlant − distribué − qualifié − enregistré − semblable − premier − grand

L'équipe de rugby de Bourgoin, maintenant … pour la finale du championnat de France, s'entraîne tous les jours. − … par avion, les lettres sont … en fin de semaine. − Le joueur d'échecs ne réfléchit pas assez et le voilà … au piège de son adversaire. − Une mélodie retentit, … au piano par Vincent. − Des vapeurs … s'échappent du radiateur ; surtout ne vous approchez pas. − En fin de journée, M. Drevon écoutera les messages … sur le répondeur. − … par tous les critiques, cette pièce de théâtre connaît un … succès. − Les piétons, … à une colonne de fourmis, s'acheminent vers la gare Montparnasse. − … de sève, les bourgeons éclatent dès les … chaleurs.

212 **Copiez les phrases en accordant les adjectifs qualificatifs et les participes passés entre parenthèses. Vous préciserez leur fonction : épithète (Ép) ; attribut (At) ou apposition (Ap).**

La file d'attente est (long), mais les spectateurs (patient) obtiendront les (meilleur) places. − On se souvient toujours des poésies (appris) à l'école primaire. − La digue, (battu) sans merci par la tempête, résiste ; les bateaux ne risquent rien. − Les appels de détresse, (capté) par la station (norvégien) de Narvik, permettront de sauver les naufragés (perdu) au large des îles Lofoten. − Des citadins, (déçu) par la vie (urbain), recherchent des maisons (isolé) dans les villages (reculé) des Alpes de Haute-Provence. − Le monde (entier) apprécie les fromages (produit) dans les régions (français). − (Acheté) à crédit, ce téléviseur et ce lecteur de DVD ne sont pas (facile) à installer.

Citation ─────────────────────────────

Peu de gens sont assez sages pour préférer la critique qui leur est utile à la louange qui les trahit. (**La Rochefoucauld**, *Réflexions ou Sentences et Maximes*)

Les déterminants numéraux l'écriture des nombres

Il y avait six mille quatre cent vingt-cinq concurrents au départ du marathon et seulement quatre mille trois cents à l'arrivée.

RÈGLE

- **Les déterminants numéraux cardinaux** indiquent une quantité précise. Ils sont invariables.

  mille *pages*   treize *lignes*   soixante *mètres*

  Pour écrire tous les nombres, il faut parfois combiner plusieurs déterminants.

  dix-sept *carreaux*   vingt-quatre *mois*   cent cinquante-six *tonnes*

  Remarque :
  Entre les dizaines et les unités, il faut placer un trait d'union, sauf s'il n'y a qu'une unité.

  quarante-huit *heures*   trente et un *points*

- *Vingt* et *cent* prennent la marque du pluriel quand ils indiquent un nombre exact de vingtaines ou de centaines, sauf s'ils sont suivis d'un autre nombre.

  quatre-vingts *ans*   quatre-vingt-dix *ans*
  deux cents *pages*   deux cent dix *pages*

- Il ne faut pas confondre les nombres avec les noms tels que dizaine, douzaine, centaine, millier, million, milliard, qui s'accordent comme tous les noms.

  trois douzaines *d'escargots*   cinq millions *d'habitants*

- Les adjectifs qui indiquent l'ordre ou le rang s'accordent en genre et en nombre avec le nom.

  la première *place*   les dernières *notes*

On utilise les chiffres romains pour noter les siècles ou le rang des rois.

  Le XXᵉ siècle   Louis XV   Henri IV

---

213 **Copiez les phrases en écrivant en lettres les nombres en bleu.**

En l'absence de fièvre, la température du corps humain est de 37 degrés. – Le globe terrestre est divisé en 24 fuseaux horaires. – Encore 36 pages et tu auras terminé la lecture du *Petit Prince* de Saint-Exupéry. – Cette usine, qui fabrique des portes et des fenêtres, vient d'embaucher 48 ouvriers. – Avec les paraboles d'aujourd'hui, on peut capter plus de 200 chaînes de télévision. – Les normes de sécurité exigent qu'il n'y ait pas plus de 760 spectateurs dans cette salle des fêtes. – Le costume de scène de la comédienne qui joue le rôle de Chimène compte 90 boutons ; elle met plus de 15 minutes pour se vêtir. – Un octogénaire a au moins 80 ans, alors qu'un nonagénaire a au moins 90 ans.

214 Écrivez en lettres les nombres en bleu.

un paiement de 156 euros 587 députés de l'Assemblée nationale
les 489 élèves du collège 36 453 communes de France
décharger 250 tonnes de poissons 300 hectares de prairies
voir 36 chandelles un tirage de 10 000 000 d'exemplaires
les 88 touches d'un piano un immeuble de 80 appartements

215 Copiez les phrases en écrivant en lettres les nombres en bleu.

Pour réaliser la maquette du bateau *La Bounty*, Ahmed a passé 150 heures d'assemblages minutieux et 18 heures pour tout peindre. – Dans le haras de l'émir du Qatar, les palefreniers soignent 75 chevaux qui disputeront plus de 300 courses tout au long de l'année. – Le jour de la rentrée, seule une partie des 528 élèves du collège se présenteront à 8 heures. – Cette année, M. Vannier a vendu les 7 500 quintaux de sa récolte de blé aux grands moulins de Prissé. – Ali Baba a découvert le secret de la caverne des 40 voleurs ; il est devenu riche.

216 Copiez les phrases en écrivant en lettres les nombres en bleu.

Le nouvel Airbus peut transporter de 555 à 853 passagers ; c'est le plus gros avion au monde. – Il est possible que la vitesse soit limitée à 110 kilomètres à l'heure sur les autoroutes, alors qu'elle est actuellement de 130 kilomètres. – Dans ce conteneur venu de Thaïlande, il y a 1 440 téléphones portables emballés dans 45 cartons de 32. – Il est difficile d'imaginer que des étoiles sont à une distance de la Terre de 500 000 années-lumière. – Dans un dictionnaire, on trouve généralement plus de 80 000 définitions de mots.

217 Copiez les phrases et accordez les mots entre parenthèses.

À l'échelle des temps géologiques, (mille) ans, c'est peu de chose. – Des (centaine) de (million) d'enfants ne mangent pas à leur faim. – Les (cinquième) rencontres de poésie se déroulent au château de Burgy. – Cette maroquinerie a vendu les (quatre) (cinquième) de son stock de sacs. – On n'a jamais vu des (trois-quart) aussi rapides que ceux de l'équipe d'Irlande. – M. Garcin essaie de passer son permis poids lourd pour la (troisième) fois. – En juin, les (troisième) du collège passeront le brevet ; ils espèrent tous réussir. – Un essaim d'abeilles est composé d'une reine et de plusieurs (dizaine) de (millier) d'ouvrières.

218 En quel siècle se sont produits ces événements ? Vous écrirez le siècle en chiffres romains. Au besoin, consultez un dictionnaire.

Ex. : *Baptême de Clovis, roi des Francs.* → vᵉ siècle

La prise de la Bastille par les Parisiens. – La découverte de l'Amérique par Christophe Colomb. – La construction du château de Versailles sous les ordres de Louis XIV. – Hugues Capet, élu roi de France, fonde la dynastie des Capétiens. – Massacre des protestants le jour de la Saint-Barthélemy. – Partage de l'empire de Charlemagne au traité de Verdun. – Le premier pas d'un homme sur la Lune.

 Citation _____

Le goût est fait de mille dégoûts. (**Paul Valéry**, *Choses lues*)

Les accords
dans le groupe nominal

La grande **place** du marché **est désormais transformée en parking** pour les véhicules des touristes qui visitent la vieille ville.

RÈGLE

- **Un groupe nominal** est constitué d'un nom (parfois d'un pronom) principal. C'est lui qui entraîne l'accord, en genre et en nombre, des déterminants, des adjectifs qualificatifs ou des participes passés employés comme épithètes.
  *Des véhicules stationnent sur la grande **place** pavée.*

- Le groupe nominal peut comporter d'autres constituants.
- **Le complément du nom** est un mot, ou un groupe de mots, qui apporte une précision sur le nom **(ou le pronom)**. Il est introduit par une préposition **et placé après le nom avec lequel** il ne s'accorde pas.
  *Des véhicules stationnent sur la **place** du marché.*

- **La proposition subordonnée relative** est introduite par un pronom relatif **qui a pour antécédent le nom principal** ; il en porte donc le genre et le nombre.
  *Des véhicules stationnent sur la **place** qui leur est réservée.*

- **Les adjectifs, le complément du nom, la proposition subordonnée relative** peuvent être supprimés : la phrase demeure grammaticalement correcte.
  *Des véhicules stationnent sur la **place**.*

Remarque :
Les adverbes du groupe nominal demeurent invariables.
  *Des véhicules stationnent sur la grande **place** entièrement pavée.*

Voir « Les compléments du nom », pp. 226-227.

 Recopiez les phrases et soulignez les noms principaux des groupes nominaux.

L'élevage de poulets de Bresse nécessite une installation adaptée qui permet aux volailles de vivre au grand air. – Les vaisseaux spatiaux en orbite autour de la Terre émettent des signaux qui sont captés par la base de Kourou. – Les troupes de Napoléon Ier parcouraient des kilomètres à pied. – Les maraîchers de la vallée de la Loire se spécialisent dans la culture des asperges. – Le faisceau du phare des Sanguinaires guide les navires égarés au milieu du brouillard. – Un bouquet de roses rouges embellit la salle de séjour. – L'orateur à la voix puissante arrive à convaincre l'auditoire qui se presse dans la salle où il tient sa réunion. – À l'approche des fêtes de fin d'année, les rues piétonnes sont envahies par un public venu acheter des cadeaux.

220 Copiez les phrases en écrivant les noms en bleu au pluriel et accordez.

Un énorme camion chargé de fruits et de légumes emprunte l'autoroute du Soleil. – L'accord commercial passé entre ces deux pays facilite l'échange de marchandises. – La température moyenne de cette région désertique est toujours supérieure à vingt-cinq degrés. – Une banderole qui vante le mérite de l'équipe locale pend le long du mur de la salle de sport. – Le poisson pêché dans cet étang probablement pollué est impropre à la consommation.

221 Copiez les phrases en remplaçant les noms en bleu par ceux entre parenthèses et accordez.

Il n'est pas possible de vendre les vêtements (tenue) de travail qui présentent des défauts. – Les panneaux (cloisons) isolants posés le long des murs permettent de faire des économies de chauffage. – Le match (partie) de football disputé sur un terrain (pelouse) boueux se terminera par un résultat nul. – Le syndicat d'initiative (restaurateurs) est inquiet; craignant le mauvais temps, les touristes (foule) quittent la région et les musées (terrasses) restent déserts. – Le ceinturon (ceinture) garni de clous (boucle) dorés s'harmonise-t-il avec les souliers (chaussures) en daim? – Le grenier (combles) aménagé permet à Nadia d'avoir sa chambre (bureau) personnelle.

222 Copiez les phrases en écrivant les noms en bleu au pluriel et accordez comme il convient.

L'ouvrier spécialisé dans le nettoyage de la grande baie essuie la façade vitrée de la tour Bel Horizon. – L'élève admis au lycée professionnel Jean Vilar préparera des CAP dans un métier du bâtiment. – Le boulanger du quartier prépare un pain de campagne qui fait le régal de tous les habitants. – La chicane disposée à l'entrée du village ralentit le véhicule qui arrivait bien trop vite. – Une leçon bien apprise vous met à l'aise le jour de l'interrogation. – Le moteur du bolide de Formule 1 émet un bruit difficilement supportable.

223 Copiez les phrases en remplaçant les compléments du nom en bleu par des adjectifs qualificatifs de même sens.

Les volcans d'Auvergne ne sont plus en activité depuis plusieurs milliers d'années. – Beaucoup de personnes à la retraite participent bénévolement à des actions pour l'humanité, même si pour cela elles doivent voyager. – Les problèmes de société ne sont pas les plus simples à résoudre. – Une barre de rochers perturbe la progression des alpinistes de Savoie. – Quelques élèves des collèges de Toulon étudient en option la langue de Provence. – La bague qu'offre Richard à sa fiancée est un cadeau de roi. – Le funiculaire est entraîné par une crémaillère à dents. – La mairie procure gratuitement les fournitures de l'école à tous les élèves. – Le château du seigneur était protégé par d'épaisses murailles. – Les organes des sens sont au nombre de cinq : l'ouïe, la vue, le toucher, le goût et l'odorat. – Marie porte une écharpe en soie.

Citation _____

Quelquefois les plus petits ressorts font mouvoir les plus grandes machines.
(**Jean-Paul Marat**, *Les Chaînes de l'esclavage*)

L'accord du verbe avec son sujet

Les candidats <u>attendent</u> le résultat de l'examen qui <u>tarde</u> à être annoncé ; certains <u>s'impatientent</u>.

RÈGLE

Le verbe s'accorde avec son sujet que l'on trouve en posant la question « Qui est-ce qui ? » ou « Qu'est-ce qui ? » devant le verbe.
Le sujet peut être :

– un nom	→ *Les clowns amusent les jeunes enfants.*
– un pronom personnel	→ *Ils comprennent vite.*
– un pronom démonstratif	→ *Ces jupes sont à vendre ; celle-ci me plaît.*
– un pronom possessif	→ *Ton sac est vide ; le mien est lourd.*
– un pronom indéfini	→ *Tous ne participent pas au cross du collège.*
– un pronom relatif	→ *Mme Roy est celle qui remplacera le professeur de maths.*
– un pronom interrogatif	→ *Qui présentera l'émission de samedi soir ?*
– un adverbe	→ *Beaucoup manquent à l'appel.*
– un verbe à l'infinitif	→ *Courir permet de rester en forme.*
– une proposition subordonnée	→ *Que le train soit en retard m'étonnerait beaucoup.*

Remarque :
Dans le groupe nominal sujet, il faut toujours chercher le nom principal qui commande l'accord.
Les changements de direction doivent toujours être signalés.
Qu'est-ce qui doit être signalé ? → *les changements de direction*

 224 **Copiez les phrases en accordant les verbes entre parenthèses au présent de l'indicatif.**

Les habitants de cet immeuble (proposer) un aménagement des parties communes. – Les cerisiers (être) en fleurs, mais certains (souffrir) du gel. – À la fin du championnat, les joueurs de l'équipe rennaise (totaliser) soixante-deux points. – Que l'ascenseur soit en panne (ne pas empêcher) les courageux de monter jusqu'au quinzième étage. – C'(être) vous qui (remplir) le cahier de textes à la fin du cours de français. – Tes dessins (représenter) souvent des paysages enneigés ; les miens (évoquer) plutôt les bords ensoleillés de la Méditerranée. – L'un des joueurs (couper) le paquet et un autre (distribuer) huit cartes à chacun. – S'inscrire sur les listes électorales (signifier) que vous (participer) à la vie citoyenne. – Nous qui (réfléchir), nous (agir) à bon escient en toutes circonstances. – Le médecin du SAMU (ranimer) la personne qui (venir) de respirer un gaz toxique.

Copiez les phrases en remplaçant les mots en bleu par ceux entre parenthèses et accordez.

Le foyer des élèves (nous) organise une collecte pour aider les élèves du Niger. – Marie (les comédiens) surmonte son appréhension et entre en scène. – Si vous (tu) allez en vacances à la Réunion, vous (tu) vivrez des moments inoubliables. – Bien souvent c'est nous (toi) qui refermons la porte à la sortie du cours de karaté. – Ce sont les délégués (moi) qui représentent l'ensemble des élèves lors du conseil de classe. – Les piétons (je) traversent les rues sur les passages protégés; c'est plus prudent. – Tu (les volontaires) t'inscris au concours de chant en espérant remporter le premier prix. – Je (les spectateurs) ne vois vraiment pas comment le magicien a fait disparaître sa partenaire.

 Copiez les phrases en accordant les verbes entre parenthèses au présent de l'indicatif.

Qui (dévaler) les pistes noires à une telle vitesse? Il (s'agir) certainement d'un futur champion. – Les usines de vêtements (fermer) leurs portes une à une; sauf celle qui (produire) des combinaisons de travail pour les ouvriers métallurgistes. – Aujourd'hui, n'importe quel possesseur d'un ordinateur (interroger) Internet sans difficulté. – Descendre au fond d'un gouffre inexploré (exiger) un équipement spécial et une bonne dose de courage. – Les vendangeurs (profiter) d'une éclaircie pour cueillir les grappes, car il (ne pas falloir) qu'il y ait trop d'eau dans les cuves. – Le résumé que nous (recopier) (comporter) plusieurs parties bien distinctes.

227 **Copiez les phrases en accordant les verbes entre parenthèses au futur simple de l'indicatif.**

Qui (prendre) la responsabilité de ramasser les feuilles mortes? – L'ouverture des vannes (permettre) de vider l'étang et les pêcheurs (pouvoir) recueillir les poissons. – Que le peloton rejoigne les échappés (mettre) fin à la course poursuite. – Si vous ne faites rien, le trèfle et les mauvaises herbes (envahir) votre pelouse. – Un peu de noir de fumée (accentuer) l'aspect sinistre de celui qui (jouer) le rôle du méchant dans cette pièce de théâtre. – À la fin du concert, le flot de spectateurs (s'écouler) lentement.

 Copiez les phrases en mettant les mots en bleu au pluriel et accordez.

Le nageur qui s'est aventuré au large lutte contre la force du courant. – Le peintre, muni d'un énorme rouleau, étale une couche de peinture. – Le peuplier du bord de la rivière s'incline au vent d'orage. – Le conducteur anglais circule à gauche. – La caissière du supermarché enregistre le montant des achats et remet un ticket au client; rare est celui qui vérifie sa note sur-le-champ. – La station d'épuration collecte les eaux usées de la ville de Montreuil. – Le héros du feuilleton se sort de la situation délicate dans laquelle le scénariste l'a volontairement placé.

Citation _____

Celui qui court deux lièvres à la fois n'en prend aucun.
(Cité par **Érasme**, *Adages*)

35e Leçon
L'accord du verbe (cas particuliers)

Peu de personnes savent où se trouve la Tasmanie, sauf s'ils habitent l'Australie !

RÈGLE

- **Le sujet** peut se trouver **placé après le verbe**. On dit qu'il y a inversion du sujet.
  La date du brevet que préparent les élèves de 3e est fixée au 28 juin.

- **C'est** également **le cas** dans **la phrase interrogative** lorsque le sujet est un pronom personnel.
  Que pensez-vous de cette proposition de promenade ?

- Lorsqu'un verbe a **deux sujets singuliers**, il se met au pluriel.
  Le bleu et le jaune sont deux des couleurs primaires.

- Quand le mot principal du groupe sujet est **un adverbe de quantité**, le verbe s'accorde avec le complément de cet adverbe.
  Beaucoup d'agriculteurs quittent leurs terres, faute de rendements satisfaisants.

- Dans une **construction impersonnelle**, le verbe s'accorde avec le sujet grammatical (très souvent « il ») et non avec le sujet réel qui, dans ce cas, est un complément d'objet direct.
  Il existe plusieurs solutions.   *Il manque quatre élèves.*

- Quand le verbe a pour sujet **un collectif** suivi de son complément, il s'accorde, selon le sens **voulu par l'auteur,** avec le collectif ou avec le complément.
  Un troupeau de moutons regagne(nt) l'alpage.

 Copiez les phrases en mettant les verbes entre parenthèses au présent de l'indicatif. Vous soulignerez les sujets.

La beauté des paysages et la douceur du climat (attirer) de nombreux touristes en Corse. – Mme et M. Noyerie (réaliser) leur rêve : découvrir les pyramides d'Égypte. – Dès les premières gouttes de pluie, la place et le jardin public (se vider). – L'autoroute et la route nationale (contourner) le centre de la ville. – Le nom de la rue et le numéro de l'immeuble m'(échapper) complètement ; je ne me (souvenir) de rien. – Une photographie, une statuette et un tableau naïf te (rappeler) ton séjour en Pologne. – Esther et Daphné (étudier) ensemble leur leçon de géographie. – Une remarque, un geste, un bruit, un rien (mettre) le guetteur en alerte. – À l'entrée du musée (s'aligner) des dizaines de visiteurs qui (attendre) l'ouverture des portes.

Copiez les phrases en mettant les verbes entre parenthèses au présent de l'indicatif.

Le jour de Pâques, il (se vendre) des œufs en chocolat dans toutes les pâtisseries. – Aucun des numéros de cirque auxquels nous (assister) ne nous (séduire). – Combien de kilomètres (séparer) la ville de Rodez de celle de Toulouse ? – La savane où (vivre) notamment des éléphants et des zèbres (souffrir) de la sécheresse depuis des mois. – Le grincement d'une serrure, le craquement d'un meuble, tout (faire) sursauter Dimitri. – Faire de longues courses en montagne, vivre sous la tente, voilà qui (fortifier).

 Copiez les phrases en mettant les verbes entre parenthèses au présent de l'indicatif.

Une foule de vendeurs de souvenirs (solliciter) les touristes en vantant la qualité de leurs bibelots. – Du fond de la salle (monter) quelques sifflets rapidement couverts par des applaudissements. – Ouvrir ce bocal de cornichons (relever) de l'exploit, si l'on n'(avoir) pas des bras de catcheurs ! – L'histoire dont (s'inspirer) cet écrivain (être) bien réelle. – Tout ce vacarme me (donner) un mal de tête épouvantable.

 Copiez les phrases en remplaçant les mots en bleu par ceux entre parenthèses et accordez.

Une meute de journalistes (certains photographes) poursuit la jeune vedette du dernier film de Claude Samy. – Un vol de canards (une bécasse) survolent l'étang de Bédarieux. – Le chasseur et son chien (la meute) suivent en vain la piste du chevreuil. – Des montagnes de neige (une avalanche) obstruent la route d'accès au village de Saint-Véran. – La plupart des montres (les réveils) vendues dans cette bijouterie fonctionnent avec des piles miniatures. – Deux cents (Tant de) voyageurs attendent le train et je (nous) ne suis pas certain qu'ils puissent tous monter. – Le remboursement des achats (les réparations) sera immédiat en cas de matériel défectueux.

233 **Copiez ce texte en écrivant les verbes entre parenthèses à l'imparfait de l'indicatif.**

La lune à son premier quartier (éclairer) une partie du ciel, et un brouillard (flotter) comme une écharpe sur les sinuosités de la Toucques. Des bœufs, étendus au milieu du gazon, (regarder) tranquillement les quatre personnes passer. Mais quand l'herbage suivant fut traversé, un beuglement formidable s'éleva. C'(être) un taureau que (cacher) le brouillard. Il (avancer) vers les deux femmes. Elles (presser) le pas et (entendre) par derrière un souffle sonore qui (se rapprocher). Ses sabots, comme des marteaux, (battre) l'herbe de la prairie ; voilà qu'il (galoper) maintenant !

Gustave Flaubert, *Un Cœur simple*, 1877.

 itation

Vienne la nuit sonne l'heure
Les jours s'en vont je demeure
(**Guillaume Apollinaire**, *Le pont Mirabeau*)

36e Leçon Les pronoms personnels compléments devant le verbe

Lorsque les chevaliers s'affrontaient en tournoi, les seigneurs *les* admiraient. À la fin des joutes, la reine *leur* remettait un trophée.

RÈGLE

• **« le »**, **« la »**, **« l' »**, **« les »** placés devant le verbe sont des pronoms personnels de la 3e personne, généralement compléments d'objet directs du verbe.
Pour l'accord du verbe, il convient donc de toujours rechercher le sujet.
Les instructions sont précises ; vous les suivrez à la lettre.

« Leur » placé près du verbe quand il est le pluriel de **« lui »**, est un pronom personnel complément COI ou COS qui demeure invariable.
Le moniteur connaît bien la montagne, les skieurs lui font confiance.
Les moniteurs connaissent bien la montagne, les skieurs leur font confiance.

• Il ne faut pas confondre le **pronom personnel « leur »** avec le **déterminant possessif « leur(s) »** qui s'accorde en nombre avec le nom qu'il détermine.
Les skieurs n'ont pas oublié leurs bâtons.

• Les pronoms personnels **« en »** et **« y »** ne sont jamais sujets, mais compléments.
Les légumes sont excellents pour la santé, nous en mangeons souvent.
Ce restaurant a bonne réputation ; les légumes y sont excellents.

• **Devant les verbes pronominaux**, on trouve aussi des **pronoms personnels** qui représentent la **même personne que le sujet**. Ils ne modifient pas l'accord du verbe, de même que **nous** et **vous** lorsqu'ils sont compléments.
Je me repose.   *Tu t'assois.*   *Le vent se lève.*
Tu nous parles.   *Gérald vous aide.*   *Les biches s'approchent.*

Voir « Le COD », pp. 232-233 et « Le COI et le COS », pp. 234-235.

 Copiez les phrases en mettant les verbes entre parenthèses au futur simple de l'indicatif.

Si son histoire est vraie, tu le (plaindre) ; dans le cas contraire, tu lui (demander) des excuses. – Lorsque tes amis t'(envoyer) un SMS, tu leur (répondre) immédiatement que tu (être) disponible demain pour aller au parc Astérix. – Cet itinéraire nous (conduire) au centre de Paris où nous (découvrir) Notre-Dame et le Pont-Neuf. – Si Mme Mérand décide de vendre sa collection de cafetières, elle en (tirer) un bon profit car ce sont des pièces rares. – L'expérience de chimie a mal tourné, un épais nuage s'est dégagé du tube à essai ; nous nous en (souvenir). – Le principal (s'adresser) aux nouveaux élèves de 6e ; il leur (présenter) le collège et leur (remettre) leur emploi du temps.

Répondez négativement à ces questions selon le modèle.
Ex. : *Ces magasins sont-ils ouverts le dimanche ?*
→ *Non, ils ne le sont pas.*

Recevez-vous régulièrement des catalogues de jeux électroniques ? – L'arbitre accordera-t-il le penalty ? – Reprendras-tu une part de gâteau ? – Farid est-il satisfait de la qualité du son de son IPod ? – Les routiers arrivent-ils au marché de Rungis ? – Vais-je me servir de l'aspirateur ? – M. Marmier a-t-il donné à manger à ses poissons rouges ? – Les poules ont-elles des dents ?

 Copiez les phrases en complétant avec leur ou leur(s).

Pierre et Sébastien sont arrivés au camping ; le responsable … indique l'emplacement où ils pourront planter … tente. – M. et Mme Robert hésitent à choisir des volets roulants pour … fenêtres ; l'artisan … conseille d'en prendre en aluminium. – Les piétons empruntent le passage souterrain qui … permet de traverser le carrefour en toute sécurité. – Mes parents se demandent si tous … bagages tiendront dans le coffre de … voiture. – Dans le cadre de l'heure d'instruction civique, certains élèves veulent interroger le maire de … commune ; le professeur … conseille de prendre rendez-vous. – Lorsque les gendarmes demandent aux automobilistes de mettre des chaînes à … véhicule, ceux-ci … obéissent car ils savent qu'ils ont plus d'informations qu'eux sur l'état des routes.

 Copiez les phrases en mettant les verbes entre parenthèses au présent de l'indicatif.

En ce dimanche de juin, on (fêter) l'anniversaire de Jessy ; elle (contempler) les quatorze bougies de son gâteau, puis elle les (souffler) en une seule fois. – Beaucoup de gens (parler) du monstre du Loch Ness, mais peu l'(avoir) aperçu. – Les astronautes ont rapporté un caillou lunaire ; les savants du monde entier l'(observer). – Les bienfaits du chocolat le (rendre) indispensable à toute alimentation équilibrée, c'est du moins ce que (prétendre) les amateurs de chocolat ! – Les coups violents que (recevoir) les boxeurs leur (laisser) souvent des séquelles qui les (handicaper) leur vie durant.

 Copiez les phrases en mettant les verbes entre parenthèses à l'imparfait de l'indicatif.

Autrefois, pour aller de Marseille à Paris, il (falloir) compter une bonne semaine, mais les voyageurs le (savoir) et ils (occuper) les longues journées à lire, à bavarder ou à rêver. – Mozart (avoir) du génie ; les sonates les plus brillantes, il les (composer) sans effort apparent. – Vous (vouloir) que j'aille chercher des livres au centre documentaire, mais j'en (sortir) à l'instant ! – Les dentellières d'Argentan (réaliser) des merveilles devant les touristes ébahis ; ceux-ci leur (acheter) quelques-uns de leurs napperons. – Il y (avoir) trop de courant au large de cette île, aucun nageur ne s'y (risquer).

 itation _____

Il faut plaindre les riches : leurs bienfaits les environnent et ne les pénètrent pas. (**Anatole France**, *Le Crime de Sylvestre Bonnard*)

Le participe passé employé avec l'auxiliaire « être »

La neige est tombée sur la chaussée ; seuls les véhicules qui sont équipés de chaînes circulent.

RÈGLE

- **Le participe passé employé avec l'auxiliaire être** s'accorde en genre et en nombre avec le nom (ou le pronom) sujet du verbe.

  Le colis est arrivé.   *La livraison est arrivée.*
  Les colis sont arrivés.   *Les livraisons sont arrivées.*

- **Les pronoms personnels des 1res et 2es personnes** – singulier et pluriel – **n'indiquent pas le genre.** Seule la personne qui écrit peut donner le genre, indiqué par la terminaison du participe passé.

  Je suis sortie.   → C'est une fille qui parle.
  Tu es sorti.   → On parle à un garçon.
  Nous sommes sortis. → Ce sont des garçons (et des filles) qui parlent.
  Vous êtes sorties. → On parle à des filles.

- **Se conjuguent avec l'auxiliaire être :**
  – quelques verbes intransitifs (*aller, arriver, entrer, partir, rester, retourner, sortir, tomber, venir, naître, mourir...*)
  – les verbes à la voix passive ; – les verbes pronominaux.

  Remarque :
  Selon le sens, quelques verbes peuvent être conjugués avec l'auxiliaire **être** ou l'auxiliaire *avoir*.

  Gilda est descendue.   *Gilda a descendu l'escalier.*

Voir « La voix passive », pp. 250-251.

---

239 Conjuguez les verbes en bleu au présent, puis au passé composé de l'indicatif. Pour les 3es personnes, vous choisirez des noms sujets.

être élu délégué de classe   être informé d'un changement d'horaire
être soigné par l'infirmière   être attendu au bureau des surveillants
être déçu par la fin du film   être découragé par l'ampleur de la tâche

240 Copiez les phrases en accordant les participes passés entre parenthèses.

Nous serons (attendu) à la descente du train par nos cousins. – Cet hiver-là, les arbres étaient (dépouillé), les rivières étaient (gelé), la terre était (durci) ; le froid sévissait. – La galette des rois a été (apprécié) par tous les invités, même si la fève était bien (caché). – L'imprimante est (livré) avec trois cartouches d'encre de rechange. – La citerne qui recueille les eaux de pluie a été (vidé) afin d'être (nettoyé). – Judith est (captivé) par sa lecture ; elle est (transporté) dans un monde merveilleux.

Copiez les phrases en accordant les participes passés des verbes entre parenthèses.

Tu es (désoler) de devoir nous quitter aussi tôt. – La rivière est (détourner) pour permettre l'irrigation des champs de choux. – Pour le carnaval, Marylou s'est (déguiser) en princesse indienne. – De nombreuses boutiques sont (installer) dans la galerie commerciale de Vélizy. – Nous sommes (délivrer) d'un poids important : la date des vacances n'est pas (modifier). – Beaucoup de dessins animés sont (concevoir) dans des studios regroupant des artistes (venir) d'horizons différents. – Les lignes du terrain de rugby sont (tracer) à la chaux.

 Copiez les phrases en écrivant les verbes entre parenthèses au passé composé de l'indicatif.

Comme nous (partir) à l'heure, nous (arriver) à temps à l'aéroport. – Avec toute la classe, nous (aller) visiter les ruines du château fort de Couzan. – Que (devenir) les jougs qui permettaient d'atteler les bœufs ? Peut-être servent-ils d'objets décoratifs dans les fermettes rénovées ? – Les fleurs du magnolia (éclore) ; il est magnifique. – Les coureurs (entrer) dans la dernière ligne droite ; la victoire se jouera au sprint. – Ces jumeaux (naître) à vingt minutes d'intervalle et ils se ressemblent comme deux gouttes d'eau. – Bien que tu aies frotté la manche de ton pull avec de l'eau savonneuse, la tache (rester). – Des incidents (venir) perturber la démonstration de deltaplane.

 Copiez les phrases en écrivant les verbes entre parenthèses au plus-que-parfait de l'indicatif.

Les roses (ne pas être arrosé) et les pétales (tomber). – Au premier arrêt au stand, les mécaniciens avaient changé les pneus de la Formule 1 en dix secondes ; elle (repartir) dans un bruit d'enfer. – Les marins imprévoyants n'avaient pas emporté assez de provisions à bord du petit voilier et, au bout de huit jours de navigation, ils (mourir) de faim ! – Heureusement les ouvriers (sortir) de l'atelier au moment où le toit s'est effondré sous le poids de la neige. – Les cosmonautes (parvenir) à rectifier la trajectoire de la navette juste avant l'arrimage avec la station spatiale. – Lionel et Valentin (demeurer) sourds aux conseils du moniteur de ski et ils (se tromper) de piste !

 Copiez les phrases que vous mettrez à la voix passive en conservant les temps.

Une énorme grue chargeait les conteneurs sur le pont du cargo en partance pour l'Argentine. – Le professeur d'EPS enregistre les inscriptions au tournoi de tennis de table. – Tous les élèves et les personnels du collège observent les règles de sécurité incendie. – Des soudeurs assemblent les tuyaux de l'oléoduc. – Comme le vent se lève, les marins réduisent la voilure. – Les élèves ne tutoient jamais leurs professeurs. – Une panne d'électricité bloquait le fonctionnement des feux tricolores. – Les banquiers ont annoncé une diminution des taux d'intérêts des prêts.

 itation _____

Chacun son métier et les vaches seront bien gardées. (**Florian**, *Fables*)

38e Leçon — Le participe passé employé avec l'auxiliaire « avoir »

Philippe a bu la tasse de chocolat que Mathias lui a servie.

RÈGLE

- Employé **avec l'auxiliaire *avoir***, le participe passé ne s'accorde jamais avec le sujet du verbe.
  Le plombier a posé un nouveau lavabo.
  Les plombiers ont posé un nouveau lavabo.

- **Avec l'auxiliaire *avoir***, le participe passé s'accorde avec le complément d'objet direct **du verbe** si celui-ci est placé avant le participe passé.
  Les bruits que j'ai entendus provenaient de la pièce voisine.
  La musique que j'ai entendue provenait de la pièce voisine.

- Lorsqu'il est placé **avant le participe passé**, le COD est le plus souvent un pronom (personnel ou relatif) qui ne nous renseigne pas toujours sur le genre et le nombre.
  Les épisodes que Gladys a vus plusieurs fois l'ont vivement intéressée.
  « que » est un pronom relatif et « l' » un pronom personnel.

Remarques :
- Le participe passé « **fait** » suivi d'un infinitif est toujours invariable.
  Les histoires que tu nous as racontées nous ont fait sourire.
- **Précédé du pronom** « *en* », le participe passé est invariable.
  Ces pastilles semblent efficaces, Régis en a ressenti les effets.

Voir « Le COD », pp. 232-233.

 Conjuguez les verbes en bleu au passé composé de l'indicatif. Pour les 3es personnes, vous choisirez des noms sujets.

éteindre la lumière de la salle de classe
réfléchir aux conséquences de ses actions
caresser les joues du bébé

vaincre son appréhension
réunir toutes ses économies
recevoir un avertissement

 Copiez les phrases en accordant les participes passés entre parenthèses.

Pourquoi Fernando a-t-il (refusé) notre aide ? – Les planches que le menuisier a (débité) permettront la fabrication de plusieurs étagères. – Pauline a (mérité) les félicitations que le professeur principal lui a (adressé). – Les modèles que les différentes usines ont (présenté) au dernier salon de l'automobile ont (plu) aux nombreux visiteurs. – Les bottes que le pêcheur a (quitté) dès son retour ont (séché) près du radiateur. – La secrétaire de séance a (imprimé) les comptes rendus, puis elle les a (relu) afin de ne laisser aucune erreur. – Joachim a (rompu) le silence ; il a (exprimé) une interprétation originale de l'œuvre qu'on lui a (présenté).

247 Copiez les phrases en écrivant les verbes entre parenthèses au passé composé de l'indicatif.

Nous (marcher) quatre heures et nous (parcourir) vingt kilomètres. – Du haut de la tour Montparnasse, nous (découvrir) un panorama qui nous (enchanter). – Pour se rendre à Reims, Mme Duguet (prendre) l'autoroute. – Gabriel est capable d'interpréter une chanson qu'il (entendre) une seule fois. – La nuit pendant laquelle nous (dormir) à poings fermés (réparer) nos forces. – M. Brémond (ramasser) des champignons et il en (préparer) un bon plat.

 Copiez les phrases en accordant les participes passés des verbes entre parenthèses.

Pourquoi le vendeur a-t-il (omettre) de préciser que ce four à micro-ondes n'était pas (garantir) contre les chutes de tension électrique ? – Les négociations entre ces deux pays ont (aboutir) à la signature d'un traité de paix ; les populations qui avaient (souffrir) durant la guerre ont (apprécier) ce retour au calme. – Que de précautions il a (falloir) prendre pour déplacer la statue qu'on avait (installer) devant l'entrée du collège ! – Tu as (essayer) une jupe (plisser) mais tu ne l'as pas (acheter), elle était trop chère. – M. Mahé a (amasser) une immense fortune, mais il n'en a jamais (profiter), trop (occuper) qu'il était à courir le monde.

 Sans changer de temps, répondez affirmativement à ces questions en utilisant des pronoms personnels.

*Ex. : Fabrice a-t-il essuyé les meubles ? → Oui, il **les** a essuyés.*

Avez-vous retenu l'adresse de la pharmacie de garde ? – As-tu déjà écouté cette chanson de Raphaël ? – Le cuisinier a-t-il pané les escalopes ? – Le chien a-t-il flairé la trace du gibier ? – Patricia a-t-elle simplifié les fractions ? – Les vents ont-ils arraché la toiture en tôle ? – As-tu déjà fait des ricochets sur le lac ? – L'imprimeur avait-il numéroté les pages ? – Le médecin a-t-il rédigé l'ordonnance ? – Virginie a-t-elle retenu cette mélodie ?

250 Copiez les phrases en écrivant les verbes entre parenthèses au passé composé de l'indicatif. Vous soulignerez les compléments d'objet directs.

Les jeux électroniques que vous (prêter) à Mélanie l'(intéresser) et elle les (recommander) à ses amies. – La documentation que j'(consulter) m'(permettre) de terminer mon exposé sur la vie des Touaregs. – J'(accompagner) ma sœur à la gare et je l'(quitter) au départ du train. – Mermoz (effectuer) vingt-quatre traversées de l'Atlantique Sud ; malheureusement il (disparaître), avec son équipage, lors de la vingt-cinquième. – Nous (suivre) les instructions de montage à la lettre et l'appareil (fonctionner) immédiatement. – Cette organisation (envoyer) aux pays touchés par la famine toutes les provisions qu'elle (pouvoir). – Les problèmes que vous (résoudre) n'étaient pas vraiment difficiles. – Les freins de ton vélo ne fonctionnaient plus très bien, tu les (régler).

Citation _____

La récompense d'une bonne action, c'est de l'avoir accomplie.
(**Antisthène**, *Lettre à Lucilius*)

Révisions ....

 Copiez ce texte en plaçant correctement les virgules. (leçon 23)

Entre nous entre gosses nous avions une discipline. Elle était rigoureuse elle nous régissait et nous nous y soumettions. Schborn par exemple était rigoureusement obéi. Il ne tolérait pas que l'on discutât un de ses ordres. Le pouvoir lui appartenait étant le plus fort. J'étais le seul à pouvoir juger avec lui de l'opportunité d'une de ses décisions. Les autres nous suivaient tête baissée yeux clos sûrs d'eux-mêmes et de nous. Hormis cette espèce de règle intérieure notre liberté nous était plus chère que tout.

Louis Calaferte, *Requiem des innocents*, © Éditions Julliard.

 Copiez ce texte en plaçant correctement les signes de ponctuation (points, majuscules **et** virgules) **aux emplacements indiqués.** (leçon 23)

tout allait bien en apparence* * l'île prospérait au soleil* avec ses cultures* ses troupeaux* ses vergers* et les maisons s'édifiaient de semaine en semaine* *vendredi travaillait dur* et *robinson régnait en maître* *tenn qui vieillissait faisait des siestes de plus en plus longues*
la vérité c'est qu'ils s'ennuyaient tous les trois* *vendredi était docile par reconnaissance* *il voulait faire plaisir à *robinson qui lui avait sauvé la vie* mais il ne comprenait rien à toute cette organisation* à ces codes* à ces cérémonies et même la raison d'être des champs cultivés* des bêtes domestiquées et des maisons lui échappaient complètement* *robinson avait beau lui expliquer que c'était comme cela en *europe dans les pays civilisés* il ne voyait pas pourquoi il fallait faire la même chose sur l'île déserte du *pacifique*

M. Tournier, *Vendredi ou la vie sauvage*, © Éditions Gallimard.

 Copiez ce texte en plaçant correctement les signes de ponctuation (guillemets, tirets **et** virgules) **aux emplacements indiqués.** (leçons 23 et 24)

Un matin* le tumulte grossit tant qu'il parvient aux oreilles du roi. Il fait quérir Étienne par un de ses sergents porteurs de masses à fleurs de lys. Bientôt* l'enfant pénètre dans la cour. Lui* l'obscur* humble parmi les plus bas* il monte dans le donjon par l'escalier de pierre jusqu'à la chambre où se tient le suzerain de France. Aussitôt* rude et clair* Philippe interroge l'enfant qui entend son cœur battre et qui tremble.
* Tu es malingre* dit-il. Qui t'a commandé d'aller en Terre sainte ?
* Dieu le veut. J'en ai reçu mission.
* Comment parviendras-tu si loin ?
* J'irai à pied. Comment pourrais-je faire autrement ?
* Et la mer ? Sais-tu qu'il te faudra passer la mer immense ?
Comment franchiras-tu les flots ?
* Ils s'ouvriront sous nos pas comme la mer Rouge a fait devant les Hébreux. Cela est dans le Livre que j'ai vu un jour à l'abbaye d'Yron* et qui raconte les exploits de Dieu*

Bernard Thomas, *La Croisade des enfants*. © Librairie Arthème Fayard.

254 **Copiez ce texte en plaçant correctement les signes de ponctuation** (guillemets, deux points, points, points d'exclamation **et** points d'interrogation) **aux emplacements indiqués.** (leçons 23 et 24)

À l'horizon, Don Quichotte aperçut trente ou quarante moulins à vent et, dès qu'il les vit, dit à son écuyer *
* Ami, la fortune vient au devant de nos souhaits* Vois-tu, là-bas, ces terribles géants * Ils sont plus de trente* N'importe * je pense livrer bataille et ôter la vie à tous tant qu'ils sont* Leurs dépouilles commenceront à nous enrichir car c'est prise de bonne guerre et c'est servir Dieu que de faire disparaître de la surface de la terre une aussi mauvaise engeance*
* Quels géants * répondit Sancho*
* Ceux que tu vois avec ces grands bras de peut-être deux lieues de long*
Mais Monsieur, prenez-y garde, ce sont des moulins à vent Ce qui vous semble des bras n'est autre chose que leurs ailes tournant au vent et qui font à leur tour tourner les meules du moulin**

Miguel de Cervantès, *Don Quichotte*, traduction Louis Viardot,
© Livre de Poche Jeunesse, 2008.

255 **Complétez les phrases avec l'article qui convient.** (leçon 25)

Les membres du club de golf portent tous … même insigne au revers de leur veston. – Ce chanteur est considéré comme … idole par ses jeunes admirateurs. – Vêtu d'… espèce de manteau trop long pour lui, Florimon a l'air d'un clown. – Tu as obtenu … autographe du gardien de but de l'équipe de Toulon. – Pour fixer cette applique, … simple vis suffira. – Avez-vous déjà vu … mygale, cette araignée aux pattes velues ? – Le pamplemousse est … agrume que l'on sert en entrée ou en dessert. – La pomme de terre est … tubercule comestible. – … termite est un insecte qui ronge les pièces de bois par l'intérieur. – On utilise … réglisse pour préparer des friandises.

256 **Copiez les phrases en remplaçant chaque nom en bleu par un nom synonyme de la liste suivante. Faites attention aux accords.** (leçon 25)
emblème – aromate – antilope – armistice – éloge – mandibule – indice – primevère – apostrophe

Vues au microscope, les mâchoires de la mouche sont impressionnantes. – Un peu de cette épice odorante relèvera le goût du plat de riz. – Pourquoi faut-il placer un signe entre ces deux mots ? – Esseulée, la petite gazelle fuit lorsque la lionne s'approche d'elle. – Les enquêteurs recherchent les marques laissées par le voleur de cuivre. – Quand on a bien travaillé, les félicitations sont méritées. – Une trêve a été conclue entre ces deux pays en guerre depuis deux ans. – La feuille d'érable est un symbole qui figure sur le drapeau canadien. – Une jonquille annonce l'arrivée du printemps.

257 **Écrivez le féminin de ces noms d'habitants.** (leçon 25)

un Anglais	un Allemand	un Italien	un Chinois	un Japonais
un Parisien	un Lillois	un Bordelais	un Russe	un Africain
un Portugais	un Irlandais	un Norvégien	un Suédois	un Hongrois
un Algérien	un Libanais	un Espagnol	un Niçois	un Alsacien

Copiez les phrases en accordant les noms entre parenthèses au pluriel. (leçon 26)

D'énormes (pieu) interdisaient l'accès des (ennemi) qui ne pouvaient s'approcher des (rempart); si, par hasard, ils y parvenaient, ils recevaient des (pierre) et de l'huile bouillante déversées des (créneau) par les défenseurs du château fort. – Les (chacal) n'osent pas toucher au zèbre mort tant que les (guépard) ne sont pas rassasiés. – Les (enquêteur) sont à la poursuite de (voyou) qui vandalisent les (entrée) des (immeuble). – Les (kangourou) et les (koala) vivent en liberté, uniquement en Australie. – Qui aurait cru qu'un jour on planterait des (chou) pour décorer les (massif) des (jardin) publics ! – À la belle saison, des (camion) spécialement aménagés conduisent les (troupeau) de (mouton) dans les (alpage). – En Bretagne, lors des (fête) traditionnelles, on peut encore entendre les (biniou).

 Copiez les phrases en écrivant correctement les noms entre parenthèses. (leçon 27)

Les fenêtres des (bungalow) donnent toutes sur la baie des (Caraïbe). – Les (visa) pour se rendre aux (Maldive) sont obtenus assez rapidement. – Les (barman) ne servent pas de (Martini) ni de (whisky) aux jeunes de moins de seize ans. – Lorsqu'ils partent à la chasse aux phoques pendant plusieurs jours, les (Inuit) bâtissent des (igloo) pour se protéger du froid. – Les (Touareg) sont souvent appelés les hommes bleus en référence à la couleur du turban qu'ils portent pour se protéger des tempêtes de sable. – Pendant la Seconde Guerre mondiale, les (Allemand) avaient construit d'importants (bunker) sur les côtes normandes. – Les (Cassandre) avaient prévu plusieurs (tsunami) au large des îles (Marquise); heureusement, il ne s'est rien passé.

 Copiez les phrases en accordant les noms composés comme il convient. (leçon 28)

De puissants (électro-aimant) permettent de soulever les carcasses de vieilles voitures. – Autrefois, on menaçait les enfants désobéissants de les livrer aux (croque-mitaine), personnages imaginaires bien sûr ! – Les (rond-point) permettent une circulation plus fluide des véhicules. – Les (porte-monnaie) sont peu à peu remplacés par les cartes bancaires et la monnaie électronique. – Les jours de pluie, les employés placent des (porte-parapluie) à l'entrée des bureaux.

 Copiez les phrases en accordant les adjectifs qualificatifs entre parenthèses. (leçon 29)

D'une (magistral) reprise de volée, l'avant-centre expédie le ballon dans la lucarne. – Un groupe de volontaires s'efforce de réparer la muraille (détruit) afin que la demeure (féodal) retrouve son aspect d'antan. – Versez un peu de crème (frais) sur les fraises et vous dégusterez un dessert dont vous nous direz des nouvelles ! – Les élèves qui veulent travailler dans le tourisme ou la restauration doivent parler une langue (étranger). – Pour se délasser, cet écrivain exerce de temps en temps une activité (manuel). – Avec une relecture (pointilleux), Gaëlle n'aurait pas laissé d'erreurs. – Une intervention (ponctuel) devrait soulager Richard qui souffre des dents.

Copiez les phrases en accordant les adjectifs qualificatifs entre parenthèses. (leçon 30)

Les châteaux (féodal) étaient entourés de (profond) fossés ou bien ils étaient situés au sommet de pitons (escarpé). – Les beignets, (saupoudré) de sucre glace, ont été préparés à l'occasion du Mardi gras. – Les terrains bien (irrigué) ont de (meilleur) rendements que ceux (abandonné) à la sécheresse. – Toutes les personnes (concerné) par l'installation d'un supermarché dans le quartier peuvent exprimer leur opinion. – Ne vous attardez pas sur les détails (insigni-fiant), allez à l'essentiel. – Tous les journaux (local) ont relaté les événements qui ont suivi la fermeture de l'usine d'aluminium. – Des relations (confiant) règlent le fonctionnement du foyer des élèves. – Profitant d'une (frais) soirée de printemps, les curieux sillonnent les rues (piétonnier) de la (vieux) ville.

 Recopiez le texte en accordant les adjectifs qualificatifs et les participes passés entre parenthèses. (leçon 31)

Ulysse, détachant son navire du reste de la flotte, s'en alla explorer la terre des Cyclopes. Il avait déjà entendu parler de ces géants, mais il voulait savoir s'ils étaient (violent), (sauvage) et sans justice, ou bien s'ils accueillaient l'étranger en respectant les dieux.
Dès qu'Ulysse et les siens eurent jeté l'ancre, ils aperçurent, au bout d'un promontoire, une grotte paraissant (habité). En effet, derrière un mur d'en-ceinte, (construit) avec des pierres (fiché) en terre, des pins et des chênes, broutaient de (nombreux) moutons et brebis.

André Massepain, *Les plus belles légendes de l'*Odyssée, © Éditions Hachette.

 Copiez les phrases en écrivant en lettres les nombres en bleu. (leçon 32)

Avant le 31 décembre, date limite, 1 436 nouveaux électeurs se sont inscrits à la mairie du 3e arrondissement de Marseille. – L'haltérophile soulève sans effort apparent une barre de 110 kg. – Après une heure de discussion, M. Chambaud a obtenu une réduction de 40 euros sur l'achat d'une tondeuse à gazon. – À pied, pour atteindre le sommet de la tour Eiffel, il faut monter 1 652 marches. – Le record de vitesse sur rails appartient au TGV avec 574 kilomètres à l'heure. – Le plus vieux squelette de dinosaure, découvert au Maroc, aurait 180 000 000 d'années. – Dans une clé USB, 2 gigaoctets, c'est 2 000 000 000 d'octets, de quoi stocker de nombreuses chansons ! – Par la route, 575 kilomètres séparent Paris de Bordeaux, mais cela peut varier de quelques kilomètres selon le lieu de départ et celui d'arrivée.

 Recopiez les groupes nominaux en mettant le nom principal au singulier. Observez bien le sens pour faire les accords. (leçon 33)

de bonnes portions de frites
des appareils ménagers silencieux
des moulins à légumes mécaniques
des groupes sanguins assez rares
des brosses à dents neuves
des figues sèches très nourrissantes
des robes à franges ravissantes

de lourdes caisses à outils
des phares de voiture éblouissants
des boîtes de chocolats fourrés
des liasses de feuilles perforées
des textes annotés puis corrigés
des séjours de vacances écourtés
des cageots de fruits bien garnis

Copiez le texte en mettant les verbes entre parenthèses au présent de l'indicatif. (leçon 34)

Quand Renart, l'universel trompeur, (être) à une portée d'arc des marchands, il (reconnaître) facilement les anguilles et les lamproies. Il (ramper) sans se laisser voir jusqu'au milieu de la route, et s'y (étendre), les jambes écartées, la langue pendante. Quel traître ! Il (rester) là à faire le mort, sans bouger et sans respirer. La voiture (avancer) ; un des marchands (regarder), (voir) le corps immobile et (appeler) son compagnon.

Les deux hommes (se dépêcher) et (s'approcher) de Renart. Ils le (pousser) du pied, le (pincer), le (tourner) et le (retourner) sans crainte d'être mordus. Ils le (croire) mort.

Le Roman de Renart, XIIe-XIIIe siècles. Adaptation de Paulin Paris.

 Copiez les phrases en mettant les verbes entre parenthèses au présent de l'indicatif. (leçon 35)

Son regard et le son de sa voix (trahir) son émotion. – Les nombres que (mémoriser) ce calculateur prodige (compter) plus de vingt chiffres : quelle mémoire ! – Avec quel instrument les chimistes (manipuler)-ils les produits dangereux ? – Chacun des musiciens (disposer) d'une partition et (suivre) les indications du chef d'orchestre. – Il (demeurer) quelques places libres sur le parking. – Les chemises que (porter) les jeunes d'aujourd'hui (se distinguer) de celles de leurs parents : elles (ne pas supporter) les cravates ! – Un paquet de ces biscuits énergétiques (fournir) plusieurs centaines de calories à l'organisme. – Les feuilles de soins que (traiter) les agents de la Sécurité sociale (permettre) le remboursement des frais médicaux.

 Copiez les phrases en les transformant en phrases interrogatives. (leçon 36)

Les chevaliers combattaient avec de lourdes armures. – À la brocante, vous découvrirez peut-être une voiture miniature. – Tu liras les aventures d'Ulysse aux prises avec le Cyclope. – J'écrirai les résultats des opérations au crayon à papier. – Nous reconnaîtrons le parcours que nous avons emprunté la semaine dernière. – Il se trouve encore quelques villages de France qui ne sont pas reliés au réseau électrique. – L'épais tapis amortira la chute des gymnastes. – Les bœufs des élevages charolais sont soigneusement sélectionnés.

 Copiez les phrases en mettant les verbes entre parenthèses au présent de l'indicatif. (leçon 37)

Les enfants (savoir) que les cadeaux de Noël seront au pied du sapin ; ils les (attendre) avec impatience. – La réforme du championnat de France (aller) être mise en place ; les joueurs la (réclamer) depuis longtemps. – Comme le café (être) chaud, les invités en (prendre) volontiers une tasse. – Ces chaises en bon état, l'antiquaire les (vendre) un bon prix à un amateur de meubles Louis XV. – Les Allemands (envahir) le camp des Italiens, mais ces derniers leur (opposer) une farouche résistance. – Les canaris de M. Simon (chanter) à merveille ; il est vrai qu'il les (entraîner) chaque jour. – Ulysse (réunir) ses compagnons et il leur (recommander) le plus grand silence lorsque le Cyclope reviendra dans la caverne.

Répondez affirmativement à ces questions selon le modèle. (leçon 36)

Ex. : *Le pompiste remplit-il le réservoir des automobilistes ?*
→ *Oui, il **le leur** remplit.*

M. Pauly prêtera-t-il sa maison de campagne à ses voisins ? – Le douanier rend-il les passeports aux passagers ? – Les joueurs strasbourgeois donnent-ils leur maillot à leurs adversaires ? – Le magicien révèle-t-il son secret aux spectateurs ? – Grand-père lit-il des histoires à ses petits-enfants ? – Le plagiste louera-t-il des matelas et des parasols aux vacanciers ? – L'utilisation d'une calculatrice aidera-t-elle les élèves à résoudre le problème ?

 Copiez les phrases en mettant les noms en bleu au pluriel et accordez.
(leçon 36)

Le professeur d'anglais félicite l'élève pour son travail assidu ; il lui annonce qu'un échange aura lieu avec un collège écossais. – Le visiteur du Salon du livre demande un renseignement à l'hôtesse d'accueil ; elle lui indique l'emplacement des stands qui l'intéressent. – Le cuisinier est satisfait de son apprenti ; il lui fait confiance et lui donne des conseils qui lui faciliteront sa réussite au CAP.

 Copiez les phrases en accordant les participes passés des verbes entre parenthèses. (leçon 37)

D'importantes perturbations météorologiques sont (attendre) pour le milieu de la semaine prochaine. – Les imprudents qui s'étaient (approcher) pour voir les vagues déferler sur les rochers, sont (revenir) (tremper). – La cheville (casser) a été (plâtrer) par le chirurgien. – En fin de journée, les couloirs du métro sont (joncher) de journaux (distribuer) gratuitement. – Les progrès techniques en matière de miniaturisation des appareils électroniques se sont (accélérer) ces dernières années. – Ces aventuriers se sont (enrichir) en exploitant une mine d'or dans les montagnes du Pérou. – Faute de places libres sur le parking, les voitures se sont (garer) le long des trottoirs.

 Copiez le texte en accordant les participes passés des verbes entre parenthèses. (leçon 38)

– À présent, a (dire) Albert, vous allez faire les commissions : voilà de l'argent et une liste de choses à acheter, ce soir, on fait la fête.
Nous nous sommes (retrouver) avec chacun un filet à provisions, nous avons (dévaler) les escaliers, (traverser) la rue et (bondir) sur la plage des Sablettes, au pied de la vieille ville.
Le sable était dur, ce n'était pas bien grand mais il n'y avait personne, quelques bateaux de pêche aux filets (suspendre) et les vaguelettes à peine clapotantes. Nous avons (courir), (sauter), (danser), (crier), nous étions ivres de joie et de liberté. Cette fois-ci, ça y était, nous l'avions (trouver), cette sacrée liberté.
Les cheveux et les chaussures pleins de sable, nous avons (finir) par nous écrouler à plat ventre, nous nous sommes ensuite (baigner) un peu et nous avons (quitter) l'endroit à regret.

Joseph Joffo, *Un Sac de billes.* © Éditions J.-C. Lattès.

39ᵉ Leçon

Participe passé en -é infinitif en -er terminaison en -ez

Avant d'acheter un pull, regardez s'il doit être lavé à la main ou en machine.

RÈGLE

• Lorsqu'on entend le son [e] à la **fin d'un verbe du 1ᵉʳ groupe,** plusieurs terminaisons sont possibles.
-**er** si le verbe est à l'infinitif.
  Ce document est à signer.   *Tu dois signer ce document.*
-**é** s'il s'agit du participe passé.
  Ce document n'est pas signé.   *Tu as signé ce document.*
-**ez** s'il s'agit de la terminaison de la 2ᵉ personne du pluriel.
  Vous signez ce document.   *Signez ce document.*

• Pour **distinguer ces terminaisons**, on peut essayer de remplacer le verbe du 1ᵉʳ groupe par un verbe du 2ᵉ ou du 3ᵉ groupe pour lequel on entend nettement la différence de prononciation.
  Tu dois signer ce document. / Tu dois prendre ce document. → infinitif
  Tu as signé ce document. / Tu as pris ce document. → participe passé
  Vous signez ce document. / Vous prenez ce document. → 2ᵉ pers. du pl.

Voir « Accords des participes passés », pp. 72 à 77 et 88 à 91.

 Transformez les phrases selon le modèle.
    Ex. : *Stanislas a refusé de venir.* → *Stanislas va refuser de venir.*

Le professeur a donné des consignes précises. – Les skieurs ont dévalé la piste rouge en évitant les bosses. – Vous avez annulé votre réservation. – Nous avons interrogé le maire de la commune pour connaître ses projets d'aménagement des quartiers. – Tu as contrôlé ton rythme cardiaque.

 Transformez les phrases selon le modèle.
    Ex. : *La partie vient de débuter.* → *La partie a débuté.*

Tu viens de laisser passer ta chance. – Les convives viennent d'apprécier le chariot de desserts. – Vous venez d'installer un nouveau logiciel sur votre ordinateur. – Je viens de croiser une personne qui portait un étrange costume. – Le pêcheur vient de ferrer un énorme brochet.

276 Copiez les phrases en complétant par -é ou -er.

Avant de plong… dans l'eau froide, il faut se mouill… la nuque. – Le gardien de but a arrêt… un penalty et son équipe a remport… la coupe de France. – Le voyageur press… fait claqu… la portière du taxi qui vient de le dépos… à l'aéroport. – Bien isol…, ce logement sera plus facile à chauff… . – Piqu… par une guêpe, Clément cherche à calm… la douleur.

277 Copiez les phrases en remplaçant « prendre », « prenez » ou « pris » par un des verbes du 1er groupe de cette liste que vous écrirez comme il convient.

emporter – choisir – arrêter – emprunter – attraper – embaucher – acheter – charger – avaler – toucher

Lionel ne se sent pas le courage de prendre la couleuvre à pleine main, même s'il sait qu'elle est inoffensive. – Pour arriver plus vite, prenez ce raccourci. – Il est dangereux de prendre les fils électriques qui traînent sur le sol. – Pour publier son dernier roman, cet écrivain a pris un pseudonyme. – Le mécanicien du quartier a pris un apprenti auquel il donne des conseils. – Avant de rentrer à la maison, prenez une baguette de pain. – Si tu as peur de l'averse, tu dois prendre un parapluie. – Le maçon a pris un sac de ciment sur ses épaules. – Harold a pris un médicament pour calmer sa fièvre. – La police vient de prendre un voleur en flagrant délit ; il ne peut pas nier.

278 Copiez les phrases en complétant par -é, -ée, -és, -ées ou -er.

Les voitures coinc... dans les embouteillages ont de la peine à avanc.... – Je découvre les étoiles scintill... dans le ciel éclair... par un halo de lune. – Tu devras recompt... les opérations que tu as mal pos.... – De ma fenêtre, je regarde travaill... les ouvriers qui s'efforcent de redress... la barrière métallique que le camion a renvers.... – Les nouvelles chansons de Cali sont régulièrement écout... par les jeunes sur leur MP3. – Le soir, beaucoup d'insectes sont attir... par la lumière. – Les tomates cultiv... sous serre sont moins parfum... que celles plant... en pleine terre.

279 Copiez les phrases en complétant par -é, -er ou -ez.

Vous aim... feuillet... les magazines que la documentaliste met à votre disposition. – Égar... au milieu des flots, le navigateur désespér... s'apprête à tir... une fusée de détresse. – Le chat de Sidonie reste allong..., occup... à guett... sa proie. – Cultiv... des fleurs est un passe-temps agréable. – Travers... par une autoroute, ce village a perdu sa tranquillité. – Ne travers... pas les rues en dehors des passages protégés. – Pour photographi... l'activité d'une fourmilière, vous utilis... un téléobjectif et vous essay... de march... silencieusement. – Neil Armstrong fut le premier homme à foul... le sol lunaire. – Chant... en chœur, ce refrain est entraînant.

280 Copiez les phrases en remplaçant les infinitifs et les participes passés en bleu par des infinitifs et des participes passés de verbes du 1er groupe.

Avant de conduire une automobile, on doit réussir son permis de conduire. – Joris a ouvert une lettre importante ; il l'attendait depuis une semaine. – Tu devras suivre les instructions à la lettre et tu pourras réunir tous les éléments de ce meuble. – Laureen a appris sa leçon de géographie. – Pour lire ce message écrit en caractères cyrilliques, il faut avoir un dictionnaire russe. – J'ai confondu ces deux informations et j'ai commis une fausse manipulation.

Citation _____

La nature nous a donné deux oreilles et seulement une langue afin de pouvoir écouter davantage et parler moins. (**Zénon de Citium**, cité par Diogène)

40ᵉ Leçon
Verbes conjugués ou participes passés ?

Après qu'il eut longuement réfléchi, Florian prit une sage décision ; il résolut de nous suivre.

RÈGLE

• Lorsqu'on entend le son [i] ou le son [y] à la fin d'une forme verbale, il peut s'agir :

– **du verbe conjugué** qui prend alors les terminaisons de son temps :

présent de l'indicatif   passé simple de l'indicatif

J'applaudis les acteurs.   *Tu aperçus une cigogne.*

Elle applaudit les acteurs.   *Il aperçut une cigogne.*

– **du participe passé** terminé par -i ou -u, qui s'accorde éventuellement.

J'ai applaudi les acteurs.   *Applaudis par le public, les acteurs se retirent.*

Il a aperçu une cigogne.   *À peine aperçue, la cigogne s'envola.*

• Pour **distinguer ces diverses formes**, on peut les remplacer par une autre forme verbale, conjuguée à l'imparfait de l'indicatif par exemple. Si c'est possible, il s'agit d'un verbe conjugué.

J'applaudissais les acteurs.   *Il apercevait un arc-en-ciel.*

Dans le cas contraire, il s'agit du participe passé.

Attention :
Des participes passés se terminent par -is ou -it au masculin singulier.

Le public est conquis.   *Voici un livre écrit en anglais.*

Voir « Conjugaison du passé simple 2ᵉ et 3ᵉ groupes », pp. 158 à 161.

---

281 Conjuguez les verbes de ces expressions au présent, puis au passé composé de l'indicatif.

accomplir un exploit   vernir les meubles   rétablir la vérité

rire de bon cœur   prédire l'avenir   envahir la cour du collège

remplir la bouteille   rebondir sur le tremplin   s'enfuir à toutes jambes

282 Copiez les phrases en écrivant les verbes entre parenthèses au présent de l'indicatif.

Cette loupe (agrandir) les détails du manuscrit. – Cette usine de lait en poudre (produire) des milliers de boîtes chaque jour. – Je (s'inscrire) pour le prochain tournoi de tennis de table du collège. – Tu (remuer) la semoule pour qu'il n'y ait pas de grumeaux. – Quand je (réaliser) une expérience, je (décrire) ce que je (voir) avec le plus de précisions possibles. – Un faussaire (contrefaire) maladroitement les articles en cuir d'une grande marque française ; il sera vite démasqué. – Lorsqu'il (vivre) à Londres, M. Ferrand (se rendre) régulièrement chez *Harrods*, le célèbre magasin.

Transformez comme dans l'exemple. Ex. : *On **coud** des écussons.* →
*On a **cousu** des écussons.   des écussons **cousus***

Elle admet son erreur. (Elle … ; une erreur …) – Le forgeron tord une barre. (Le forgeron … ; une barre …) – Je suis les conseils. (J'… ; des conseils …) – Les élèves élisent les délégués. (Ils … ; des délégués …) – Le vendeur garantit la marchandise. (Il … ; de la marchandise …) – On blanchit les murs à la chaux. (On … ; des murs …) – Le témoin dément ses propos. (Le témoin … ; des propos …) – Ces pays conquièrent leur indépendance. (Ces pays … ; une indépendance …) – Tu maintiens ta décision. (Tu … ; une décision …) – Je confonds les adresses. (J' … ; des adresses …).

 Conjuguez les verbes de ces expressions au passé simple, puis au passé composé de l'indicatif.

dormir sur un lit de camp   servir le fromage avec la salade
émettre des remarques pertinentes   réduire sa consommation de sucreries
apprendre le code de la route   ressentir une douleur dans la poitrine

 Copiez les phrases en écrivant les verbes entre parenthèses au passé simple de l'indicatif.

Quand il (savoir) que le chien était attaché, le loup (prendre) rapidement la fuite, refusant de perdre sa chère liberté. – Dès qu'il (entendre) la sonnerie de son portable, Hubert (répondre). – Décontenancé par la réplique de son opposant, le candidat au poste de maire (se taire). – La nouvelle tenue de Marion (plaire) à son amie Rachel qui (vouloir) aussitôt la même ! – Le bébé (boire) son biberon jusqu'à la dernière goutte et il (s'endormir). – Lors de mes dernières vacances, je (vivre) des moments inoubliables. – D'Artagnan (recevoir) une balle de mousquet en pleine gorge et (mourir) à la bataille de Maastricht. – Lorsqu'il (lire) son nom sur la liste des candidats admis au brevet, le frère de Corentin (pousser) un cri de joie.

286 **Copiez les phrases en complétant par le participe passé ou le verbe conjugué au présent de l'indicatif des verbes entre parenthèses.**

S'il n'est pas placé au réfrigérateur, le beurre (rancir) très vite. – Le jambon et le lard (rancir) sont totalement impropres à la consommation. – Cette boulangerie (fournir) un excellent pain de campagne. – Ce caniche a le poil bien (fournir). – Un bouquet de tulipes (embellir) la salle de séjour. – Les balcons alsaciens, (embellir) par d'énormes jardinières de géraniums, font l'admiration des touristes. – Savez-vous reconnaître les pronoms (réfléchir) ? – Comme la question est difficile, je (réfléchir) longtemps avant de répondre. – Une petite brise (rafraîchir) l'atmosphère ; on se sent mieux. – M. Desclaux prépare une pintade (farcir) ; la famille va se régaler. – Dans certaines régions du Moyen-Orient, le pétrole (jaillir) à flots. – Lorsque je vais au marché, je (choisir) des fruits et des légumes frais.

itation _____

Vis chaque jour comme si tu avais vécu toute ton existence précisément pour ce jour-là. (**Vassili Rozanov**, *Esseulement*)

41e Leçon · Nom ou verbe ?

La crue de la Saône a recouvert tous les champs et les prés ; ça, aucun agriculteur ne l'aurait cru !

RÈGLE

• **Les homonymes** sont des mots dont la prononciation est identique, mais qui ont des orthographes et des sens différents.
Il ne faut pas confondre les noms avec les formes conjuguées d'un verbe. Ces homonymes peuvent être :
– un nom et une forme verbale **au présent de l'indicatif**
 Le rugbyman marque un essai. Tu essaies de nouvelles chaussures.
– un nom et une forme verbale **à l'imparfait de l'indicatif**
 Le Père Noël apporte des jouets. Mathieu jouait avec sa console.
– un nom et une forme verbale **au passé simple de l'indicatif**
 La sortie se trouve près d'ici. Le camion sortit du parking.
– un nom et une forme verbale **au futur simple de l'indicatif**
 Ces champignons sont des mousserons. Ces lessives ne mousseront pas.
– un nom et une forme verbale conjuguée **au présent du subjonctif**
 On joue à pile ou face. Il faudrait qu'il fasse beau demain.
– un nom et le participe passé d'un verbe
 Aimes-tu la mie du pain ? Tu as mis un maillot neuf.

• Pour bien **distinguer ces homonymes**, il faut voir si le mot peut être conjugué ; dans ce cas, il s'agit d'un verbe.
 Le bijoutier vend (vendait) des bagues.
Le déterminant permet souvent de retrouver le **nom**.
 Le vent souffle en rafales.

Voir « Les homonymes », pp. 206-207.

 Copiez les couples de phrases en complétant avec le nom ou le verbe homonymes.

(pain / peint) Lorsqu'il …, M. Cardon s'isole et ne tolère pas un seul bruit. – C'est bien connu, les Français sont de gros mangeurs de … .

(veau / vaut) Je ne pourrai pas acheter ce lecteur de CD ; il … cent euros et je n'ai que cinquante euros d'économie. – Préférez-vous les escalopes de dinde ou les escalopes de … ?

(temps / tend) À quel … ce verbe est-il conjugué ? – Le cycliste … le bras avant de tourner à gauche.

(contes / comptes) Il n'y a que dans les … de fées que les princes épousent les bergères. – Tu … la monnaie que t'a rendue la caissière.

(volets / volaient) Les premiers avions ne … que sur de courtes distances. – Les … des maisons de ce village sont tous peints en bleu.

102

288 **Copiez les phrases en complétant avec un nom homonyme du verbe entre parenthèses.**

(il baignait) Odile a préparé des … aux pommes. – (il défie) Remplir le questionnaire en moins de quinze minutes, voilà un … de taille ! – (il signe) Lorsqu'ils jettent du pain aux …, les enfants doivent faire attention à leurs doigts ! – (il bourre) Au Moyen Âge, les … étaient souvent fortifiés. – (il bout) Les bains de … ont fait la renommée des thermes de Barbotan. – (il plaît) La … est importante, le chirurgien a posé des points de suture. – (il craque) Ce jeune pur-sang, c'est un futur … ; son entraîneur en est certain. – (il rit) On dit que le … pousse la tête au soleil et les pieds dans l'eau.

289 **Copiez les phrases en complétant avec un verbe homonyme du nom entre parenthèses.**

(le soufre) Lorsqu'il … de maux de tête, Alec prend un cachet d'aspirine. – (la terre) Farid est bavard, il ne peut pas se … un seul instant. – (l'ail) Il est possible que mes parents … s'installer dans la région toulousaine. – (le frêne) Un chevreuil s'est égaré sur l'autoroute, les conducteurs … pour l'éviter. – (le fond) Les élèves de 3ᵉ … un stage de découverte des métiers. – (le tri) Cette machine perfectionnée … plus de trente mille lettres en une heure. – (le vin) Alors que Quentin était en difficulté, Sammy … à son secours et lui tendit une perche. – (le nez) Le commissaire San-Antonio est … dans l'imagination de Frédéric Dard. – (la soie) Il est rare que les plages de la Côte d'Azur … désertes au mois d'août.

290 **Recopiez les phrases en les complétant par des verbes homonymes des noms suivants.**

le pic – la menthe – le couperet – la faille – le col – le cri – le prix – le vœu

Tu … des vignettes d'actrices sur un album. – Sofiane … son ami de le rappeler le plus rapidement possible. – Je crains qu'il … renoncer à cette sortie : il pleut à verse. – Karim marque un but splendide ; les supporters … leur joie. – Si tu … déplacer ce meuble, il faudra demander de l'aide ; il est trop lourd. – Si tu avais une paire de ciseaux, tu … les nœuds impossibles à défaire à la main. – Les orties … les imprudents qui s'aventurent dans les fossés. – Les empreintes digitales ne … pas ; jamais deux personnes n'ont les mêmes.

291 **Recopiez les phrases en les complétant par des noms homonymes des verbes suivants.**

il perd – il coud – il rend – il tond – il voit – il paie – il relaie

Florence fait admirer sa … de boucles d'oreilles à ses amies. – Les Norvégiens ont remporté le … du championnat du monde de ski de fond. – Quel est l'animal qui se nourrit de feuilles grâce à son long … ? – Au premier …, on voit mieux les détails du décor. – À midi, je me contenterai d'un sandwich au … et aux tomates. – Ces deux pays en guerre depuis trois ans ont enfin signé la … . – Ce jeune garçon a une … de soprano ; il émerveille le chef de chœur.

Citation _____

Tout vainqueur insolent à sa perte travaille. (**La Fontaine**, « Les Deux Coqs »)

42e Leçon
Le participe présent ou l'adjectif verbal ?

En remportant le cross départemental, Aurélie a fait honneur à son collège.
Les yeux resplendissants de joie, elle monte sur le podium.

RÈGLE

I. Le participe présent est une forme verbale invariable.
Débutant avec les juniors, ce joueur a la confiance de son entraîneur.
Débutant avec les juniors, ces joueurs ont la confiance de leur entraîneur.
Le participe présent est souvent précédé de la préposition « *en* » ou
suivi d'un complément.
En débutant avec les juniors, ces joueurs progresseront vite.
Débutant rapidement la partie, ces joueurs envisagent la victoire.
2. L'adjectif verbal, dérivé d'un verbe, s'accorde avec le nom comme
un adjectif qualificatif.
Le joueur débutant a la confiance de son entraîneur.
Les joueurs débutants ont la confiance de leur entraîneur.
L'adjectif verbal est souvent précédé d'un nom ou d'un verbe d'état.
On conseille les joueurs débutants. Les joueurs sont débutants.
• Pour faire la différence, on essaie de **remplacer le nom masculin
par un nom féminin** et on lit la phrase en entier.
L'entraîneur conseille les joueurs débutant la partie. → participe présent
L'entraîneur conseille les joueuses débutant la partie. → participe présent
L'entraîneur conseille les joueurs débutants. → adjectif verbal
L'entraîneur conseille les joueuses débutantes. → adjectif verbal

Remarque :
Un certain nombre de participes présents et d'adjectifs verbaux sont
homophones, mais ont des orthographes différentes.

en se *fatiguant* un peu   un travail *fatigant*
en *communiquant* par signes   les vases *communicants*

Voir « L'accord des adjectifs », pp. 72 à 75.

 **Copiez les phrases en écrivant les noms en bleu au pluriel et accordez
comme il convient.**

Ce flacon, contenant un sirop pour la toux, n'est vendu qu'en pharmacie. – Le
prix est séduisant et le client n'hésite pas. – L'avion partant pour les États-
Unis décollera avec un peu de retard. – L'air conquérant du toréador contraste
avec la fébrilité de ses assistants. – La clé permettant d'ouvrir la porte est à
récupérer chez le gardien. – À la suite des orages de ces derniers jours, le bassin recueillant l'eau des toits déborde. – Au lycée, mon frère prétend que
l'horaire est moins contraignant qu'au collège. – Confiant en la qualité de ses
produits, le maraîcher s'installe au marché de Belleville. – Le client ne peut
pas résister au prix alléchant de ce fauteuil à bascule.

Complétez selon l'exemple. Ex : *éblouir* :
en éblouissant les conducteurs / apercevoir des éclairs *éblouissants*

trancher   … le lard en petits dés / utiliser des couteaux …
plaire   … au public venu nombreux / raconter des histoires …
prévenir   … immédiatement la police / apprécier les amis …
bondir   … sur le trampoline / des balles …
charmer   … les serpents avec une flûte / passer une … soirée
naviguer   … toujours en solitaire / être accueilli par les personnels …
différer   … sa réponse pour l'instant / porter des tenues …
négliger   … les chiffres après la virgule / ne pas apprécier les personnes …

 Copiez les phrases en remplaçant l'infinitif entre parenthèses par le participe présent ou l'adjectif verbal que vous accorderez.

En (refuser) de s'exercer sérieusement, Steve compromet ses chances d'entrer en classe de clarinette au conservatoire. – La route (faire) un coude, la visibilité est réduite. – Les exercices de cette leçon sont de difficulté (croître). – (Avoir) reçu un appel urgent, les pompiers sont partis toutes affaires (cesser). – Les bateaux de pêche, (rompre) leurs amarres, se sont brisés sur les rochers. – Les explorateurs sont-ils (partir) pour s'aventurer au cœur de la forêt amazonienne ?

 Copiez les phrases en remplaçant l'infinitif entre parenthèses par le participe présent ou l'adjectif verbal que vous accorderez.

Il est probable que tous les députés (sortir) ne seront pas réélus. – Les membres du jury, en (remettre) les diplômes, félicitent les heureux lauréats. – Les arêtes (saillir) de la façade du bâtiment peuvent blesser ceux qui les heurteraient trop violemment. – Le planeur est emporté vers le sol par des courants (descendre). – (Improviser) une mélodie (entraîner), les musiciens déchaînent les applaudissements. – Les cow-boys, (chevaucher) à travers les plaines, rassemblent les bêtes égarées. – (Claquer) des dents, les mains (trembler), les couvreurs terminent la pose des tuiles. – Les sources (alimenter) le village en eau potable sont presque à sec. – L'infirmière applique une pommade (cicatriser) sur la plaie.

296 **Copiez les phrases en remplaçant les noms en bleu par ceux entre parenthèses et accordez.**

Ton courage (bonne volonté) ne sera pas suffisant pour réaliser seul le nettoyage de la salle de sport. – En survivant dans des conditions extrêmes, Guillaumet (ces naufragés) a fait l'admiration de tous. – Les vétérinaires tiennent à capturer vivant le lion (lionne) qui s'est échappé de la ménagerie du cirque. – Le traducteur ne trouve pas le mot (expression) correspondant à ce terme espagnol. – Hier soir, nous avons regardé un film (émission) très intéressant. – Le disque (chansons) de Céline Dion rencontrant un succès considérable, son imprésario organise une tournée mondiale.

 itation _____

L'homme n'est qu'un roseau, le plus faible de la nature, mais c'est un roseau pensant. (**Pascal**, *Pensées*)

43ᵉ

est, es, // et //
ai, aie, aies, ait, aient

Il est normal que les handicapés aient des places réservées dans les transports en commun et sur les parkings.

RÈGLE

1. Ne pas confondre es – est – et
• es – est sont les formes des **2ᵉ et 3ᵉ personnes du singulier du verbe être au présent** de l'indicatif.
On écrit es – est quand on peut les remplacer par les formes d'un autre temps simple de **l'indicatif.**

Tu es audacieux.	Tu étais audacieux.	Tu seras audacieux.
Lucas est audacieux.	Lucas était audacieux.	Lucas sera audacieux.

• et**, conjonction de coordination**, permet de relier deux groupes de mots ou deux parties d'une phrase. On peut remplacer la conjonction et par et puis pour vérifier l'orthographe.
Lucas est audacieux et énergique.   Lucas est audacieux et puis énergique.

2. Ne pas confondre ai – aie – aies – ait – aient
• ai est la **1ʳᵉ personne du singulier au présent de l'indicatif du verbe avoir.** On écrit ai quand on peut le remplacer par une autre forme du verbe avoir.
J'ai de l'audace.   Tu as de l'audace.   Nous avons de l'audace.

• aie, aies, ait, aient **sont des formes du verbe avoir au présent du subjonctif.**
Il faut que j'aie de l'audace. / Il faut que nous ayons de l'audace.
Il faut que tu aies de l'audace. / Il faut que vous ayez de l'audace.

Pour écrire la terminaison convenable, il faut distinguer les différentes personnes en repérant les pronoms ou les noms sujets.
1ʳᵉ pers. du sing. : que j'aie   2ᵉ pers. du sing. : que tu aies
3ᵉ pers. du sing. : qu'il ait   3ᵉ pers. du pl. : qu'ils aient

Voir « Le présent du subjonctif », pp. 172-173.

---

297   **Copiez les phrases en complétant avec es, est ou et.**

La réparation … enfin terminée … le client peut reprendre possession de sa voiture. – La réputation de ce médecin … flatteuse … de nombreux patients lui font confiance. – Si tu … prêt, la répétition du concert va débuter. – Quand le réservoir … vide, il n'… plus possible d'irriguer les jardins … les récoltes sont compromises. – Dans les fables de La Fontaine, le renard … souvent présenté comme un animal rusé, alors que le loup … plus naïf. – Le parcours … accidenté … les concurrents doivent garder des forces pour les derniers kilomètres. – La lumière … filtrée par les vitraux … tu … en admiration devant la beauté des scènes conçues par les verriers du Moyen Âge.

298 Conjuguez les verbes de ces expressions au présent de l'indicatif.

avoir des fourmis dans les jambes   être allongé sur le sable blanc
avoir des places de cinéma gratuites   être passionné par le film
avoir des vêtements chauds   être assis dans l'herbe

299 Copiez les phrases en complétant avec ai ou est.

Parmi les numéros que j'… choisis, un seul … sorti lors du dernier tirage du loto. – Comme la sauce … trop épicée, je n'… pas repris de civet de lapin. – La santé … un bien précieux ; il … important de la préserver en faisant du sport. – La photo que j'… prise lors de l'envol de la cigogne … réussie ; j'… reçu les félicitations de mon père. – Quand j'… un travail à faire, je ne laisse personne me distraire tant qu'il n'… pas achevé. – Le matin, mon sac … bien lourd ; heureusement que j'… un casier à ma disposition pour y placer quelques livres. – La salle de travaux pratiques … au troisième étage et je n'… que peu de temps pour m'y rendre après le cours d'anglais.

300 Copiez les phrases en complétant avec ai, aie ou ait.

J'… regretté que Lisa … oublié notre rendez-vous ; je l'… attendue une demi-heure. – Comme je n'… pas de raquette à ma disposition, prête-moi la tienne ; j'en prendrai soin. – L'antiquaire ne croit pas que cette collection d'assiettes à dessert, quelque peu ébréchées, … de la valeur. – Je n'… pas été étonné que la France … remporté la coupe Davis ; elle était largement favorite. – Je doute que ce poulet, élevé dans un sombre hangar, … la même saveur que ceux qui vivent en liberté. – Il n'… pas normal que l'organisation de ce spectacle … manqué de rigueur ; les incidents se sont multipliés.

301 Copiez les phrases en complétant avec aie, aies, ait ou aient.

Le gardien de l'immeuble tient à ce que les abords … un aspect engageant. – Il paraît préférable que tu … un GPS pour t'indiquer l'itinéraire à suivre. – Je traverserai le torrent pour autant que j'… une paire de bottes. – Il importe que la valise … une poignée solide si vous voulez la porter. – Nadine souhaite que tu … le temps de venir la voir. – En admettant que j'… souligné tous les verbes du 2e groupe, il me reste à trouver les bonnes terminaisons. – Ces employés travaillent dur ; il est normal qu'ils … une augmentation.

302 Copiez les phrases en complétant avec es, est, et, ai, aie, ait ou aient.

Il … de règle que les premiers arrivés au stade … les meilleures places. – Tu … le seul qui … obtenu une note au-dessus de la moyenne au contrôle de mathématiques … le professeur te félicite. – Il n'… pas exclu que j'… la possibilité d'effectuer un tour de circuit au volant d'un kart. – Il … possible qu'il y … de la vie sur une autre planète que la Terre. – Il faut que tous les élèves … à leur disposition une calculatrice, car le problème … difficile.

Citation _____

La plus noble conquête que l'homme ait jamais faite est celle de ce fier et fougueux animal, qui partage avec lui les fatigues de la guerre et la gloire des combats. (**Comte de Buffon**, *Histoire naturelle*, « De l'homme »)

tout – tous – toute – toutes

Nathalie a battu toutes ses concurrentes ; elle était tout étonnée quand les spectateurs sont tous venus lui demander un autographe.

RÈGLE

Ne pas confondre :

1. tout, **déterminant indéfini** qui **se rapporte à un nom** avec lequel il s'accorde en genre et en nombre. Ce déterminant est généralement suivi d'un second déterminant.

   tout le boulevard   tous les carrefours   toute l'avenue   toutes les rues

2. tout, **pronom indéfini, remplace un nom.** Il est alors sujet ou complément du verbe.
Au singulier, **tout** est employé seulement au masculin. Au pluriel, **tout** devient **tous** ou **toutes** (on entend la différence entre ces deux formes).

   Tout bouge.   Tous travaillent.   Toutes travaillent.

3. tout, **adverbe, est placé devant un adjectif qualificatif.**
On peut le remplacer par **tout à fait** ou **entièrement**.

   Ces meubles sont tout abîmés.   Ces tables sont tout abîmées.
   Ces meubles sont tout à fait abîmés.   Ces tables sont entièrement abîmées.

• Quand l'adverbe tout est placé **devant un adjectif qualificatif féminin** commençant par une consonne (en particulier un « h » aspiré), **il s'accorde par euphonie**, pour que la prononciation soit plus facile.

   La chemise est toute froissée.   Les chemises sont toutes froissées.

Remarque :
tout peut être un nom précédé d'un déterminant.

   La table, le buffet et les chaises, le vendeur fait le tout pour deux mille euros.

Voir « Les adverbes », pp. 246-247.

---

303 **Complétez avec le déterminant tout que vous accorderez.**

… le monde	… les jours	… les lampes	… la ruche
… les monuments	… la classe	… le temps	… les mesures
… la rangée	… les devantures	… la plage	… les cheveux
… les villes	… le travail	… les tableaux	… le magasin

304 **Complétez les expressions avec tout, toute, tous ou toutes.**

suivre … les pistes	… proportions gardées	donner … satisfaction
jouer à … hasard	répondre une fois pour …	avaler … rond
être … feu … flamme	reculer à … vitesse	parler en … franchise
chanter … ensemble	rester envers et contre …	être d'accord sur …

Complétez les phrases avec tout, toute, tous **ou** toutes.

Je ne suis pas certaine que les cerises soient … mûres ; attendez un peu avant de les cueillir. – Le vendeur a sorti … son stock de vêtements ; il y en a de … les tailles, pour … les âges et pour … les bourses. – M. Granet préfère le jeu de dames à … autre jeu de société. – … en fredonnant la dernière chanson du récital de Raphaël, les spectateurs quittent la salle des fêtes. – Les enfants sont impatients et ils veulent … s'approcher du Père Noël ; peut-être ne sont-ils pas … à fait sûrs que ce soit le vrai ! – … la médecine vient d'être révolutionnée avec l'installation de scanners performants dans … les hôpitaux.

 Copiez les phrases en remplaçant les noms en bleu par ceux entre parenthèses et accordez.

Comme il a beaucoup plu, les bancs (chaises) sont tout mouillés. – Avant d'éteindre mon ordinateur, j'ai copié tout mon travail (données) sur une clé USB afin d'en assurer la sauvegarde. – … bronzé, Stéphane (Alicia) revient d'un séjour au Portugal. – Tous les châteaux (résidences) du comte de Marcy sont en vente ; ils valent très cher car ils sont tous en très bon état. – Tout jeune, ce judoka (boxeurs) possédait déjà une technique affirmée et il gagnait tous ses combats. – Ce tissu (étoffe) est tout léger, néanmoins il tient chaud.

 Complétez les phrases avec tout, toute, tous **ou** toutes.

Les ventes de cette usine sont … à fait conformes aux prévisions ; les objectifs de production ont … été atteints. – Si … ses camarades quittent la salle avant la fin de l'expérience, Renaud se retrouvera … seul pour ranger … le matériel. – … les accès à l'autoroute sont bloqués ; comment les pompiers vont-ils arriver sur les lieux de l'accident ? – Il n'y a pas de vent et … les éoliennes sont arrêtées. – Les chaussées sont … inondées ; … circulation est impossible. – Les escrimeurs sont … équipés d'un casque qui leur protège … le visage. – Une algue mystérieuse a envahi … les parcs à huîtres du bassin d'Arcachon. – Désormais, … les autocars doivent être équipés de ceintures de sécurité pour … les passagers.

308 **Copiez les phrases en écrivant les noms en bleu au pluriel et faites les accords nécessaires.**

Comme l'ordinateur est tout neuf, il suffit d'effectuer le branchement pour que tout fonctionne. – Ce bébé, endormi dans son berceau, est tout mignon ; il n'a que dix jours. – Ouvre toute grande ton oreille si tu veux entendre les conseils du professeur. – Le jeune acteur est tout ému lors du tournage des premières scènes. – Pour aller en Polynésie, l'avion est tout de même plus rapide que le bateau. – Ce peintre est tout simplement génial ; ses tableaux valent tous une petite fortune. – Le texte est tout raturé et il est illisible. – Tout pâle, le chasseur se retrouve face à un buffle menaçant ; il préfère renoncer à un nouveau trophée plutôt que de prendre un risque.

 itation _____

De tous les biens que la sagesse nous procure pour le bonheur de la vie tout entière, le plus grand, de très loin, est l'amitié. (**Épicure**)

quel(s) – quelle(s)
qu'elle(s)

La pieuvre a mauvaise réputation, certains croient qu'elle agresse l'homme !
Quelle étrange légende !

RÈGLE

Ne pas confondre :

1. quel est un **déterminant interrogatif ou exclamatif** qui
s'accorde avec le nom qu'il accompagne.
> L'Italie, *quel beau pays !*   *Quelle est la capitale de l'Italie ?*
> *Les footballeurs italiens, quels beaux vainqueurs !*
> *Quelles sont les spécialités culinaires de l'Italie ?*

2. qu'elle(s) est la contraction de « que et elle(s) » ; « que » est une
conjonction de subordination ou un **pronom relatif** suivi de
« elle », **pronom personnel féminin**.
> Dès *qu'elle sort du four, la tarte est partagée entre les convives.*
> *Sylvia et Valérie partagent les meringues qu'elles ont préparées.*

• Pour trouver la forme correcte, il faut remplacer le pronom
personnel féminin par un pronom personnel masculin.
> Dès *qu'elle sort du four, la tarte est partagée entre les convives.*
> Dès *qu'il sort du four, le gâteau est partagé entre les convives.*
> *Sylvia et Valérie partagent les meringues qu'elles ont préparées.*
> *Louis et Samir partagent les meringues qu'ils ont préparées.*

---

309 **Écris la question pour obtenir le renseignement.**
> Ex. : *ton groupe sanguin* → ***Quel** est ton groupe sanguin ?*

les pays de l'Union européenne	le vainqueur du Tour de France
les initiales de Frédéric Galan	la saison la plus chaude
le record du monde du 100 m plat	les animaux les mieux protégés
la région productrice du roquefort	les ingrédients de ce plat
le journal le plus vendu en France	les plus beaux châteaux de la Loire

310 **Transformez les phrases selon l'exemple.**
> Ex. : *Les fenêtres sont ouvertes.* → *Il convient **qu'elles** soient ouvertes.*

La montgolfière s'envolera dès que le vent faiblira. → Il se peut …
Les ouvrières ont deux jours de repos par semaine. → Il est juste …
La sonde émettra depuis la planète Mars. → Il est possible …
Les menus de tous les repas sont diversifiés. → Il est bon …
Les autoroutes du sud de la France sont désertes. → Il est rare …
L'ascenseur de l'immeuble est réparé. → Il est temps …
La marée recouvre tous les rochers du bord de mer. → Il arrive …

Copiez les phrases en complétant avec quel(s), quelle(s) **ou** qu'elle(s).

… sont ces montagnes que nous apercevons à l'horizon ? – Mandy a les mains toutes poisseuses ; la poire … pèle est trop juteuse. – Admirez avec … grâce et … sang-froid cette trapéziste exécute son numéro. – … magnifiques tableaux ! Qui les a peints ? – Ces pizzas, … sont épicées ! – De … façon vas-tu procéder pour retirer l'objet qui s'est glissé derrière l'armoire ? – Samira et Carine, je crois … ne sont pas encore revenues de leur visite au parc d'attractions ; … belle journée elles ont dû passer ! – Ces adresses, je suis bien certain … sont fausses car la rue du Bœuf n'existe pas à Besançon.

 Copiez les phrases en supprimant les répétitions comme dans l'exemple.
Ex. : *Les fleurs seront cueillies dès que les fleurs seront écloses.*
Les fleurs seront cueillies dès qu'elles seront écloses.

La couturière effectue des retouches sur les vêtements que la couturière doit livrer mercredi prochain. – Les provinces françaises ont des traditions que les provinces françaises conservent jalousement. – Olivia prépare les affaires qu'Olivia doit emporter en séjour linguistique. – Les tuiles sont fixées pour que les tuiles ne s'envolent pas. – Les élèves de la 5ᵉ 4 préparent une sortie que les élèves de la 5ᵉ 4 effectueront au musée de la Résistance. – Cette chanteuse répète avec ses musiciens les chansons que cette chanteuse doit interpréter au Printemps de Bourges.

 Copiez les phrases en remplaçant les noms en bleu par ceux entre parenthèses et accordez.

Armand (Line) n'est pas de bon conseil : le film qu'il m'avait conseillé était bien ennuyeux. – Simon (Émilie) a déposé un dossier (réclamation) au sujet des anomalies qu'il a constatées dans le fonctionnement de son ordinateur ; il espère qu'il sera examiné en détail par le directeur du magasin. – Laurent (Hélène) a mal aux dents ; avec ce cachet, je suis sûr qu'il ira rapidement mieux. – Le cyclone (tempête) est si violent qu'il déracine les arbres du parc municipal. – M. Auguste (Mme Lenoir) cherche un produit pour nettoyer le tapis (moquette) qu'il a taché.

314 **Copiez les phrases en écrivant les noms en bleu au pluriel et accordez.**

L'agrafe que tu m'as donnée, je crois qu'elle ne me permettra pas de relier ce paquet de feuilles. – Sur quelle tranche de pain allez-vous étaler votre confiture ? – La fillette a ouvert les cadeaux qu'elle a reçus pour sa fête. – Quel est le bouton de commande de cette machine à trier le courrier ? – Sur quelle piste l'avion en provenance d'Amérique du Sud atterrira-t-il ? – Pour qu'elle plaise à un large public cette émission ne doit pas durer trop longtemps. – Cette jeune peintre est fière de la ressemblance qu'elle a réussi à saisir entre ce paysage et la toile posée sur son chevalet. – La mouette est prise dans le goudron, on pense qu'elle ne survivra pas à cette catastrophe.

*C*itation ――――――――――――――――――――――――

Quelle rage a-t-on d'apprendre ce qu'on craint toujours de savoir !
(**Beaumarchais**, *Le Barbier de Séville*)

46e

sont – son //
se (s') – ce (c') – ceux

M. Ravier a lu dans son guide que les plus beaux châteaux féodaux d'Allemagne sont ceux qui se trouvent sur les rives du Rhin.

RÈGLE

1. Ne pas confondre sont – son

– sont est la **forme conjuguée du verbe être à la 3e personne du pluriel** du présent de l'indicatif. On peut la remplacer par une autre forme conjuguée du verbe être.

Les bureaux sont munis de tiroirs.   *Les bureaux étaient munis de tiroirs.*

– son est un **déterminant possessif singulier** qui **indique l'appartenance**. On peut le remplacer par un autre déterminant.

Son bureau est muni de tiroirs.   *Ton bureau est muni de tiroirs.*

2. Ne pas confondre se (s') – ce (c') – ceux

– se (s') est un **pronom personnel réfléchi** qui fait partie d'un **verbe pronominal**. On peut le remplacer par un autre pronom personnel réfléchi en conjuguant le verbe.

il se nourrit – je me nourris – elle s'avance – je m'avance

– ce est un **déterminant démonstratif placé devant un nom ou un adjectif**. On peut le remplacer par un autre déterminant démonstratif si on change le genre ou le nombre du nom.

ce magasin – ces magasins – cette grande boutique

– ce (c') est un **pronom démonstratif** souvent **placé devant les verbes** être, devoir, pouvoir, ou un pronom relatif.

Ce sont des produits de qualité.   *C'est un produit de qualité.*

Me reposer, voici ce dont j'ai besoin.   *Ce qui devait arriver, arriva.*

– ceux est un **pronom démonstratif** représentant un **nom masculin pluriel**. On peut le remplacer par celui.

Parmi les fruits, les raisins sont ceux que je préfère.
Parmi les fruits, le raisin est celui que je préfère.

Voir « Les différentes formes verbales », pp. 252-253.

---

315 **Copiez les phrases en complétant avec sont ou son.**

Le clown a perdu … pantalon en voulant rattraper … petit chien ; les enfants … ravis. – Les gestes d'un bon cavalier … toujours mesurés, c'est la meilleure manière d'obtenir que … cheval lui obéisse. – Pauline est contente car ses cheveux … désormais assez longs ; elle pourra refaire … chignon. – Ces jeux vidéo … tous adaptables sur la console de Martin ; comment va-t-il faire … choix ? – Le représentant ne voyage jamais sans … matériel de démonstration, car ses clients … attentifs aux moindres détails et il doit leur prouver que ses produits … les meilleurs. – Comme les volets de … chalet … en triste état, M. Verlucco va les repeindre.

316 Conjuguez les verbes de ces expressions au présent de l'indicatif.

être allongé sur son lit   être devant son ordinateur   être sous son parapluie
être avec son frère   être sûr de son bon droit   être content de son sort

317 Copiez ces expressions en plaçant ce devant les noms et se (s') devant les verbes.

… couloir	… réfugier	… rejoindre	… menhir	… danger
… revoir	… sorcier	… plaindre	… nourrir	… pousser
… trottoir	… cerisier	… cadre	… saisir	… loyer
… asseoir	… qualifier	… détendre	… saphir	… épuiser
… mouvoir	… métier	… gendre	… élargir	… rocher
… mouchoir	… méfier	… scaphandre	… loisir	… croiser

318 Conjuguez les verbes de ces expressions au présent de l'indicatif.

s'inscrire à ce concours de chant   se souvenir du dénouement de ce film
s'attendrir devant ce chaton   se pendre à ce trapèze
se sortir de ce mauvais pas   s'enfuir par ce sentier

319 Copiez les phrases en complétant avec ce (c') ou se (s').

Des baigneurs … dorent encore sur … sable chaud alors qu'il est midi ; … n'est pas raisonnable et … soir ils risquent de …'en souvenir en soignant leurs coups de soleil. – Avec … rabais, Ghislaine n'hésitera pas à …'offrir … fer à friser. – À minuit, dans … château, …'est l'heure à laquelle sortent les fantômes. On dit qu'ils … promènent dans les couloirs vêtus de draps blancs, mais …'est une légende qui …'est transmise de génération en génération. – En quelques minutes, les musiciens … sont installés et le concert a débuté. – Avec … logiciel de traitement de texte, on peut … corriger immédiatement ; …'est vraiment très pratique. – Après un sauna, les Finlandais baignent dans l'eau glacée ; … choc thermique les fortifie, … est du moins … qu'ils prétendent.

320 Copiez les phrases en complétant avec ceux, ce (c') ou se (s').

Tous … qui téléphonent ne … doutent pas de toutes les connexions qui …'effectuent en quelques millièmes de seconde. – … parcours de descente est si dangereux que … qui ne skient pas très bien … blessent en franchissant les murs de neige. – … qui utilisent Internet …'adressent des millions de messages ; … mode de communication …'est généralisé en quelques années et désormais on ne peut plus …'en passer. – Les évasions de la prison d'Alcatraz, en Californie, étaient rares ; … qui ont pu le faire … comptent sur les doigts d'une seule main. – Le base-ball, …'est un sport pour lequel les Américains … passionnent et j'admire … qui en connaissent toutes les règles. – Mme Roger … tient devant … guichet et elle attend que … qui sont devant elle aient terminé leurs achats. – … qui … penchent à la portière des trains prennent des risques.

Citation

Vous ne dites rien ? Tant mieux. De tous ceux qui n'ont rien à dire, les plus agréables sont ceux qui se taisent. (**Coluche**, *Les discours en disent long*)

113

47ᵉ
Leçon

ces – ses // c'est – s'est // sais – sait

L'antiquaire s'est renseigné chez un expert ; il sait que ces statues sont authentiques. C'est avec satisfaction que ses clients en feront l'acquisition.

RÈGLE

1. Ne pas confondre ses – ces
– ses est un **déterminant possessif** placé **devant un nom ou un adjectif au pluriel**. Il peut être remplacé par un autre déterminant possessif.

    Medhi lace ses chaussures.   Je lace mes chaussures.
    Tu laces tes chaussures.

– ces est un **déterminant démonstratif** placé **devant un nom ou un adjectif au pluriel**. Il peut être remplacé par un autre déterminant démonstratif.

    Ces chaussures sont neuves.   Cette chaussure est neuve.

2. Ne pas confondre c'est – s'est – sais – sait
– c'est est la **contraction de** « ce est ». c' est la forme élidée du pronom démonstratif ce, et est la 3ᵉ personne du singulier du présent de l'indicatif du verbe être.
Cette forme peut parfois être remplacée par l'expression cela est.

    Boucler sa ceinture de sécurité, c'est la prudence même.
    Boucler sa ceinture de sécurité, cela est la prudence même.

– s'est est la **contraction de** « se est ». s' est la forme élidée du pronom personnel réfléchi se, et est la 3ᵉ personne du singulier du présent de l'indicatif du verbe être.
Cette forme peut être remplacée par me suis ou se sont en conjuguant le verbe être.

    Tristan s'est perdu.   Je me suis perdu.   Ils se sont perdus.

– sais, sait sont des **formes conjuguées du verbe** savoir aux trois personnes du singulier du présent de l'indicatif. Elles peuvent être remplacées par d'autres formes conjuguées de ce verbe.

    Mathias sait répondre.   Je sais répondre.   Tu sais répondre.
    Mathias saura répondre.   Je savais répondre.   Tu as su répondre.

Voir « Les noms et les déterminants », pp. 222-223, « Les pronoms possessifs », pp. 248-249.

---

321   **Copiez les phrases en complétant avec ses ou ces.**

Avec une sauce à la crème, … asperges feront une entrée savoureuse. – Loïc a placé … initiales en haut de la première page de chacun de … livres. – Johnny et … camarades sont montés sur … manèges ; ils ont eu très peur et Johnny a même perdu … clés, tombées de sa poche. – M. Perrin, éleveur en Limousin, doit traire … vaches laitières deux fois par jour. – Andy range … vêtements sur … rayons ; ils y sont à l'abri de la poussière.

Copiez les phrases en complétant avec s'est **ou** c'est.

... en voulant planter un clou que M. Frey ... écrasé un doigt. – Le campeur ... installé à l'ombre ; ... un emplacement idéal. – Mal fixée, l'affiche ... détachée. – La Chine, ... le pays le plus peuplé de la planète. – L'employé ... accordé une petite pause. – La bouillabaisse, ... une spécialité provençale. – Cyril ... trompé : ... à droite qu'il fallait tourner.

 Copiez les phrases en écrivant les noms en bleu au pluriel.

Le palefrenier prépare son cheval pour la prochaine course. – Félix n'admet pas facilement son erreur. – Dans ce carnet, Frida note le numéro de téléphone de son amie. – M. Rivet a renouvelé plusieurs fois sa demande, mais il n'a jamais obtenu de réponse. – Pour traverser cette rue, il vaut mieux emprunter le passage souterrain. – Dans cette station de ski, les moniteurs portent tous des combinaisons rouges. – Avant de partir chasser le long du fleuve Amazone, l'Indien empoisonne sa flèche. – Dans cette rivière, la truite fait briller son écaille ; le pêcheur lance sa ligne.

 Copiez les phrases en complétant avec ses, ces, s'est **ou** c'est.

Dans ... prés, Pauline va ramasser des pissenlits avec ... frères ; ... pour préparer une bonne salade avec des lardons. – Le mois de septembre, ... le mois des labours pour un céréalier ; il est dans ... champs du matin au soir. – Le nom de ... rues est très mal indiqué et Valérian ... perdu. – La côte basque est renommée pour ... plages aux vagues imposantes ; ... le lieu de rendez-vous des surfeurs. – ... coussins sont confortables et Rebecca ... allongée pour faire une petite sieste.

325 **Copiez les phrases en écrivant les verbes en bleu au présent de l'indicatif.**

Sur le point de s'envoler, la montgolfière s'était dégonflée ; c'était vraiment dommage. – Le comédien s'était retiré dans sa loge pour mieux se concentrer avant l'entrée en scène. – Tu savais ce que tu voulais et tout s'était bien passé. – Cette cantatrice savait qu'elle ne s'était pas assez préparée pour se produire lors du festival d'Orange. – J'avais trouvé une réponse, mais je ne savais pas si c'était la bonne solution. – À l'Élysée, c'était en grand apparat que le président savait accueillir les chefs d'État étrangers.

326 **Copiez les phrases en complétant avec** sais, sait, s'est **ou** c'est.

Comme Mylène ne ... pas encore sa leçon, elle ... isolée pour l'apprendre. – Tu ne ... pas ce qui se passe, car ton pneu ... subitement dégonflé ; il doit être crevé. – En quelques secondes, M. Devers ... convertir mentalement les dollars en euros ; ... pratique pour lui : il est banquier ! – « *Just a kiss* », ... un film anglais, mais je ne ... pas s'il est présenté sous-titré en français ou en version originale. – Mme Monnier ... que les plus beaux vêtements partiront sans tarder, alors elle ... précipitée dès le premier jour des soldes. – En France, chacun ... qu'on circule à droite ; ... la règle.

♀itation ───────────────────────────────

Je sais une chose, c'est que je ne sais rien. (**Socrate**)

48e Leçon   ont – on – on n'

On n'ouvre pas aisément les programmes qui ont un verrou de sécurité, même si on est un expert en informatique.

RÈGLE

Ne pas confondre ont – on – on n'
– ont est la forme de la **3e personne du verbe** être au **présent de l'indicatif**. On écrit ont quand on peut remplacer cette forme par une autre forme conjuguée du verbe être.
Ces romans ont du succès.   *Ces romans avaient du succès.*

– on est un **pronom personnel indéfini** de la 3e personne du singulier, **toujours sujet du verbe**. On écrit on quand on peut le remplacer par un autre pronom personnel ou un nom sujet.
On lit des romans.   *Elle lit des romans.*   *Thierry lit des romans.*

– Quand on est sujet d'un verbe commençant par une voyelle ou un « h » muet, on n'entend pas la différence entre **la forme affirmative** et **la forme négative** puisque, dans le premier cas, il y a une liaison.
On aime ces romans.   *On n'aime pas ces romans.*
Pour faire la distinction, il faut remplacer on par un autre pronom personnel ; on entend alors la différence.
Il aime ces romans.   *Il n'aime pas ces romans.*

Remarque :
Dans la langue courante, il est devenu fréquent d'employer « on » à la place de « nous ». « On » désigne alors plusieurs personnes, mais **le verbe est néanmoins au singulier**, même s'il y a des accords au pluriel dans la phrase.
*On reste sur **nos** positions.*   *On part contents.*

Voir « Les différentes formes verbales », pp. 252-253.

 Copiez les phrases en remplaçant le pronom on par un nom ou un pronom sujet de votre choix.

Prudent, on conduit les deux mains posées sur le volant. – On respecte les pelouses du parc municipal. – On propose une nouvelle répartition des élèves dans les différentes classes du collège. – Quand on est en altitude, on respire plus difficilement car l'oxygène se raréfie. – En toute circonstance, on garde son sang-froid. – Chaque lundi, on déjeune au self. – On ausculte les malades et on rédige une ordonnance à chacun. – On n'avantage aucune des équipes ; on doit demeurer impartial. – On remplit la bétonnière. – On porte un tatouage sur l'épaule gauche ; c'est un papillon. – On annule l'abonnement téléphonique qu'on avait souscrit l'an dernier. – On s'accoude à la fenêtre et on admire le défilé des chars fleuris. – On souligne les adjectifs qualificatifs de ce texte.

328 Copiez les phrases en complétant avec ont ou on.

Ces légumes … été cultivés sans apports de pesticides ; … peut les consommer sans aucun risque. − … ne tutoie pas d'emblée les personnes que l'… ne connaît pas, même si elles … l'air engageant. − Les cow-boys … regroupé les bêtes dans le corral ; maintenant, ils … le temps de se rendre au saloon. − Quand … réussit un examen, … est heureux et ceux qui n'… pas révisé correctement … des regrets. − Quand … écoute les hommes politiques, … constate que certains … la parole facile. − Comme les boussoles … une aiguille aimantée, … sait toujours où est le nord. − Les pneus … des rayures qui permettent de rouler sans risque sous la pluie, mais … doit rester prudent.

329 Copiez les phrases en complétant avec ont, on ou on n'.

Alors qu'… aperçoit pas encore le bateau noyé dans la brume, … entend sa sirène. − Lorsqu'… appuie pas sur la bonne touche, … ouvre pas le logiciel correctement. − À l'entrée d'un village, … accélère pas ; … doit plutôt ralentir pour ne pas dépasser la vitesse autorisée. − … a guère envie de sortir quand … entend le vent battre les volets. − Si … voulait énumérer tous les fromages de France, … en finirait pas : ils sont plus de trois cents ! − … accuse pas les gens si … a pas de preuves sérieuses ; c'est la moindre des prudences. − … dit que Napoléon Ier était adoré de ses soldats ; ils ne l'… jamais abandonné, même lorsque les défaites l'… obligé à abdiquer.

330 Copiez les phrases en écrivant les noms en bleu au pluriel ; accordez.

Le bouliste a remporté la partie sans laisser un seul point à son adversaire ; on le retrouvera en finale. − Le jardinier a tondu le gazon, puis il a répandu un peu d'engrais. − La personne aveugle a souvent besoin d'aide pour traverser les rues. − Mon correspondant a prévu de venir au collège après les vacances de printemps. − Mon parent a passé sa jeunesse dans un quartier qui a subi une profonde transformation ; on a restauré un immeuble et tracé une nouvelle rue. − Pour pénétrer dans ce laboratoire en toute sécurité, on a dû prendre une précaution ; le technicien a revêtu une tenue spéciale.

331 Copiez les phrases en complétant avec ont, on ou on n'.

… arrivera au chalet avant la nuit si … est pas retardé par ceux qui … des difficultés à marcher. − … éprouve aucune satisfaction quand … a pas effectué son travail correctement. − Les personnes handicapées … parfois du mal à se garer même si … met à leur disposition des emplacements réservés. − Quand … envoie une lettre en Chine, … doit l'affranchir au tarif international. − … a été appelé plusieurs fois au téléphone, mais … a pas répondu. − Aux échecs, si … anticipe pas les réactions de l'adversaire, … perd à tous les coups ! − Dans les champs, … y voit plus des centaines de paysans travaillant la terre avec des outils rudimentaires ; les agriculteurs … désormais de puissants tracteurs à leur disposition.

Citation

Quand on n'a pas ce que l'on aime, il faut aimer ce que l'on a.
Comte de Bussy-Rabutin, *Correspondance*)

49ᵉ
Leçon

c'est – ce sont //
soi – sois – soit – soient

Les vrais amis, ce sont ceux qui vous soutiennent quelles que soient les circonstances.

RÈGLE

1. Le verbe **être**, précédé de ce (c'), **se met au pluriel s'il est suivi d'un sujet réel à la 3ᵉ personne du pluriel** ou d'une énumération.

Le chat, c'est un animal domestique.
Les chats et les chiens, ce sont des animaux domestiques.

• Quand les pronoms nous ou vous suivent c'est, le verbe être reste au singulier.

C'est nous qui mettons la table.   *C'est vous que le sort a désignés.*

• Si le nom qui suit c'est **est précédé d'une préposition**, le verbe être **reste au singulier**.

C'est aux marins disparus que les habitants de Pornichet rendent hommage.

2. Soi est un **pronom personnel réfléchi de la 3ᵉ personne du singulier** qui ne marque ni le genre ni le nombre. Il se rapporte à un sujet singulier indéterminé.

Pour réussir, il faut faire preuve de confiance en soi.

• Lorsque le sujet est précis, on emploie lui ou elle.

Serge a confiance en lui.   *Sonia a confiance en elle.*

• **Pour trouver la bonne orthographe**, on essaie de **remplacer par un autre pronom personnel réfléchi** en modifiant la phrase.

Pour réussir, nous faisons preuve de confiance en nous.

3. Soit est une **conjonction de coordination marquant l'alternative**.

Ce soir, M. Vannier prendra soit le métro, soit l'autobus pour rentrer chez lui.
On peut toujours remplacer soit par ou bien.

Ce soir, M. Vannier prendra ou bien le métro, ou bien l'autobus pour rentrer chez lui.

4. Sois, soit, soient, sont des **formes du présent du subjonctif** du verbe être.

Il faut que je sois rentrée avant la nuit.
Il faut que tu sois rentrée avant la nuit.
Il faut que Mélanie soit rentrée avant la nuit.
Il faut qu'ils soient rentrés avant la nuit.

Voir « Le subjonctif », pp. 172 à 179.

332 Copiez les phrases en complétant avec c'est ou ce sont.

Le Mali et le Burkina Faso, … des pays africains qui peinent à développer leur agriculture. – Traverser l'Atlantique sur une planche à voile, … un exploit peu banal qui exige une volonté hors du commun. – … toi qui rempliras le cahier de textes aujourd'hui. – … tout à fait par hasard que Géraldine a retrouvé le carnet qu'elle avait égaré depuis une semaine. – Ces téléphones portables, avec lesquels on peut se connecter à Internet, … de véritables merveilles de technologie. – … nous qui interpréterons *Le Malade imaginaire* lors de la fête de fin d'année. – Parmi tous les moyens de transport de nos villes, … les tramways qui polluent le moins l'atmosphère. – De nombreux bouchers prétendent que … les éleveurs charolais qui produisent la meilleure viande.

333 Copiez les phrases en complétant avec c'était ou c'étaient.

Lors de chaque nouvelle rentrée scolaire, … la bousculade devant le portail de l'école. – Les seigneurs organisaient des tournois ; … des affrontements au cours desquels ils s'exerçaient au maniement des armes. – Avant l'apparition de la télévision, les gens se réunissaient à la veillée ; … l'occasion de bavarder entre voisins. – Avant l'implantation d'une zone commerciale aux abords de la ville, … que des champs et des prés à perte de vue. – Cette statue, tout le monde pensait que … une reproduction d'une œuvre de Rodin. – Les cathédrales du Moyen Âge étaient bâties pour l'exercice du culte, mais … aussi des lieux de rassemblement fort animés.

334 Copiez les phrases en complétant avec ce fut ou ce furent.

Les deux dernières guerres mondiales, … des catastrophes humaines sans précédent. – Lorsque les feux tricolores cessèrent de fonctionner, … une belle pagaille ! – Quand le chanteur parut sur scène, … ne … que cris de joie et applaudissements. – La première expédition lunaire, … une aventure extraordinaire et ceux qui l'ont vécue devant leur écran de télévision s'en souviendront toute leur vie. – Les Cahiers de doléances, … des témoignages sur les difficultés du peuple de France à la fin du XVIIIe siècle. – Connaissez-vous Pierre et Marie Curie ? … de grands savants qui reçurent le prix Nobel. – Le matin où les soldes débutèrent, … la ruée dans tous les magasins de vêtements. – L'invention de l'imprimerie, … une vraie révolution qui permit l'accès aux livres d'un plus grand nombre de personnes.

335 Copiez les phrases en complétant avec sois, soit ou soient.

Comme je ne vois pas très bien de loin, il est préférable que je … placé près du tableau. – M. Mercado regrette que le musée … fermé le lundi, car c'est son seul jour de congé. – Le berger craint que ses moutons ne … effrayés par les loups qui rôdent dans les alpages. – En attendant que la première couche … sèche, le peintre nettoie son matériel. – Il ne faut pas que ces verres en cristal … placés au lave-vaisselle : ils sont trop fragiles. – Pourquoi es-tu sortie sans que tu … peignée ? – Il arrive que je … partagée entre deux solutions.

Citation
On a toujours besoin d'un plus petit que soi. (**La Fontaine**, *Le Lion et le Rat*)

50e

Leçon

ou – où // ni – n'y // si – s'y

Si l'électricité était coupée, il n'y aurait ni lumière ni chauffage dans la pièce où vous vous trouvez.

RÈGLE

1. Il ne faut pas confondre ou et où
– ou, **conjonction de coordination**, peut être remplacé par ou bien.
Tu soulignes au crayon à papier ou (ou bien) au stylo à bille.
– où, **pronom relatif ou adverbe, indique le lieu**, le temps, la situation. Il peut être remplacé par dans lequel, à quel endroit.
Dans l'état où (dans lequel) se trouve cette voiture, elle ne roulera pas.
Où (À quel endroit) se trouvent les îles Lofoten ?

2. Il ne faut pas confondre ni et n'y
– ni est une **conjonction négative qui relie deux noms** (ou deux propositions). On peut parfois remplacer ni par pas.
Valérie n'est ni (pas) anxieuse ni (et pas) trop confiante.
– n'y **peut se décomposer en** « ne y » (on place l'apostrophe par euphonie). « n' » est la première partie de la négation. « y » est un pronom adverbial ou personnel.
Il n'y a rien à dire : le TGV est bien le plus rapide des trains.

3. Il ne faut pas confondre si et s'y
– si, **adverbe** ou **conjonction de subordination**, peut être remplacé par un autre adverbe ou une autre conjonction de subordination.
Lorsque tu veux tracer un cercle si petit, prends un compas.
Si tu veux tracer un cercle très petit, prends un compas.
– s'y **peut se décomposer en** « se y » (on place l'apostrophe par euphonie). « s' » fait partie d'un verbe pronominal. « y » est un pronom adverbial ou personnel. On peut remplacer « s'y » par « m'y » ou « t'y » en conjuguant le verbe.
Le CDI est fermé ce matin, Bertrand s'y rendra cet après-midi.
Le CDI est fermé ce matin, je m'y rendrai cet après-midi.

Voir « Les propositions subordonnées conjonctives », pp. 244-245.

336 **Copiez les phrases en complétant avec ou ou où.**

Au moment … la sonnerie retentit, nous n'avions pas terminé l'exercice. – En vacances, j'emporte toujours deux … trois boîtes de médicaments, on ne sait jamais ! – … ai-je bien pu ranger mon classeur ? – M. Morel perce un trou là … il veut accrocher un miroir. – Ces traces sont celles d'un serval … d'un guépard. – Mme Doury adore la véranda … elle place de nombreuses plantes vertes. – Les véhicules qui roulent à l'éthanol … au gaz liquéfié sont plus économiques. – À l'heure … tout le monde possède un portable, ma grand-mère reste fidèle à son téléphone fixe. – Pour payer ses achats, Mireille sortira sa carte bancaire … son carnet de chèques.

Copiez les phrases en complétant avec si ou s'y.

Personne ne reconnaîtra Carine … elle porte un masque le jour du carnaval. – Dans la cave, l'obscurité est pratiquement totale, mais lorsque l'œil … est habitué, on peut distinguer quelques objets sur le sol. – Cette route de montagne est … étroite que deux voitures ne peuvent se croiser ; l'une des deux doit reculer. – Le château fort était imprenable et les paysans … réfugiaient en cas de danger. – … la dent de Nourdine est cariée, le dentiste la soignera. – Claudia n'est pas surprise de votre refus de l'accompagner ; elle … attendait.

338 **Copiez les phrases en complétant avec ni ou n'y.**

Il … a eu … joueur blessé … arrêt de jeu ; il … aura donc pas une minute de temps additionnel. – Comme je n'ai pas cours le mardi après-midi et que la file d'attente devant le self est toujours importante, je … déjeune jamais. – Cette salade de fruits se suffit à elle-même, n'ajoutez … sucre … crème fraîche. – Les volcans d'Auvergne vont-ils se réveiller dans les prochaines années ? Aucun vulcanologue … croit. – Le camion est coincé sur le parking, il ne peut … avancer … reculer. – L'hôtel dans lequel M. Benoît a passé la nuit n'était pas vraiment confortable ; il … retournera pas.

339 **Copiez les phrases en supprimant les répétitions comme dans l'exemple.**

Ex. : *La souris se faufile dans un trou et se cache dans un trou.*
→ *La souris se faufile dans un trou et s'y cache.*

Comme le glacier est crevassé, la cordée ne s'engage pas sur le glacier. – Les glaces du Groenland fondent inexorablement ; les scientifiques se rendent au Groenland pour en chercher les causes. – Les eaux du lac Léman sont calmes ; le château de Chillon se mire dans les eaux du lac Léman pour le plus grand plaisir des touristes. – Certains sont des habitués des salles de jeux des casinos ; malheureusement ils se ruinent dans les salles de jeux des casinos. – Le fakir pose sa planche cloutée devant les badauds et il s'allonge sur sa planche cloutée. – Les bords de Loire offrent des vues splendides, Claire se promène sur les bords de Loire chaque dimanche. – Ludovic a longtemps fréquenté un club de théâtre, mais, depuis le début de l'année, il ne se rend plus au club de théâtre.

340 **Copiez les phrases en supprimant les répétitions comme dans l'exemple.**

Ex. : *Au Sahara, il ne pleut qu'exceptionnellement au Sahara.*
→ *Au Sahara, il n'y pleut qu'exceptionnellement.*

T'engager pour cette régate sans un minimum d'expérience en matière de pilotage d'un voilier, tu ne songes pas à t'engager pour cette régate. – Dans cette pièce surchauffée, on ne respire qu'avec difficulté dans cette pièce surchauffée. – Sur ces terres arides, il ne pousse rien sur ces terres arides. – Dans son casier, Vanessa ne dépose dans son casier que les livres dont elle n'a pas besoin. – Dans leur vaisseau spatial, les cosmonautes ne disposent que de très peu d'espace dans leur vaisseau spatial.

 itation _____

C'est décourageant le sable. Rien n'y pousse. Tout s'y efface.
(**James Joyce**, *Ulysse*)

ma – m'a – m'as // ta – t'a // ton – t'ont

Le surveillant t'a demandé d'inscrire ton nom et le motif de ta requête, puis il m'a dit de faire de même en ajoutant ma date de naissance.

RÈGLE

1. Ne pas confondre m'a(s) – ma

– m'a – m'as **sont les contractions de** « me a – me as ». m' est la forme élidée du pronom personnel réfléchi me a – as sont les formes du verbe *avoir* aux 3ᵉ et 2ᵉ personnes du singulier du présent de l'indicatif. On écrit m'a – m'as quand on peut remplacer ces formes par m'avait (m'avais) en conjuguant le verbe.

Lisa *m'a* téléphoné.   Lisa *m'avait* téléphoné.
Tu *m'as* téléphoné.   Tu *m'avais* téléphoné.

– ma est un **déterminant possessif féminin**. Il peut être remplacé par un autre déterminant possessif.

Je regagne *ma* place.   Tu regagnes *ta* place.   Elle regagne *sa* place.

2. Ne pas confondre t'a – ta

– t'a, **contraction de** « te a ». t' est la forme élidée du pronom personnel réfléchi te. a est la forme du verbe *avoir* à la 3ᵉ personne du singulier du présent de l'indicatif. On écrit t'a quand on peut le remplacer par t'avait en conjuguant le verbe.

Aurélie *t'a* téléphoné.   Aurélie *t'avait* téléphoné.

– ta, **déterminant possessif féminin**, peut être remplacé par un autre déterminant.

Tu regagnes *ta* classe.   Aurélie regagne *sa* classe.

3. Ne pas confondre t'ont – ton

– t'ont **est la contraction de** « te ont ». t' est la forme élidée du pronom personnel réfléchi te. ont est la forme du verbe *avoir* à la 3ᵉ personne du pluriel du présent de l'indicatif. On écrit t'ont quand on peut le remplacer par t'avaient en conjuguant le verbe.

Tes amies *t'ont* téléphoné.   Tes amies *t'avaient* téléphoné.

– ton, **déterminant possessif masculin**, peut être remplacé par un autre déterminant.

Tu regagnes *ton* groupe.   Aurélie regagne *son* groupe.

Voir « Les déterminants », pp. 222-223.

341 **Copiez les phrases en complétant par un déterminant possessif qui convient.**

Les numéros de … wagon et de … place sont inscrits sur le billet du TGV. – Je branche … ordinateur car je dois enregistrer … rédaction. – … habileté au tir à l'arc te permet de remporter le tournoi ; … victoire est récompensée par une médaille. – Je ne suis pas à l'aise sur ce cheval, car … selle est mal fixée. – Pour piloter … vélomoteur, tu n'oublies jamais de porter … casque.

Copiez les phrases en complétant par m'a, m'as **ou** ma.

J'ai porté … montre chez le bijoutier ; il … assuré qu'elle serait réparée dans une semaine. – Norbert n'avait qu'un sac très léger, alors il … aidé à porter … lourde valise. – Le surveillant … prié de renouveler … demande de certificat de scolarité. – Quand tu … appelé, je lisais dans … chambre. – Cet après-midi, le dentiste … arraché une dent cariée ; ce soir, … mâchoire est encore douloureuse. – Tu … recommandé ce film, mais il … déçu ; il était trop long. – Sur la clé USB que mon parrain … offerte, je peux enregistrer des centaines de photographies. – J'ai perdu un bouton de … chemise. – Le professeur … demandé de rédiger le compte rendu de la dernière réunion du foyer des élèves ; je me suis acquitté de … tâche avec sérieux.

 Copiez les phrases en complétant par t'a **ou** ta.

Cette longue répétition … fatiguée ; tu reposes … flûte avec soulagement. – Tu as terminé ton repas et tu plies … serviette. – Le maître nageur … vu en difficulté et il … prié de ne pas t'éloigner au-delà des bouées. – Mercredi tu as gardé… petite nièce ; elle … dessiné un joli paysage pour te faire plaisir. – Le télésiège … transporté au sommet des pistes. – Tu as chuté dans la cour et … jambe te fait souffrir ; l'infirmière du collège … soigné. – Marianne … contacté pour que tu lui prêtes … raquette de tennis ; elle a cassé les cordes de la sienne. – Avant l'embarquement, tu as présenté … carte d'identité au douanier qui … fouillé, comme tous les autres voyageurs, par mesure de sécurité.

 Copiez les phrases en complétant par t'ont **ou** ton.

Les crocodiles … fait si peur que tu as laissé tomber … appareil photo. – Les hirondelles … effleuré le visage ; elles en voulaient à … pain au chocolat. – Pourquoi les professeurs …-ils convoqué ? – Tu étais sûr de … argument, mais ceux avancés par tes camarades … fait douter. – Au self, … badge n'a pas fonctionné, mais les cuisiniers … néanmoins servi. – … exposé sur le réchauffement climatique était très documenté et tous tes camarades, ainsi que le professeur de SVT, … félicitée. – Les questions … paru simples et tu as rendu … devoir bien avant la fin de l'examen. – Certains de tes amis … aperçu alors que tu essayais … nouveau cerf-volant sur la plage du Touquet.

345 **Copiez les phrases en complétant par** t'a, ta, t'ont **ou** ton.

Tu te souviens de … première séance de patinage ; … monitrice te donnait la main car tu perdais … équilibre. – Sans … détermination, tu n'aurais pas pu terminer … travail, et pourtant personne ne … aidé. – … père … aménagé un petit atelier dans le garage ; tu vas pouvoir te livrer à … passion et perfectionner … dernière invention : un moulin à poivre électrique ! – Les bandes dessinées que tu as lues dans … jeunesse … laissé un souvenir que tu n'es pas près d'oublier. – Les délégués de la classe … donné ta moyenne ; tu es satisfait car elle a augmenté.

*C*itation ─────────────────────────────────

Je veux que chaque laboureur de mon royaume puisse mettre la poule au pot le dimanche. (**Henri IV**, roi de France)

52ᵉ
Leçon

dans – d'en //
sans – s'en – sent – sens

Dans les circonstances difficiles, sans un peu de sang-froid, on ne s'en sort pas.

RÈGLE

1. Ne pas confondre dans – d'en

– dans, **préposition, marque** généralement **le lieu** ou **le temps**.
Dans un mois, le film de James Bond sortira dans toutes les salles.

– d'en, **contraction de** « de en ». « d' » **est la forme élidée de la préposition** « de ». « en » **est un pronom personnel, un pronom interrogatif ou un adverbe. On écrit** d'en **quand on peut le remplacer par** de (d').
Les cigognes se font rares, pourtant Juliette vient d'en apercevoir.
Les cigognes se font rares, pourtant Juliette vient d'apercevoir un vol.

2. Ne pas confondre sans – s'en – sent – sens

– sans, **préposition qui marque l'absence**, le manque, la privation, est souvent le contraire de la préposition avec.
L'autobus se rend à Caen sans un arrêt.   Il répond sans bafouiller.
• On écrit sans quand on peut le remplacer par avec, ou quelquefois sinon, pour, en dans certaines expressions.
L'autobus se rend à Caen avec un arrêt.   Il répond en bafouillant.

– s'en **est la contraction de** « se en ». « s' » **est la forme élidée d'un pronom personnel réfléchi** se. « en » **est un pronom adverbial.**
Demain, ce sont les vacances ; Hugo s'en réjouit.
• On écrit s'en quand on peut le remplacer par m'en ou t'en.
Demain, ce sont les vacances ; je m'en réjouis.

– sens, sent sont les formes du **verbe** sentir **aux trois personnes du singulier du présent** de l'indicatif. On écrit sens ou sent quand on peut les remplacer par une autre forme du verbe sentir.
Jean sent venir la fatigue.   *Jean sentait venir la fatigue.*
Je sens venir la fatigue.   *Tu sentiras venir la fatigue.*

Voir « Les prépositions », pp. 228-229 et « Les pronoms », pp. 230-231.

346 **Copiez les phrases en complétant avec** dans **ou** d'en.

Les pêches qui se trouvent ... la corbeille de fruits semblent savoureuses ; j'ai envie ... manger une. – L'haltérophile parvient, ... un ultime effort, à soulever une barre de cent cinquante kilos. – Les bûcherons recherchent les arbres sur lesquels figure une marque rouge ; ils viennent déjà ... abattre cinq. – La voiture est ... le fossé ; la dépanneuse arrivera ... dix minutes pour la sortir de ce mauvais pas. – Ce sirop d'orgeat est très concentré ; il suffit ... mettre quelques gouttes dans un verre d'eau pour obtenir une délicieuse boisson. – Ces perles sont précieuses ; il ne s'agit pas ... perdre en cassant le collier.

Copiez les phrases en complétant avec dans **ou** d'en.

Vos textes vont être imprimés ; il convient donc … écarter les quelques erreurs que vous auriez pu laisser. – L'imprésario reste … les coulisses pendant le tour de chant de Patricia Kaas. – Le peintre a posé son chevalet … un champ de lavande. Il essaiera … rendre les couleurs ; pour le parfum, ce sera plus difficile ! – Le cosmonaute dispose d'une réserve d'oxygène … son scaphandre. – Cette eau n'est pas potable ; il est dangereux … boire. – Le défenseur italien a commis une faute … la surface de réparation ; le penalty est indiscutable. – La frêle embarcation a disparu … les remous du torrent. – Si tu veux dormir tranquille sous ta tente, il serait bon … chasser tous les moustiques.

 Copiez les phrases en complétant avec sans **ou** s'en.

Ce concert fut un événement exceptionnel ; chacun … souviendra. – Le chirurgien ne réduira pas cette fracture … une petite intervention et la pose d'un plâtre. – Le corbeau … veut d'avoir cédé aux flatteries du renard. – Une pièce … rideaux est peut-être plus lumineuse, mais beaucoup moins intime. – Le boucher possède une douzaine de couteaux de toutes les tailles ; il … sert pour désosser les carcasses. – M. Claret essaie de réparer la pompe de la machine à laver : … résultat dans l'immédiat. – Lorsqu'on a fait une bêtise, il est parfaitement inutile de … vanter. – Certains chefs dirigent l'orchestre … baguette. – Le pharmacien a écarté les champignons vénéneux ; vous dégusterez les autres … risque. – … se décourager, le savant a poursuivi ses recherches et, … … douter, il a fait une découverte intéressante.

 Conjuguez les verbes de ces expressions au présent de l'indicatif.

s'en aller **sans se retourner**   s'en apercevoir **au dernier moment**
s'en sortir **sans une égratignure**   s'en tenir **à la première décision**
sentir **le froid du dehors**   sentir **son cœur battre**
ne pas sentir **la fatigue**   se sentir **en pleine forme**

350 **Copiez les phrases en complétant avec** sans, sens, sent **ou** s'en.

Le professeur ne se … pas d'humeur à plaisanter au sujet des notes du dernier contrôle ; les résultats ne sont pas bons. – Le conducteur écoutait la radio et, … … rendre compte, il a dépassé la sortie n° 25. – Une voiture de plus de quatre ans ne peut pas rouler … un passage au contrôle technique. – Je … la brise matinale à travers mon anorak. – En pleine saison des asperges, il … vend des centaines de bottes dans ce supermarché. – On ne s'aventure jamais dans le désert … une importante réserve d'eau. – Le civet de lièvre … le thym et le laurier ; nous avons tous l'eau à la bouche. – Je … que la chaleur va persister encore quelques jours. – Tu ne te … pas le courage de monter au dixième étage en prenant l'escalier. – On dit qu'un oiseau … le danger bien avant que les premières secousses d'un tremblement de terre se fassent sentir.

Citation _____

La plus grande, la plus importante, la plus utile règle de toute éducation, ce n'est pas de gagner du temps, c'est d'en perdre.
(**J.-J. Rousseau**, *Émile ou de l'Éducation*)

53ᵉ Leçon
quelque(s) – quel(s) que quelle(s) que

Quelle que soit ta taille, il y a *quelques* modèles de robes pour toi.

RÈGLE

Ne pas confondre quelque(s) – quel(s) que – quelle(s) que

I. quelque(s) est un **déterminant indéfini** qui s'écrit en un seul mot. Il ne s'accorde qu'en nombre.

Veux-tu quelque chose?   *Carole me dit quelques mots.*

2. quel(les) que s'écrit en deux mots. « quel(les) » est un **adjectif indéfini attribut** et « que » une **conjonction de subordination**.

Quel que soit l'itinéraire, nous le suivrons.

Dans ce cas, quel s'accorde avec le sujet qui se trouve après le verbe *être* au présent du subjonctif.

Quelle que soit la direction, nous la suivrons.

3. quelque est **un adverbe** lorsqu'il se trouve **placé devant un adjectif**; il est donc **invariable**.

Quelque illustres que soient ces savants, ils n'en sont pas moins modestes.

On peut le remplacer par un autre adverbe.

Aussi illustres que soient ces savants, ils n'en sont pas moins modestes.

• **Pour ne pas confondre l'adverbe et le déterminant** placé devant un adjectif, on essaie de supprimer l'adjectif; si la suppression est possible, quelque est en rapport avec le nom, donc il s'accorde.

Quelques illustres savants recherchent un vaccin contre le sida.

Quelques savants recherchent un vaccin contre le sida.

Voir « Le présent du subjonctif », pp. 172-173.

 Copiez les phrases en complétant avec quelque **ou** quelques.

À Fort Alamo, … Américains ont résisté vaillamment à une imposante armée mexicaine. – Les randonneurs sont restés … heures au refuge, en attendant que le temps se dégage. – Il ne reste que … exemplaires de cette revue sur les rayons du CDI. – M. King a un avis sur … sujet qui puisse se présenter dans la conversation. – As-tu trouvé … chose au fond de ton casier? – Ces élèves ont … peine à fixer leur attention pendant plus d'une demi-heure.

352 **Copiez les phrases en écrivant les noms en bleu au pluriel et accordez.**

Quelque modeste initiative que prenne Lucas, il réussit. – Quelque chanceux qu'il soit, ce joueur ne gagnera pas une seule partie. – Quelque discrète que soit cette personne, elle ne passera pas inaperçue. – Quelque lointain voyage que vous envisagiez, il vous faudra obtenir un visa. – Quelque perfectionné qu'apparaisse ce portable, il doit être rechargé assez souvent. – Quelque difficile que soit cette énigme, tu trouveras la réponse. – Quelque bonne intention que tu aies, l'aventure s'annonce périlleuse.

353 **Copiez les phrases en complétant avec** quelque(s), quel(s) que **ou** quelle(s) que.

Cette voiture ancienne se trouve dans … garage isolé ; elle n'est pas encore réparée ! – Parmi les … DVD restants, Samuel en choisira un qui présente … intérêt. – … soit la question, M. Charriez a toujours une réponse, mais rarement la bonne ! – Malgré l'interdiction, … véhicules circulent sur la bande d'arrêt d'urgence ; c'est une infraction d'une extrême gravité. – Élise se baignera-t-elle … soit la température ? – Le nombre d'élèves de notre collège a … peu augmenté ces dernières années. – … soit le résultat de ce match, Bordeaux restera en tête du championnat.

354 **Copiez les phrases en complétant avec** quelque(s), quel(s) que **ou** quelle(s) que.

On aperçoit … conifères au milieu de ce massif. – … soient les bienfaits de ce médicament, il ne faut pas l'administrer aux enfants de moins de dix ans. – … inoffensifs que paraissent ces oursons, il faut s'en méfier ; un coup de griffe est si vite donné. – Dans sa collection, M. Constant possède … timbres rares de Nouvelle-Zélande. – … vieux meubles datant de l'époque Louis-Philippe sont exposés dans ce magasin d'antiquités. – … soient les conditions météorologiques, l'avion décollera. – … soit le prix de ce logiciel, M. Nasri en fera l'acquisition.

355 **Copiez les phrases en remplaçant les noms en bleu par ceux entre parenthèses et accordez.**

Quel que soit le temps (saison), les avions décolleront grâce aux instruments perfectionnés qui se trouvent à bord. – Quels que soient les effets (causes) du réchauffement de la planète, nous sommes tous concernés. – Les instituts de sondage s'intéressent à l'avis (opinion) des citoyens, quel qu'il soit. – Quel que soit ton résultat (performance), ta qualification est assurée pour la finale des championnats d'académie de natation. – … fonctionnel que soit cet appartement (pièce), il n'en demeure pas moins très sombre. – Quel que soit le programme (émission) de ce soir, je ne le regarderai pas. – Quelque agile que soit le trapéziste (la trapéziste), il ne parvient pas à s'accrocher aux bras de son partenaire suspendu au-dessus du filet.

356 **Copiez les phrases en complétant avec** quelque(s), quel(s) que **ou** quelle(s) que.

Le shérif serait-il tombé dans … piège tendu par les voleurs de chevaux ? – … soient vos goûts, je suis certaine que ces … gâteaux vous plairont. – Le blessé a pu prononcer … mots qui ont permis d'arrêter le chauffard qui l'avait renversé. – Dans … cathédrales romanes, on peut encore admirer des fresques originales. – … soit le niveau de l'eau, les péniches pourront emprunter ce canal. – Sur toutes ces chaises, seules …-unes sont en bon état.

Citation _____

Quel que soit ton conseil, qu'il soit bref. (**Horace**)

sa – ça – çà //
la – là – l'as – l'a

La solution de ce problème-là, tu l'as enfin trouvée ; mais ça n'a pas été facile. Heureusement que Damien t'a prêté sa calculatrice.

RÈGLE

1. Ne pas confondre sa – ça – çà
– sa, **déterminant possessif**, peut être remplacé par un autre déterminant.

Justine plie sa serviette.   Justine plie son drap.   Justine plie ses serviettes.
– ça, **pronom démonstratif**, peut être remplacé par cela ou ceci.

Les fruits, Yvon aime ça.   Les fruits, Yvon aime cela.
– çà, **adverbe de lieu**, ne se rencontre que dans l'expression « çà et là » où il signifie ici.

On remarque, çà (ici) et là, des traces de boue.

2. Ne pas confondre la – là – l'as – l'a
– la est **un article défini** ou **un pronom personnel**. Il peut être remplacé par un autre article ou un autre pronom personnel.

La valise a des roulettes ; c'est plus pratique pour la transporter.
Le sac a des roulettes ; c'est plus pratique pour le transporter.

– là est **un adverbe de lieu**. Il peut souvent être remplacé par ici.

Je ne retrouve plus mon classeur, pourtant je l'avais posé là.
Je ne retrouve plus mon classeur, pourtant je l'avais posé ici.
Remarques :
– là est parfois accolé à un pronom démonstratif. On peut alors le remplacer par ci.

Cette place-là est-elle libre ?   Cette place-ci est-elle libre ?

– l'as – l'a sont **les contractions** de « le as » et « le a ». « l' » est la forme élidée du pronom personnel « le » ou « la ». « as », « a » sont les formes du verbe *avoir* aux 2ᵉ et 3ᵉ personnes du singulier du présent de l'indicatif. On peut remplacer l'as par l'avais et l'a par l'avait.

Ce film, l'as-tu vu ?   Ce film, l'avais-tu vu ?
Cette émission, l'a-t-il vue ?   Cette émission, l'avait-il vue ?

Voir « Le participe passé employé avec l'auxiliaire *avoir* », pp. 90-91.

---

357 **Copiez les phrases en complétant avec** sa, ça **ou** çà.

Le comportement violent de ce sportif a terni … réputation ; on ne devrait jamais voir … sur un terrain. – Un accident, … n'arrive pas qu'aux autres ; il faut maîtriser … vitesse en toutes circonstances. – La discussion est vive entre Delphine et … sœur au sujet du choix du programme de télévision, mais tout … n'est pas bien grave et … finira bien par s'arranger. – Richard a versé du chocolat chaud sur … crème glacée ; il adore … .

Copiez les phrases en complétant avec la ou là.

Piloter un avion de ligne n'est pas à … portée de tout le monde ; pour ce métier-…, il faut avoir une bonne vue. – Voltaire vivait au XVIIIe siècle ; en ce temps-… … France était une monarchie absolue. – … sœur de Samuel n'a pas assez travaillé ; de … vient son échec au brevet des collèges. – Vous monterez au dernier étage de … tour Montparnasse et de …-haut vous verrez tout Paris. – Claudine n'est pas encore une virtuose du violon ; loin de … ! – En passant par …, vous éviterez de traverser … rue Lamartine où … circulation est toujours très dense. – Aurélie ira voir son amie Edwige à … fin de la semaine, mais d'ici …, elle lui enverra un SMS de confirmation.

 Copiez les phrases en complétant avec la, l'as ou l'a.

Ta mère a sorti l'aspirateur et tu … passé dans … chambre. – … scène où le Bourgeois gentilhomme apprend à danser, ce comédien … jouée des centaines de fois. – Cette facture, M. Lorenzi … réglée avec sa carte bancaire. – Tu as bu … limonade et tu … trouvée trop sucrée. – Si … maître nageuse te tend … perche, saisis-… sinon tu vas te fatiguer. – … barrière était haute, mais le cheval … franchie sans … heurter. – Giorgio reste attaché au pays qui … vu naître ; il y passe toutes ses vacances. – … blessure était superficielle et tu … désinfectée avec un peu d'eau oxygénée.

 Copiez les phrases en remplaçant les noms en bleu par ceux entre parenthèses et faites les transformations nécessaires.

Le foyer (cafétéria) des élèves est ouvert pendant la récréation ; beaucoup le fréquentent régulièrement. – Comme son collier (gourmette) la gêne pour se laver, Francine le quitte. – Le lampadaire (lampe) n'éclaire pas toute la pièce, aussi le déplaces-tu légèrement. – Son troisième saut (tentative), le perchiste le réussit en effleurant légèrement la barre. – Lorsque tu termines ton travail (rédaction), tu le relis pour qu'il ne reste aucune faute. – Si la rivière en crue menaçait d'emporter le canot (barque), le batelier le sortirait de l'eau.

361 **Transformez les phrases selon l'exemple pour supprimer les répétitions. Attention aux accords des participes passés.**

> Ex. : *Tu as une belle montre ; où as-tu acheté cette belle montre ?*
> → *Tu as une belle montre ; où l'as-tu achetée ?*

Dorlorès cherchait vainement la solution du problème ; soudain, elle a trouvé la solution du problème en traçant la diagonale du rectangle. – Cet international s'est blessé avant la Coupe du monde ; il ne jouera pas la Coupe du monde et il regardera la Coupe du monde à la télévision. – On peut dire que l'Amérique, Christophe Colomb a découvert l'Amérique un peu par hasard. – La machine à vapeur a révolutionné les transports ; savez-vous qui a inventé la machine à vapeur ? – Le séjour de Magali au château de Chenonceau s'est bien déroulé ; elle a photographié le château de Chenonceau sous tous les angles.

 itation

Les épines, ça ne sert à rien, c'est de la pure méchanceté de la part des fleurs !
(**A. de Saint-Exupéry,** *Le Petit Prince*)

peux – peut – peu

Le loto peut faire votre fortune ; pour cela, il vous faudra un peu de chance, et même beaucoup !

RÈGLE

Ne pas confondre peux – peut – peu
– peux – peut sont les **formes du verbe** *pouvoir* aux personnes du singulier du présent de l'indicatif. On écrit peux ou peut quand il est possible de les remplacer par une autre forme du verbe *pouvoir*.

Je *peux* continuer.	Je *pouvais* continuer.	Je *pourrai* continuer.
Tu *peux* continuer.	Tu *pouvais* continuer.	Tu *pourras* continuer.
Lisa *peut* continuer.	Lisa *pouvait* continuer.	Lisa *pourra* continuer.

• Seule la recherche du sujet permet de distinguer peux et peut.

– peu est **un adverbe de quantité**. On écrit peu quand il est possible de le remplacer par beaucoup (ou quelquefois par très).
Ce fromage contient peu de matières grasses.
Ce fromage contient beaucoup de matières grasses.
Ce fromage est peu salé.   *Ce fromage est très salé.*

• Lorsque peu est précédé de un, c'est l'ensemble un peu qui se remplace par beaucoup ou bien.
Ce fromage contient un peu de matières grasses.
Ce fromage contient beaucoup de matières grasses.
Ce fromage est un peu salé.   *Ce fromage est bien salé.*

Remarque :
• Il ne faut pas confondre l'adverbe *peut-être* (qui s'écrit avec un trait d'union) et le groupe formé par le verbe *pouvoir* conjugué et l'infinitif *être* (qui ne prend pas de trait d'union).
Cathy est peut-être surprise par ta réaction.
Cathy peut être surprise par ta réaction.

Voir « Les adverbes », pp. 246-247.

---

362 **Copiez les phrases en complétant avec peut ou peu.**

Un ... ému, un ... tremblant, le candidat se présente devant le jury, et il ne ... pas répondre à la moindre question. – Avec un ... plus de concentration, le sauteur ... franchir la barre posée à 2,30 mètres. – Dépannée rapidement par le mécanicien du garage voisin, Mme Odin ... reprendre la route. – ... à ... les témoignages arrivent à la gendarmerie, on finira bien par identifier le voleur. – Ce tableau abstrait ... plaire aux amateurs d'art moderne. – Comme ton écriture est très serrée, il y a ... de place pour les annotations du professeur. – Quand elles sont fraîches, on ... dire qu'il n'y a rien de meilleur qu'une douzaine d'huîtres. – Après le repas de midi, nous nous reposerons un ... sur les bancs de la cour du collège.

Conjuguez les verbes de ces expressions au présent de l'indicatif.

pouvoir surmonter sa déception   pouvoir rencontrer son idole
pouvoir chanter un peu plus haut   pouvoir accomplir un exploit

 Copiez les phrases en complétant avec les expressions suivantes.
(Vous pouvez en chercher le sens dans un dictionnaire.)

peu à peu – sous peu – pour un peu – peut-être – depuis peu – un peu mieux

Depuis qu'il a cessé de fumer, M. Cluzel ne tousse plus et il respire … . – Richard s'exerce au piano deux heures par jour ; … il se prendrait déjà pour un virtuose. – Sonné, le boxeur reprend … ses esprits ; son adversaire est déclaré vainqueur. – Ce manuscrit, retrouvé dans une brocante, est … un roman inédit d'Émile Zola. – L'architecte a terminé les plans et les travaux débuteront … . – Les appartements de cet immeuble sont reliés … au réseau câblé de télévision.

365 **Copiez les phrases en complétant avec** peux, peut **ou** peu.

Quand on a la conscience tranquille, on … dormir en paix. – Il y a … de Scandinaves qui ne parlent que leur langue maternelle. – Avec cet ordinateur, je … consulter Internet à tout moment. – Cette impasse mal éclairée est … fréquentée. – Je ne … pas vous répondre pour l'instant, mais je le ferai plus tard ; un … de patience ! – …-tu diviser deux nombres décimaux sans calculatrice ? – Les cassettes vidéo de ce film ont été proposées … après sa sortie en salle. – Ce banc est un tant soit … bancal ; ne vous asseyez pas.

366 **Copiez les phrases en complétant avec** peux, peut **ou** peu.

La boule de Thomas est près du cochonnet, mais avec un … d'adresse, tu … reprendre le point et nous gagnerons la partie. – N'oublie pas de verser un … de jus de citron sur les haricots. – Je serai un … en retard ; …-tu prévenir le surveillant ? – La péniche ne … pas emprunter ce canal, son gabarit est trop important. – Avec la sécheresse, la récolte de fraises … être compromise. – M. Frantz prend soin du … de cheveux qu'il lui reste. – M. Calmat est un … magicien ; il … sortir un lapin de son chapeau. – Il fait un … froid dans ma chambre, heureusement que je … me blottir sous la couette.

367 **Copiez les phrases en écrivant les noms en bleu au singulier et accordez.**

Les baleines peuvent rester plus de trente minutes en apnée. – Je suis bien certaine que les vendeurs peuvent me consentir une importante réduction sur cet article un peu rayé. – Les chiens peuvent entendre des sons que des humains ne peuvent pas percevoir. – Les tortues marines peuvent pondre une centaine d'œufs qu'elles enterrent sous un peu de sable. – Des paroles blessantes peuvent offenser les personnes sensibles ; il faut toujours mesurer ses propos. – Ces chalets peuvent accueillir plusieurs groupes de jeunes. – Avec cet élévateur, les déménageurs peuvent atteindre les étages supérieurs.

 itation

Entre trop et trop peu est la juste mesure. (**Gilles de Noyers**, *Proverbia gallicana*)

Révisions ....

 Copiez les phrases en remplaçant « faire » », « faites » ou « fait » par un des verbes du 1ᵉʳ groupe de cette liste que vous écrirez comme il convient. (leçon 39)

nettoyer – peser – provoquer – composer – rédiger – décider – dessiner

La montée des eaux a fait des dégâts considérables ; la récolte de colza est compromise. – Cette valise est pleine ; elle doit bien faire trente kilos. – Violaine a fait un bouquet d'iris. – Pour faire ton exposé, tu as utilisé un traitement de texte. – Camille ne veut rien faire avant d'avoir étudié toutes les solutions possibles. – Mélanie a fait sa chambre avant de recevoir ses amies. – Si vous faites un faux numéro de téléphone, personne ne répondra.

 Copiez les phrases en les complétant par i, -it, -u ou ut. Accordez. (leçon 40)

Le petit voilier dispar... à l'horizon ; Jean Marchand était part... pour un tour du monde sans escale. – Quand l'acteur par..., le photographe le poursuiv... mais il ne parvint pas à prendre un seul cliché. – Quelle est la distance parcour... par ce véhicule en six heures ? – Les marchandises vend... en soldes ne seront ni reprises ni échangées. – Épuisé, le coureur polonais d... s'arrêter pour reprendre son souffle. – Une fois le portail franch..., Léopold s... qu'il ne pourrait pas revenir sur ses pas. – Guér..., le malade a ten... à remercier les médecins avant de quitter l'hôpital. – Je n'ai pas attend... l'autobus très longtemps. – Un accord concl... la transaction entre le fabricant et le négociant ; chacun se retira satisfait.

 Copiez les couples de phrases en complétant avec des verbes et des noms homonymes. (leçon 41)

Vous ... des tours de magie.
Le coucou s'installe dans un ... .
La ... est entourée d'une bogue verte.
M. Barbet ... un garage.
Tu t'es coupé : le ... coule.
Les salades sont cultivées sous la ... .
Le bébé ... à ses parents.

Dimanche, c'est la ... du quartier.
Tu ... être l'auteur de cette erreur.
Ils se ... dans un verre d'eau.
Le ... dévore parfois les moutons.
En juillet, on ... l'odeur de lavande.
Un marteau ... à planter des clous.
La minuscule ... échappe au matou.

371 **Copiez les phrases en remplaçant l'infinitif entre parenthèses par le participe présent ou l'adjectif verbal que vous accorderez.** (leçon 42)

Le motard, toutes sirènes (hurler), précède l'ambulance. – Possédé par son rôle, le comédien prononce les dernières paroles de Cyrano de Bergerac d'une voix (mourir). – En (croire) bien faire, tu as renversé le vase de fleurs. – Lorsqu'il voyageait à pied, Jean-Jacques Rousseau trouvait parfois une auberge (accueillir) sur sa route. – En (éteindre) la lumière lorsque vous sortez, vous économiserez de l'énergie. – L'expérimentation a donné des résultats (satisfaire), la fabrication des vaccins peut débuter. – En (sortir) du supermarché, les clients cherchent leur voiture sur l'immense parking. – La pâte (être) suffisamment (consister), le pâtissier prépare le cake aux raisins.

372 **Copiez les phrases en complétant avec** es, est, et, ai, aie, ait **ou** aient. (leçon 43)

De peur que la caravane n'… pas assez d'eau pour traverser le désert, un arrêt à la prochaine oasis … prévu. – Il se peut que j'… de la fièvre, car j'… le front brûlant … les jambes toutes molles. – J'… bouclé ma ceinture de sécurité ; c'… une bonne protection en cas de choc frontal. – Avant que les hommes … découvert la manière de préparer un feu, il était conservé dans de petites cages que les tribus adverses cherchaient à voler. – Il … possible que l'orage … endommagé l'antenne qui … placée sur le toit de l'immeuble. – Tu … sur le point de trouver la cause de l'arrêt de ton imprimante … tu regrettes que tes cartouches … duré aussi peu de temps.

373 **Complétez les phrases avec** tout, toutes, tous **ou** toutes. (leçon 44)

Pourquoi … les billets de banque portent-ils un numéro ? – Ces fleurs se fanent très vite ; … ses pétales jonchent le plancher de la salle à manger. – Les coureurs sont … près de l'arrivée et ils commencent à s'observer en vue du sprint final ; … espèrent franchir la ligne en vainqueur. – Ces livres sont … récents ; les avez-vous lus ? – Contre … évidence, Clotilde persiste à affirmer que … les oiseaux volent ; ne sait-elle pas que les autruches se contentent de courir, très vite d'ailleurs ? – Les carreaux de la salle de bains sont … bleus ; ils s'harmonisent très bien avec le lavabo et la baignoire. – Les combles de cette maison sont … aménagés ; chacun des enfants a sa chambre. – Mme Leray se rend chez la coiffeuse … les semaines et, chaque fois, elle en ressort … frisée. – Ces biscuits sont restés trop longtemps à l'humidité ; ils sont … mous. – À l'occasion des fêtes de fin d'année, les rues de la ville sont … illuminées.

374 **Copiez les phrases en complétant avec** quels(s), quelle(s) **ou** qu'elle(s). (leçon 45)

Marie est curieuse, elle fait des recherches sur tout ce … ne connaît pas. – Dans … tiroir as-tu rangé tes chaussettes ? – … est la vedette du gala de patinage ? – À … heure devez-vous prendre votre train ? – Sophie est très discrète, j'ignorais … avait un frère qui fréquente le lycée. – La cuisinière retourne les pintades … a farcies afin … cuisent lentement. – Mélanie porte une robe … a assortie avec des chaussures blanches et une écharpe violette ; tout le monde s'accorde pour dire … a bon goût. – Avec la laine de … animal obtient-on l'angora ? – Dans … conditions blanchit-on les endives ?

375 **Copiez les phrases en complétant avec** ceux, ce (c') **ou** se (s'). (leçon 46)

… cerf … enfuira dès qu'il entendra les chiens lancés à sa poursuite. – Je suis parmi … qui se réjouissent de la victoire de … jeune champion ; son avenir … 'annonce prometteur. – Les mauvais résultats ne … 'oublient pas aussi facilement que … qui nous ont satisfaits. – Parmi tous les couteaux, … boucher … sert d'abord de … qui sont bien aiguisés. – Quand on aborde … carrefour, il faut laisser la priorité à … qui sont déjà engagés et ne pas …'avancer imprudemment. – Les Africains … pressent devant … dispensaire ; le médecin vaccinera d'abord … qui sont les plus fragiles et donc susceptibles d'être frappés par le paludisme.

Copiez les phrases en complétant avec sont **ou** son. (leçon 46)

Lorsque ses plantes … en fleurs, Mme Brazier les place sur … balcon. – Virginie n'est pas sûre de … raisonnement ; les calculs … peut-être faux. – Les gradins ne … pas vraiment garnis et Amélie disputera … premier match devant un public clairsemé. – Pour régler … achat, M. Extier sort … carnet de chèques. – M. Garrido a reçu les résultats de … analyse de sang : … taux de cholestérol est élevé, mais les globules rouges … en nombre suffisant. – Les pompiers … intervenus pour retirer le conducteur accidenté de … véhicule ; tout s'est bien passé et il s'en tirera avec quelques égratignures.

 Copiez les phrases en complétant avec ses, ces, sais, sait, s'est **ou** c'est. (leçon 47)

Je … que … le 1er janvier 2007 que la Roumanie a intégré l'Union européenne. – Quand une fanfare se déplace, … toute une expédition car certains instruments occupent beaucoup d'espace ; on ne … jamais où placer les tubas et l'hélicon ! – …-tu comment se développent les récifs de corail ? – Ce quartier … beaucoup transformé … dernières années ; il compte maintenant cinq mille habitants. – Ce mime est capable d'exprimer … sentiments avec un minimum de gestes ; … un spectacle assez rare. – Croyez-vous que … animaux pourront se reproduire en captivité ? – Le peintre Ernest Anglard est ravi : une galerie organisera prochainement une exposition de … œuvres. – Pour attirer les clients, … boutiques sont décorées avec goût. – Ce journaliste écrit … articles sur son ordinateur, puis il se connecte avec sa rédaction pour les transmettre dans les meilleurs délais.

 Copiez les phrases en complétant avec ont, on **ou** on n'. (leçon 48)

Quand … oublie de composter son billet, … est en infraction et … doit immédiatement prévenir le contrôleur. – Si … achète un produit à bas prix, … est pas toujours sûr de sa qualité. Ces marchandises … parfois des défauts de fabrication. – Lorsqu'… additionne des nombres décimaux, si … aligne pas les virgules, … peut commettre des erreurs de calcul. – … annonce l'arrivée d'une tornade sur le Sud de la France, … a pas vu ça depuis longtemps. – Quand … a des amis fidèles, … peut leur faire confiance ; ils … toujours de bons conseils à nous donner. – Les astronomes … repéré une nouvelle galaxie située à des millions d'années-lumière ; … imagine difficilement la distance que cela représente.

379 **Copiez les phrases en complétant avec** c'est **ou** ce sont. (leçon 49)

Ce soir, … l'anniversaire de Dalila et toutes ses amies ont décidé de lui faire un cadeau. – Ne pas s'arrêter devant le panneau « Stop », … une infraction qui peut être lourde de conséquences. – … les moines de l'abbaye de Cluny qui ont défriché les forêts de la montagne de Suin. – Le basket-ball, … un sport qui favorise les grands, même si certains joueurs de petite taille sont très adroits. – Il est certain que … les Chinois qui ont inventé la manière de fabriquer du papier.

380 Copiez les phrases en complétant avec soi, sois, soit ou soient. (leçon 49)

Quand on pêche, il faut toujours avoir près de … une épuisette, au cas où un gros poisson mordrait à l'hameçon. – Pour monter au troisième étage, tu prendras … l'ascenseur, … l'escalier. – Il est possible que tu … surpris par la question, mais je suis sûr que tu répondras. – L'employé tient à ce que le document … signé par la personne qui dépose une réclamation. – Le professeur exige que toutes les leçons … apprises par cœur. – Il se peut que le numéro 13 ne … pas attribué ; certains joueurs sont superstitieux.

381 Copiez les phrases en complétant avec ou – où. (leçon 50)

De là … je suis, j'ai une vue sur une partie des gorges du Verdon. – Les randonneurs aperçoivent un groupe de cinq … six chamois au détour d'un chemin. – En haut de la page, vous devez inscrire votre nom … simplement votre prénom. – Dans l'état … se trouve cette commode, elle est irréparable, même par un ébéniste de talent. – Dans les westerns, les chasseurs de prime poursuivent les bandits pour les ramener morts … vifs au shérif. – L'amphithéâtre … se réunissent les étudiants de 1re année est doté d'un système de vidéoprojection.

382 Copiez les phrases en complétant avec si – s'y ou ni – n'y. (leçon 50)

… tu as l'occasion de visiter une usine automobile, tu seras étonné de … voir que quelques ouvriers surveillant des centaines de robots. – Comme ce texte est écrit en petits caractères sur un papier de mauvaise qualité, … l'archiviste n'a … lunettes … loupe, il ne pourra pas le déchiffrer. – … Théodore était de bonne foi, il conviendrait qu'il … a … piège … ambiguïté dans cette question. – La cheminée du salon est … haute que, sous son manteau, un homme … tient aisément debout.

383 Copiez les phrases en complétant avec t'a, ta, t'ont ou ton. (leçon 51)

Ces nouvelles … redonné le sourire ; … visage respire la joie de vivre. – Bertrand … envoyé un SMS, mais tu n'as pas pu le lire car … messagerie était déjà pleine. – Les encouragements de ton entraîneur … permis de surmonter … petite défaillance à mi-parcours. – Quand tu as été absente, … voisine … apporté les cours tous les soirs ; cela … permis de ne pas perdre pied lors de … retour en classe. – … fourchette et …cuillère sont placées de part et d'autre de … assiette. – Tes chaussures neuves … blessé les pieds et tu as dû reprendre … paire de baskets.

384 Copiez les phrases en complétant avec dans ou d'en. (leçon 52)

Une gigantesque panne d'électricité a plongé la ville de Roubaix … l'obscurité. – Lorsque le minerai parvient à l'usine de traitement de Nouméa, il s'agit … extraire le nickel. – Combien y a-t-il de litres … un mètre cube ? – Il n'est pas facile de souffler … un clairon et … sortir des notes ! – Le héron s'est caché … les roseaux. – Tu m'as recommandé ce livre et il me tarde … lire le premier chapitre. – As-tu mis une gousse d'ail … la salade ? – Le coteau … face est noyé dans la brume. – Le spéléologue s'est engagé … un étroit boyau ; il n'est pas près … sortir !

Copiez les phrases en complétant avec sans, sens, sent **ou** s'en. (leçon 52)

Lorsque l'infirmière plante son aiguille, tu la … à peine. − … les chiffres de la combinaison, tu n'ouvriras pas ce cadenas. − Un simple café au lait au petit déjeuner, Véronique ne peut … contenter. − Dans ce fauteuil, je me … bien et je vais faire un petit somme. − On ne saute pas à la perche … placer un épais tapis pour la réception. − Ce chien de chasse … l'odeur du lapin et la suit en agitant la queue. − La discussion est vive entre les garçons ; les filles préfèrent ne pas … mêler ! − … lois et sans justice, il n'y a pas de vie sociale possible.

386 **Copiez les phrases en complétant avec** quelque(s), quel(s) que **ou** quelle(s) que. (leçon 53)

Mme Herzog a planté … dahlias dans son jardin. − Ces commerçants acceptent toutes les modalités de paiement, …'elles soient. − Comme il n'a pas le matériel adéquat, M. Blot a … peine à réparer sa tondeuse à gazon. − … vigilants que soient les médecins, l'épidémie de méningite se propage dans la vallée d'Ossau ; il faudra vacciner la population. − … rares cosmonautes ont pu fouler le sol lunaire à la suite de Neil Armstrong. − … alléchantes que soient ces occasions, il ne faut pas que M. Chardon se précipite.

387 **Copiez les phrases en complétant avec** sa, ça **ou** çà. (leçon 54)

M. Léon a trempé … ligne tout l'après-midi dans l'étang de Gibles ; il n'a pas pris un poisson, mais … l'a délassé. − Un repas avec des légumes frais, il n'y a que … de vrai ! − En cherchant, tu trouveras, … et là, des violettes. − … faisait longtemps que Mme Varrin voulait changer … voiture ; elle s'est enfin décidée. − M. Dubersten a mis … tenue de golfeur ; avec … il a l'air d'un champion ! − Mme Rodriguez a introduit … carte bancaire dans le distributeur, mais … n'a pas fonctionné. − Le facteur voulait placer l'ensemble du courrier à distribuer dans … sacoche, mais … ne tient pas.

388 **Copiez les phrases en complétant avec** là, la, l'as **ou** l'a. (leçon 54)

Si … clé n'est pas …, c'est que tu … oubliée sur ton bureau. − De … jusqu'à … prochaine station de métro, il n'y a que cent mètres. − Ne mets pas … main … ; … porte du four est brûlante. − Vous pouvez vous avancer jusque-…, vous avez encore pied. − C'est …, au fond de … galerie, que les jeunes enfants ont découvert les peintures de … grotte de Lascaux. − … sentinelle a entendu un bruit : « Qui va … ? » s'exclame-t-elle. − Tu cherches ton baladeur depuis un moment, mais il est …, devant tes yeux.

389 **Copiez les phrases en complétant avec** peux, peut **ou** peu. (leçon 55)

Les coureurs peinent car la côte est rude et ce n'est pas … dire ; le pourcentage dépasse 15 % ! − En prenant l'autoroute, le routier … gagner quatre heures sur le trajet Barcelone-Paris. − Tous ces modèles de téléphones portables se ressemblent … ou prou ; nous n'avons que l'embarras du choix. − À quelques kilomètres des côtes irlandaises, les prospecteurs trouveront …-être du pétrole. − Pourquoi fais-tu … de cas des conseils qui te sont donnés ? − La skieuse de fond connaît une sévère défaillance à un kilomètre de l'arrivée ; … s'en faut qu'elle ne soit rattrapée.

Conjugaison

Le verbe : l'infinitif, le radical, la terminaison et le groupe

Le cuisinier saisit un rouleau pour étaler la pâte pendant que le beurre fond dans le moule ; le gâteau sera savoureux.

RÈGLE

- Un verbe se compose d'un **radical** et d'une **terminaison**.
  *regard-*er – *chois-*ir – *descend-*re – *pouv-*oir
  *vous nag-*ez – *je finir-*ai – *nous descend-*ons
- On dit qu'un verbe **est conjugué** lorsque sa terminaison change. Lorsqu'il n'est **pas conjugué**, le verbe se présente sous une **forme neutre** : l'infinitif. C'est sous cette forme qu'il figure dans les dictionnaires.
- Pour faciliter l'apprentissage de la conjugaison, on classe les verbes en trois groupes.
  1er groupe : les verbes dont l'infinitif se termine par « -er » (sauf *aller*).
  2e groupe : les verbes dont l'infinitif se termine par « -ir » et pour lesquels on intercale « **-ss-** » entre le radical et la terminaison à l'imparfait de l'indicatif.
  3e groupe : tous les autres verbes.
- **Les verbes pronominaux** sont toujours accompagnés d'un pronom personnel de la même personne que le sujet.
  je me promène – tu t'approches – nous nous déplacerons
- **Les verbes transitifs** expriment une action du sujet. Ils ont, le plus souvent, un complément d'objet, direct ou indirect.
  Aurélien trouve la solution.   Les joueurs obéissent à leur entraîneur.
- **Les verbes intransitifs** expriment une action limitée au sujet. Ils n'ont jamais de complément d'objet.
  Les marmottes dorment.   Tu réfléchis avant de répondre.

Les verbes **être** et **avoir** n'appartiennent à aucun groupe. Ils peuvent être employés comme auxiliaires pour conjuguer les autres verbes aux temps composés.

Voir « Le verbe », pp. 82 à 87.

390 Recopiez les verbes et séparez le radical de la terminaison.
Ex : distrai-re

blêmir	pendre	voler	luire	ajuster
faiblir	couler	vaincre	partir	risquer
pleuvoir	foncer	tenir	poser	battre
instruire	venir	consoler	bouillir	préserver

Recopiez les verbes en complétant avec la terminaison de l'infinitif.

souffr…	apais…	se réjou…	plaind…	souri…
souffl…	sais…	rejou…	arrond…	ressent…
serv…	boi…	transcri…	grond…	tressaill…
énerv…	décev…	décri…	blond…	brand…

 Copiez les phrases, soulignez les verbes conjugués et encadrez les verbes à l'infinitif.

Pour creuser la tranchée, l'utilisation d'une pelle mécanique s'avère indispensable. – Pour traduire ce texte écrit en polonais, un dictionnaire vous sera d'un grand secours. – Mme Fort place des pots de géraniums pour embellir son balcon. – À quoi sert cette paire de tenailles ? à arracher les clous évidemment ! – Par suite de la sécheresse, de nombreux pays africains s'appauvrissent de jour en jour. – Pour percevoir le montant de son chèque, M. Louis doit présenter sa carte d'identité.

 Recopiez les phrases et indiquez entre parenthèses l'infinitif des verbes conjugués.

Nous avons dû faire un détour pour éviter les flaques d'eau. – Les chevaliers français revinrent harassés des Croisades. – Veuillez laisser votre place à cette personne handicapée. – Pour que je puisse apercevoir le fond du puits, il faudrait que je me penche. – Les Américains enverront bientôt un vaisseau spatial habité en direction de Mars. – Quand vous saurez plonger de cinq mètres, vous ferez l'admiration de tous. – Tu bois un grand verre de lait tous les matins, avant de partir au collège. – Ce vêtement a plu à Zohra dès qu'elle l'a aperçu à la devanture du magasin.

 Classez les verbes dans un tableau, selon qu'ils sont toujours ou occasionnellement pronominaux.

s'évanouir – se maîtriser – se souvenir – s'enfuir – se taire – se moquer – s'extasier – s'absenter – s'excuser – se lamenter – se sacrifier – se nicher – s'allonger – se prélasser – se méprendre – se perdre – s'organiser – s'emparer – se rebeller – se distraire – se repentir – s'écrier – s'investir

395 **Recopiez les phrases et indiquez entre parenthèses si les verbes sont transitifs ou intransitifs.**

Nous avons choisi un dessert au chocolat. – Les athlètes français ont brillé aux Jeux olympiques. – Ce sirop calmera ta toux en quelques jours. – Avant d'avoir le droit de chasse, les paysans braconnaient sur les terres du seigneur. – Le serveur téléphonique centralise toutes les réponses. – Pourquoi Damien s'est-il affublé d'un masque aussi grotesque ? – Victime d'une panne de réacteur, l'avion atterrit en urgence. – Paulin a fait un mouvement brusque et son château de cartes s'est écroulé.

Citation ────────────────────────────────

Si l'on passait l'année entière en vacances, s'amuser serait aussi épuisant que travailler. (**Shakespeare**, *Henry IV*)

Les modes – les temps – les personnes

J'ai fait du bruit en m'approchant du buisson ; surpris, le faisan s'envola.

RÈGLE

I. Le mode exprime les différentes manières dont le sujet conçoit et présente l'action.
– **L'indicatif** : action dans la réalité.
Il téléphone à son ami.
– **Le conditionnel** : action éventuelle, qui dépend d'une condition.
Si j'avais le temps, je téléphonerais à mon ami.
– **L'impératif** : action sous forme d'ordre, de conseil, de recommandation.
Téléphone à ton ami.
– **Le subjonctif** : action envisagée ou hypothétique.
Il faut que nous téléphonions à nos amis.

• Il existe des **modes impersonnels**, qui n'ont pas de pronom de conjugaison.
– **infinitif** : *Il part travailler.*
– **participe** : *Parti à Lyon, il y restera trois jours.*
– **gérondif** : *Il part en courant.*

2. Le temps d'un verbe permet de se situer (action / parole) sur un axe temporel : passé – présent – futur. La terminaison d'un verbe varie selon le temps employé.

hier → je partais   aujourd'hui → je pars   demain → je partirai

• Il existe des **temps simples**, sans auxiliaire :
Nous partirons à dix heures.   *Les oiseaux volent.*
et des **temps composés**, auxiliaire **être** ou ***avoir*** + participe passé :
Nous sommes partis à dix heures.   *Les oiseaux ont volé.*

3. La terminaison d'un verbe varie également selon **la personne**.
Pour les 3ᵉ personnes, les sujets peuvent être de nature très différente : noms, groupes nominaux, pronoms, verbes à l'infinitif…

 Copiez les phrases, soulignez les verbes conjugués à un temps simple et encadrez les verbes conjugués à un temps composé.

Quand le vendeur aura réglé le récepteur, nous pourrons brancher la parabole. – Notre salle de classe se trouve au troisième étage. – Le palefrenier détela le trotteur et lui mit une couverture sur la croupe. – Toutes les issues de secours sont dégagées ; le public sortira sans difficulté en cas d'incident. – Les spectateurs restèrent admiratifs devant la grâce des danseuses. – L'auteur de l'accident a expliqué que les phares du camion l'avaient aveuglé. – Quand tu auras épluché les carottes, tu les couperas en rondelles.

397 Copiez les phrases et indiquez les personnes auxquelles les verbes sont conjugués.

Le jour du carnaval tous les habitants de Dunkerque se retrouvent dans les rues. – Pourquoi confies-tu un aussi lourd secret à tes amis ? – Tous les journaux ont donné l'information : le prince de Monaco se marie demain. – Nous n'abuserons pas longtemps de votre patience. – Je surveille la cuisson du poulet pour qu'il soit à point. – Vous partagez la passion des mots croisés avec Céline. – Croyez-vous que si on mélange du bleu avec du jaune, on obtiendra du vert ? – Avant de partir, j'étudie soigneusement l'itinéraire.

398 Copiez les phrases et indiquez si l'action des verbes en bleu est passée, présente ou future.

Certains alchimistes tentaient de transformer le plomb en or. – Si tu as mal à la tête, prends ce médicament, il te calmera. – Avant de partir au Mexique, j'avais converti mes euros en pesos. – Lorsque Ketty eut consulté le menu, elle choisit une salade gourmande. – Ne marchez pas au bord de la falaise, vous risqueriez votre vie. – Des bénévoles secourent les personnes victimes du raz-de-marée. – Seuls les faibles se découragent devant les difficultés. – Quand Alexandre aura rechargé la batterie, il pourra téléphoner.

399 Copiez les phrases et complétez-les avec les expressions ci-dessous.
Aujourd'hui – Hier – En 1789 – Actuellement – Mercredi prochain – L'hiver dernier – Autrefois – À l'avenir – Demain – En ce moment

…, c'est samedi et nous irons au marché. – …, le roi Louis XVI décida de convoquer les États Généraux. – …, nous n'avons pas cours d'anglais ; le professeur est absent. – …, toutes les voitures devront consommer moins d'essence. – …, tous les appartements de cet immeuble sont loués. – …, les ouvriers repeignent la grille d'entrée du collège. – …, il est possible qu'un artiste vienne exposer ses œuvres au CDI. – …, il n'a pas beaucoup neigé sur le massif des Pyrénées. – …, le principal est venu dans notre classe. – …, les travaux des champs n'étaient pas mécanisés.

400 Copiez les phrases et indiquez le mode personnel des verbes en bleu.

Il est sain que les frites ne soient pas trop salées. – Le train s'arrêterait si le signal passait au rouge. – Cette carte postale représente le Mont-Saint-Michel ; adresse-la à ton amie Rachel. – Le printemps venu, nous cueillerons des jonquilles au bord de la rivière. – Pourquoi ne prendriez-vous pas un petit moment de repos ? – L'avenue Marcel-Proust est barrée ; prenez la déviation. – Tu as réglé la sonnerie de ton téléphone pour qu'elle ne dérange pas tes voisins. – Le crocodile semblait dormir, mais il guettait sa proie. – Robinson Crusoé s'installa sur son île et eut la chance de rencontrer un visiteur qu'il appela Vendredi. – Pour que les barques ne se détachent pas, il faut solidement les amarrer aux anneaux de la jetée.

Citation

Demain, dès l'aube, à l'heure où blanchit la campagne / Je partirai.
Victor Hugo, *Les Contemplations*)

Le présent de l'indicatif : « avoir » - « être » et verbes du 1er groupe

Certains alpinistes n'ont pas conscience du danger et ils risquent leur vie.

RÈGLE

- **Le présent de l'indicatif** exprime généralement des actions qui se déroulent au moment où l'on parle, où l'on écrit.

J'ai faim.	Je suis à table.	Je me régale.
Tu as faim.	Tu es à table.	Tu te régales.
Elle a faim.	Elle est à table.	Elle se régale.
Nous avons faim.	Nous sommes à table.	Nous nous régalons.
Vous avez faim	Vous êtes à table.	Vous vous régalez.
Ils ont faim.	Ils sont à table.	Ils se régalent.

- Certaines formes d'auxiliaire sont homophones. Pour éviter les erreurs, il faut retrouver le verbe et la personne à laquelle l'auxiliaire est conjugué.

Tu [ɛ] chanceux.	→ auxiliaire être	→ 2e pers. du sing.	→ es
Il [ɛ] chanceux.	→ auxiliaire être	→ 3e pers. du sing.	→ est
J'[ɛ] de la chance.	→ auxiliaire avoir	→ 1re pers. du sing.	→ ai
Tu [a] de la chance.	→ auxiliaire avoir	→ 2e pers. du sing.	→ as
Il [a] de la chance.	→ auxiliaire avoir	→ 3e pers. du sing.	→ a

Remarques :
– Même si le verbe *aller* se termine par -er à l'infinitif, il n'appartient pas au 1er groupe, puisque ses formes conjuguées ne sont pas régulières.
– Les verbes du 3e groupe, comme *ouvrir, offrir, souffrir, cueillir, tressaillir, défaillir...*, se conjuguent comme les verbes du 1er groupe au présent de l'indicatif.

---

401 Copiez les phrases et n'encadrez que les verbes conjugués au présent de l'indicatif.

Des débris d'un navire grec se sont échoués sur la plage de Saint-Jean-de-Luz. – Beaucoup de clients profitent de la période des soldes pour acheter des vêtements. – Les gendarmes contrôleront la vitesse des véhicules sur l'autoroute. – Nous captons toutes les fréquences des radios musicales. – À l'école primaire, je collectionnais les poupées *Barbie*. – La porte du placard coulisse sans bruit ; elle a été graissée récemment.

402 Conjuguez les verbes de ces expressions au présent de l'indicatif.

avoir un passage à vide
fréquenter la salle de sport
sautiller en cadence

être de bonne humeur
réserver des places de concert
s'éclairer avec une torche

Recopiez les phrases en les complétant avec des sujets (noms ou pronoms) de votre choix en respectant les accords.

… contactes tes amis par SMS. – … couve son bébé d'un regard tendre. – … campons au bord de la mer. – … piochez une carte car … n'avez pas de trèfle. – … embarrasse le candidat qui n'a pas la réponse. – … copient l'énoncé de l'exercice sur leurs cahiers. – … déferlent sur la jetée ; heureusement, … sont bien arrimés. – … importent de grandes quantités de pétrole en provenance du Moyen-Orient. – … ne se cicatrise pas très bien. – … perfectionne mon style de nage en m'entraînant plusieurs fois par semaine.

404 **Copiez les phrases et écrivez les verbes entre parenthèses au présent de l'indicatif.**

La foule (intimider) le chanteur débutant. – J'(avoir) trop de travail et je (renoncer) à vous accompagner au cinéma. – À la brocante, vous (ne pas hésiter) à marchander les prix. – Pour calmer une petite faim, tu (grignoter) un biscuit. – Les hirondelles (raser) la surface de l'étang à la poursuite d'insectes volants. – Chaque matin, un coursier (livrer) des journaux. – Vous (enjoliver) votre récit de quelques détails peu vraisemblables. – Au bowling, Stéphane (renverser) souvent les quilles avec une seule boule.

405 **Copiez et complétez les phrases avec des verbes du 1er groupe de votre choix que vous écrirez au présent de l'indicatif.**

Nous … les émissions documentaires sur la cinquième chaîne. – Les policiers … facilement le cambrioleur grâce à ses empreintes digitales. – J' … du beurre et de la confiture sur mes biscottes. – Nous … les leçons que nous avons apprises par cœur. – Tu … les pièces du puzzle sur une grande table. – Les chiens de chasse … la piste du lapin ; ils … le museau au ras du sol. – Le jardinier … les allées du parc. – Samir … son kart comme un vrai professionnel. – Vous avez tort, mais vous … à nier l'évidence. – Les clients … contre la fermeture prématurée du supermarché.

406 **Écrivez les verbes en bleu au présent de l'indicatif en utilisant chacun des sujets proposés.**

profiter du beau temps et effectuer une longue promenade
(Je – Mes cousins – Nous – Tu – Mehdi – Vous)
fermer ses valises et les placer sur le tapis roulant
(Les voyageurs – Tu – Nous – M. Simon – Je – Vous)
couper une tranche de rôti et l'accompagner d'un peu de purée
(Nous – Le cuisinier – Vous – Je – Les serveurs – Tu)
garder son calme et ne pas s'affoler
(Tu – Nous – Le commandant de bord – Vous – Je – Les pompiers)
s'installer dans le fauteuil et allumer la télévision
(Vous – Les enfants – Conrad – J' – Nous – Tu)

Citation

Un seul être vous manque et tout est dépeuplé.
Lamartine, *Les Méditations poétiques*)

Le présent de l'indicatif : 2e et 3e groupes

Les pilotes obéissent aux ordres que transmet la tour de contrôle.
L'avion perd de l'altitude et atterrit en douceur.

RÈGLE

• **Au présent de l'indicatif**, les verbes du 2e et du 3e groupe prennent des terminaisons différentes de celles des verbes du 1er groupe.

2e groupe	3e groupe	
J'agis calmement.	Je cours vite.	J'attends.
Tu agis calmement.	Tu cours vite.	Tu attends.
Elle agit calmement.	Elle court vite.	Elle attend.
Nous agissons calmement.	Nous courons vite.	Nous attendons.
Vous agissez calmement.	Vous courez vite.	Vous attendez.
Ils agissent calmement.	Ils courent vite.	Ils attendent.

• **Au pluriel**, on intercale « ss » entre le radical et les terminaisons pour les verbes du 2e groupe.

• Pour **beaucoup de verbes du 3e groupe** terminés par « -dre » à l'infinitif, on ne place pas de terminaison après la dernière lettre du radical.

il descend – elle répond – on apprend

• **Certains verbes du 3e groupe** perdent la dernière lettre de leur radical aux trois personnes du singulier.

sortir	: je sors – tu sors – il sort	*vivre*	: je vis – tu vis – elle vit
dormir	: je dors – tu dors – il dort	*servir*	: je sers – il sert
sentir	: je sens – tu sens – elle sent	*suivre*	: je suis – tu suis – il suit
battre	: je bats – tu bats – il bat	*mettre*	: je mets – elle met

Remarque :
Pour ne pas confondre les formes verbales homonymes, il faut toujours chercher l'infinitif qui nous indique le groupe auquel appartient chaque verbe.

Tu [sɛʀ] *les boulons.*   → verbe *serrer* →   1er groupe → serres
Tu [sɛʀ] *tes invités.*   → verbe *servir* →   3e groupe → sers

---

 Copiez les phrases et écrivez les verbes entre parenthèses au présent de l'indicatif.

Bernard (maigrir) depuis qu'il (suivre) un régime. – Vous (se rendre) à la mairie pour retirer des documents sur l'histoire de la commune. – Le chat d'Émilie (accourir) dès qu'il l'(entendre) préparer ses croquettes. – Les fourmis (envahir) le bungalow installé au camping des Pins. – Je (confondre) les couleurs car je (être) daltonien. – À quels propriétaires (correspondre) ces plaques d'immatriculation ? – Pour sortir le silure de l'eau, le pêcheur (recourir) aux grands moyens : il (saisir) deux épuisettes !

Conjuguez les verbes de ces expressions au présent de l'indicatif.

rebondir sur le trampoline   admettre sa défaite   rougir de plaisir
franchir le gué   conclure une trêve   apprendre des leçons

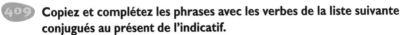 **Copiez et complétez les phrases avec les verbes de la liste suivante conjugués au présent de l'indicatif.**

avertir – exclure – tordre – embellir – étendre – pondre – garantir – sentir

L'arbitre du match de rugby … un joueur auteur d'une brutalité. – Le vendeur de téléphone portable nous … la qualité de ses appareils. – Ces quelques fleurs … tout l'appartement. – …-tu la bonne odeur du gratin dauphinois ? – J'… le linge au soleil pour qu'il sèche plus vite. – L'autruche … des œufs d'une taille exceptionnelle. – Les services de la météo … la population : un cyclone est imminent. – Cet hercule … des barres de fer avec une facilité déconcertante.

410 **Écrivez les verbes en bleu au présent de l'indicatif en utilisant chacun des sujets proposés.**

courir ventre à terre, puis reprendre des forces
(Je – Nous – Vous – Les lévriers – Tu – Salim)
fendre les bûches et garnir la cheminée
(M. Khan – Tu – Vous – Serge et Renaud – Je – Nous)
se détendre un instant et s'assoupir
(Je – Vous – Les cosmonautes – Nous – Tu – Le navigateur)

411 **Écrivez la terminaison des verbes au présent de l'indicatif et justifiez-la en donnant l'infinitif entre parenthèses.**

M. Royer pari… sur les courses de chevaux, souvent sans résultat ! – Tu fleuri… ton balcon à l'approche de l'été. – La température vari… de plusieurs degrés au cours de la journée. – Je tri… des documents importants et je les plac… dans un classeur. – Le boulanger pétri… la pâte à pleines mains. – Le maçon crépi… la façade de l'immeuble. – Quel animal glapi… ? le renard, bien sûr. – L'acrobate accompli… un rétablissement inattendu. – Tu épi… mes réactions. – Je rempli… mon verre de sirop. – Florian adouci… l'acidité de cette compote avec un peu de sucre. – Tu associ… ce poème à des souvenirs d'enfance.

412 **Copiez les phrases et complétez-les avec des verbes du 2ᵉ groupe de votre choix que vous écrirez au présent de l'indicatif.**

La lumière des projecteurs … les acteurs qui ont du mal à se concentrer. – En sautant en parachute, ce centenaire … un véritable exploit. – Une source d'eau chaude … des entrailles du volcan. – Tu … les bocaux avec les cornichons que tu as lavés et essuyés longuement. – Laissés à l'humidité, ces cartons … rapidement. – Les marathoniens ne … pas, même s'ils ont déjà parcouru trente kilomètres. – Les touristes américains, en visite à Paris, … leurs dollars en euros. – Lorsque je vois un serpent, je … en poussant de grands cris.

Citation _____

Croyez-vous que les endives qui blanchissent dans les caves aiment à se rappeler le soleil ? (**René Crevel**, *Babylone*)

Le présent de l'indicatif : verbes irréguliers

Aubert se plaint du froid et il disparaît sous une épaisse couverture.

RÈGLE

Certains verbes du 3ᵉ groupe ont des formes particulières au présent de l'indicatif.

aller	je vais	elle va	nous allons	ils vont
faire	tu fais	nous faisons	vous faites	elles font
venir (tenir)	je viens	elle vient	nous venons	ils viennent
pouvoir (vouloir)	je peux	tu peux	nous pouvons	elles peuvent
valoir	tu vaux	elle vaut	vous valez	ils valent
dire	je dis	elle dit	vous dites	elles disent
devoir	tu dois	il doit	nous devons	ils doivent
voir	il voit	nous voyons	vous voyez	elles voient
recevoir	tu reçois	elle reçoit	nous recevons	ils reçoivent
croire	elle croit	nous croyons	vous croyez	elles croient
lire	je lis	elle lit	nous lisons	ils lisent
mourir	tu meurs	il meurt	vous mourez	elles meurent
boire	tu bois	il boit	vous buvez	elles boivent
acquérir	j'acquiers	il acquiert	vous acquérez	ils acquièrent
écrire	tu écris	elle écrit	nous écrivons	elles écrivent
peindre	je peins	elle peint	nous peignons	ils peignent
vaincre	tu vaincs	elle vainc	vous vainquez	ils vainquent
fuir	je fuis	nous fuyons	vous fuyez	elles fuient
maudire	tu maudis	il maudit	vous maudissez	ils maudissent
asseoir *	j'assois	elle assoit	nous assoyons	ils assoient
asseoir *	j'assieds	elle assied	nous asseyons	ils asseyent

* Les deux conjugaisons sont acceptées, même si la seconde est plus soutenue.

 Copiez les phrases et écrivez, entre parenthèses, l'infinitif des verbes en bleu.

Nous ne concevons pas un long voyage en voiture sans une pause. – Les coureurs attardés rejoignent enfin le peloton. – Nous entrevoyons peut-être une issue au conflit. – Tu souscris une assurance pour ta nouvelle moto. – Croyez-vous à l'existence du monstre du Loch Ness ? – Il faut renouveler votre carte d'identité d'urgence. – Les cartomanciennes prédisent parfois l'avenir. – Cet appareil moud les grains de café. – Des TGV vont bientôt desservir la région toulousaine. – Vous vous asseyez à l'avant de l'autobus car vous souffrez du mal des transports. – Tu meurs d'envie de jouer avec ta console, mais tu crains de mécontenter tes parents.

Copiez les phrases et écrivez les verbes entre parenthèses au présent de l'indicatif.

Nous (restreindre) notre consommation de desserts sucrés. – Par maladresse, je ne (valoir) pas grand-chose au basket. – Les avions (aller) décoller dans quelques minutes. – Vous (relire) pour la troisième fois ce roman de chevalerie. – Au premier coup de fusil, le lièvre (s'enfuir). – Les employés communaux (repeindre) les panneaux indicateurs. – Les morceaux de sucre (se dissoudre) rapidement dans le café au lait.

 Conjuguez les verbes de ces expressions au présent de l'indicatif.

décevoir ses amis   s'instruire en s'amusant
faire un grand détour   aller aux renseignements
pouvoir déchiffrer un message   vouloir terminer son travail
s'asseoir au fond de la salle   boire de l'eau minérale

 Écrivez les verbes en bleu au présent de l'indicatif en utilisant chacun des sujets proposés.

résoudre rapidement le problème et en écrire la réponse
(Le calculateur prodige – Nous – Tu – Les ingénieurs – Vous – Je)
atteindre le sommet de la colline et apercevoir le fond de la vallée
(Tu – Nous – Marjorie – Vous – J' – Les randonneurs)
reconnaître les difficultés de l'entreprise, mais entrevoir une solution
(Je – Le mécanicien – Nous – Tu – Vous – Les électriciens)

 Copiez les phrases et écrivez les verbes entre parenthèses au présent de l'indicatif.

Vous (maudire) le mauvais temps qui vous (empêcher) de sortir. – Je (mourir) de faim et ce plat (paraître) fort appétissant. – Au fil des années, tu (acquérir) de l'expérience. – Les personnes prévoyantes (souscrire) une assurance incendie. – Béatrice (vaincre) sa peur en serrant les dents, et elle (sauter) dans le vide en espérant que son parachute s'ouvrira. – Tes arguments ne me (convaincre) pas ; je (croire) que tu as tort.

418 **Copiez les phrases en les complétant avec des verbes de la famille de « venir » que vous conjuguerez au présent de l'indicatif. Ils seront tous formés avec un préfixe différent.**

Un incident … lors de la mise à feu de la fusée ; elle restera clouée au sol. – Après réflexion, je … sur ma première décision. – Tu ne te … plus du mot de passe de ton ordinateur : c'est ennuyeux. – Comme ils travaillent beaucoup, ces jeunes musiciens … des virtuoses. – Qu'… -il des maquettes de bateaux ? – Tu … tes parents de ton retard afin qu'ils ne soient pas inquiets. – Vous … peu au cours de la discussion, car vos camarades sont bien trop bavards. – Nous … à dominer notre colère.

Citation _____

La façade d'une maison n'appartient pas à son propriétaire mais à celui qui la regarde. (*Proverbe chinois*)

61ᵉ Leçon

L'imparfait de l'indicatif : 1ᵉʳ, 2ᵉ et 3ᵉ groupes

Les pilotes obéissaient aux ordres que transmettait la tour de contrôle.
Les avions perdaient de l'altitude et atterrissaient en douceur.

RÈGLE

- **À l'imparfait de l'indicatif,** tous les verbes prennent les mêmes terminaisons, dont quatre sont homophones.

1ᵉʳ groupe	2ᵉ groupe	3ᵉ groupe
j'arrivais	je réfléchissais	j'attendais
tu arrivais	tu réfléchissais	tu attendais
elle arrivait	elle réfléchissait	elle attendait
nous arrivions	nous réfléchissions	nous attendions
vous arriviez	vous réfléchissiez	vous attendiez
ils arrivaient	ils réfléchissaient	ils attendaient

- Pour les verbes du **1ᵉʳ groupe** en « -gner, -iller, -ier, -yer », les terminaisons des 1ʳᵉ et 2ᵉ personnes du pluriel ont une prononciation quasiment identique au présent et à l'imparfait. Il ne faut donc pas oublier d'ajouter un « i » à l'imparfait.
Pour bien faire la distinction, on peut remplacer par une forme du singulier.

Aujourd'hui, nous copions les consignes.
Aujourd'hui, il copie les consignes. } → présent

Hier, nous copiions les consignes.
Hier, il copiait les consignes. } → imparfait

- Certains verbes du **3ᵉ groupe** (rire, cueillir, fuir, voir, asseoir, croire…) se conjuguent à l'imparfait avec cette même particularité.

nous riions – vous riiez   *nous cueillions – vous cueilliez*
nous fuyions – vous fuyiez   *nous voyions – vous voyiez*
nous nous asseyions – vous vous asseyiez   *nous croyions – vous croyiez*

 Copiez les phrases, soulignez les verbes au présent de l'indicatif et encadrez ceux à l'imparfait.

Nous vérifions soigneusement notre monnaie avant de quitter le magasin. – Au musée de Belfort, vous bénéficiez d'une entrée gratuite. – Le guetteur scrutait les environs sans apercevoir les soldats de l'armée ennemie. – Vous souligniez tous les adjectifs mis en apposition. – Tu ne sacrifiais jamais tes chances de remporter un tournoi de tennis de table. – Au CDI, nous répertorions tous les livres de chevalerie. – Au XIXᵉ siècle, beaucoup d'enfants travaillaient dans les mines. – Vous ignoriez le nom de l'inventeur de la machine à coudre. – Quand la sirène retentissait, les pompiers se précipitaient dans leur fourgon. – Laissée sous la pluie, cette planche pourrit. – Comme il n'y a plus de chaises, vous restez debout au fond de la salle.

Copiez les phrases et écrivez les verbes entre parenthèses à l'imparfait de l'indicatif.

Ce brocanteur (vendre) des objets datant d'une époque lointaine. – Tu ne (sortir) pas facilement du labyrinthe des glaces. – Dans les campagnes françaises, on ne (goudronner) pas les chemins. – Pourquoi Amaury (soutenir)-il qu'il (remplir) toutes les grilles de Sudoku ? – Un épais rideau (masquer) l'entrée du cabinet secret.

 Les verbes de ces phrases sont conjugués au présent de l'indicatif ; écrivez-les à l'imparfait.

Dès qu'elles aperçoivent la fermière, les volailles se précipitent. – Avec ces vêtements fourrés, vous ne craignez pas le froid. – Tu combats la fatigue en croquant des barres de céréales. – Nous accueillons l'annonce du déménagement de nos amis avec tristesse. – Je remplis l'horodateur avec des pièces de deux euros. – Ce maraîcher fournit plusieurs tonnes de salades.

 Écrivez les verbes en bleu à l'imparfait de l'indicatif en utilisant chacun des sujets proposés.

ne pas trier les déchets et gaspiller l'énergie
(Nos grands-parents – Tu – Héloïse – Vous – Nous – Je)
calculer toutes les dimensions réduites et établir les plans
(Nous – Je – Les architectes – M. Thirion – Tu – Vous)

 Copiez les phrases en écrivant les verbes entre parenthèses à l'imparfait ou au présent de l'indicatif, selon le sens.

Autrefois, nous (payer) nos achats avec des francs, et non des euros. – Quand il n'y a rien à faire, vous vous (ennuyer). – Lorsque vous étiez à l'école maternelle, vous (tutoyer) votre maîtresse. – Nous sommes perdus, alors nous nous (renseigner) sur le bon itinéraire. – L'été dernier, nous nous (baigner) dans le lac de Nantua. – Quand elles étaient mûres, nous (cueillir) les cerises.

 Copiez le texte en écrivant les verbes entre parenthèses à l'imparfait de l'indicatif.

Florent vécut près de huit mois dans les Halles. Toutes ses journées (se ressembler). Il (marcher) dans les mêmes bruits, dans les mêmes odeurs. Le matin, les bourdonnements des criées l'(assourdir) d'une lointaine sonnerie de cloches ; et, souvent, selon la lenteur des arrivages, les criées ne (finir) que très tard. Alors, il (rester) dans le pavillon jusqu'à midi, dérangé à toute minute par des contestations, des querelles, au milieu desquelles il s'(efforcer) de se montrer très juste. Il (se promener) dans la cohue, (suivre) les allées à petits pas, s'(arrêter) parfois devant les poissonnières dont les bancs (border) la rue Rambuteau.

Émile Zola, *Le Ventre de Paris*, 1873.

 itation _____

Gargantua pleurait comme une vache, mais tout soudain riait comme un veau.
(**Rabelais**, *Gargantua*)

L'imparfait de l'indicatif : « avoir » - « être » les verbes irréguliers

Les romans d'aventures que tu lisais à l'école primaire te plaisaient beaucoup.

RÈGLE

• **À l'imparfait de l'indicatif,** quelques verbes du 3e groupe modifient leur radical pour toutes les personnes, mais les terminaisons restent les mêmes que celles des autres verbes.

avoir	j'avais	il avait	nous avions	ils avaient
être	tu étais	elle était	vous étiez	elles étaient
faire	je faisais	tu faisais	nous faisions	ils faisaient
dire	il disait	nous disions	vous disiez	elles disaient
lire	je lisais	tu lisais	nous lisions	vous lisiez
écrire	j'écrivais	tu écrivais	il écrivait	nous écrivions
conduire	je conduisais	il conduisait	nous conduisions	ils conduisaient
boire	tu buvais	nous buvions	vous buviez	elles buvaient
vaincre	je vainquais	elle vainquait	nous vainquions	vous vainquiez
prendre	il prenait	nous prenions	vous preniez	ils prenaient
éteindre	j'éteignais	tu éteignais	nous éteignions	elles éteignaient
coudre	tu cousais	il cousait	vous cousiez	ils cousaient
résoudre	je résolvais	il résolvait	nous résolvions	vous résolviez
paraître	tu paraissais	il paraissait	vous paraissiez	ils paraissaient
plaire	je plaisais	elle plaisait	nous plaisions	vous plaisiez

Le radical sur lequel on forme l'imparfait de l'indicatif est le même que celui de la 1re personne du pluriel du présent de l'indicatif pour tous les verbes (sauf être).

---

425 Conjuguez les verbes aux temps de l'indicatif et aux personnes demandés.

présent de l'indicatif		imparfait de l'indicatif		
disparaître	nous ...	je ...	elle ...	ils ...
séduire	nous ...	tu ...	vous ...	elles ...
relire	nous ...	elle ...	nous ...	ils ...
découdre	nous ...	je ...	tu ...	vous ...
se taire	nous ...	tu ...	elle ...	ils ...
se distraire	nous ...	il ...	nous ...	vous ...
s'instruire	nous ...	je ...	il ...	elles ...

426 Conjuguez les verbes de ces expressions à l'imparfait de l'indicatif.

se satisfaire d'un maigre repas
souscrire une assurance
repeindre les murs

ne pas enfreindre le règlement
ne pas comprendre l'espagnol
entreprendre des recherches

427 Copiez les phrases et écrivez les verbes entre parenthèses à l'imparfait.

Quand il (partir) courir dans les bois, M. Gallet (prévoir) toujours un vêtement de pluie. – Les Indiens (teindre) leurs vêtements avec des colorants à base de terre. – Les interventions hors de propos de Xavier (déplaire) à ses camarades. – Vous (détruire) les nids de frelons. – Tu (proscrire) toute grossièreté de ton langage. – Lorsque vous (être) jeunes, vous (construire) des châteaux de sable. – Cassandre, fille du roi Priam, (prédire) l'avenir, mais peu de Grecs la (croire). – Autrefois, les paysans (traire) leurs vaches à la main ; il n'(avoir) pas de machines.

428 Les verbes de ces phrases sont conjugués au présent de l'indicatif ; écrivez-les à l'imparfait.

Tu convaincs toujours tes amis avec des arguments sensés. – Vous refaites plusieurs fois le même exercice, sans trouver la solution. – Je décris ce que je vois de ma fenêtre. – Nous inscrivons nos noms et nos prénoms sur toutes les copies. – Chaque année, vous élisez le président de la coopérative scolaire. – De solides barrières interdisent l'accès au quartier des coureurs. – Une importante chute de neige contraint les automobilistes à faire demi-tour. – Tu feins l'étonnement devant ton paquet cadeau, mais tu sais ce qu'il contient. – Christine se plaint du bruit fait par ses voisins.

429 Copiez les phrases et écrivez les verbes entre parenthèses à l'imparfait.

Les marchands vénitiens (introduire) en Europe des produits venus d'Orient. – Lorsqu'ils (être) mécontents des décisions des assemblées de seigneurs, les rois les (dissoudre). – De nombreux pèlerins (rejoindre) Saint-Jacques de Compostelle à pied. – Mme Fournier (traduire) les propos du président en langue des signes ; les personnes sourdes (pouvoir) ainsi suivre son discours. – Les vêtements, lavés dans une eau trop chaude, (déteindre). – Les parasites (nuire) à la qualité de la réception des stations de radio.

430 Copiez le texte en écrivant les verbes entre parenthèses à l'imparfait.

M. Sacrement n'(avoir), depuis son enfance, qu'une idée en tête, être décoré. Tout jeune, il (porter) des croix de la Légion d'honneur en zinc en bombant sa petite poitrine ornée du ruban rouge et de l'étoile de métal.
Lorsqu'il (parcourir) le boulevard, il (aller) lentement, inspectant les vêtements, l'œil exercé à distinguer de loin le point rouge. Il (connaître) les quartiers où on en (trouver) le plus. Ils (abonder) au Palais-Royal. L'avenue de l'Opéra ne (valoir) pas la rue de la Paix ; le côté droit du boulevard (être) mieux fréquenté que le gauche. Chaque fois que M. Sacrement (apercevoir) un groupe de vieux messieurs à cheveux blancs arrêtés au milieu du trottoir, il (se dire) : « Voilà des officiers de la Légion d'honneur ! »

Guy de Maupassant, « Décoré » dans *Une Partie de campagne et autres contes*, 1881.

itation _____

S'il fallait tolérer aux autres tout ce qu'on se permet à soi-même,
a vie ne serait plus tenable.
Courteline, *La Philosophie de G. Courteline*)

Le futur simple de l'indicatif : « avoir » - « être » verbes des 1er et 2e groupes

Lorsque le bassin débordera, je réagirai rapidement en coupant l'eau.

RÈGLE

- **Au futur simple de l'indicatif**, les verbes des 1er et 2e groupes ont les mêmes terminaisons qui suivent l'infinitif (voir exceptions leçon 78).

1er groupe	2e groupe
j'avancerai	je faiblirai
tu avanceras	tu faibliras
elle avancera	elle faiblira
nous avancerons	nous faiblirons
vous avancerez	vous faiblirez
ils avanceront	ils faibliront

- Les deux auxiliaires – *avoir* et *être* – ont des formes particulières.

avoir	être
J'aurai du courage.	Je serai à l'heure.
Tu auras du courage.	Tu seras à l'heure.
Il aura du courage.	Elle sera à l'heure.
Nous aurons du courage.	Nous serons à l'heure.
Vous aurez du courage.	Vous serez à l'heure.
Elles auront du courage.	Ils seront à l'heure.

- Avant d'écrire un verbe au futur simple, il faut chercher son infinitif pour ne pas oublier le « e » muet de certains verbes :
  j'oublierai – tu joueras – nous nous méfierons
ou pour ne pas placer un « e » muet inutile :
  elle bondira – vous vous réjouirez – ils applaudiront
- Le verbe *cueillir*, bien que du 3e groupe, se conjugue comme un verbe du 1er groupe.
  je cueillerai – elle cueillera – vous cueillerez

---

431 **Copiez les phrases et écrivez les verbes entre parenthèses au futur simple.**

Si tu marches plus vite, tu (arriver) à temps. – Cet été, vous (louer) un bungalow sur la côte basque. – Si tu fais un effort, tu (accentuer) ton avance. – Tant que je ne les (avoir) pas vus, je (continuer) à douter de l'existence des fantômes. – La caisse de secours (allouer) une indemnité aux personnes sans emploi. – Les derniers tigres se (réfugier) au cœur de la jungle. – Avant d'acheter ce télévi-seur, vous (négocier) longuement le prix. – En cas d'absence, l'adjoint (suppléer) le maire pour célébrer le mariage. – J'espère que cette honnête proposition vous (agréer). – Nous (unir) nos efforts pour ranger le matériel. – Tu (recueillir) un oiseau tombé du nid. – Quand la cuve à mazout (être) vide, vous la (remplir).

marquer la mesure   se munir d'un parapluie
multiplier les prises de parole   se dégourdir les jambes

 Les verbes de ces phrases sont conjugués au présent de l'indicatif ; écrivez-les au futur simple.

Les pourparlers engagés entre ces deux pays aboutissent à la signature d'un accord de paix. – Vous acceptez volontiers d'aider vos camarades. – Je cherche la salle de réunion. – Avec ce régime, nous maigrissons de quelques kilos. – Les saucisses grillent sur le barbecue. – Avec cette coiffure violette, tu es la risée de tous les passants. – Le cratère vomit des coulées de lave incandescente. – Je bénéficie d'un moment de répit. – Vous surlignez les passages essentiels de cet article. – Le joueur d'échecs sacrifie sa tour pour prendre l'avantage sur son adversaire. – Craignant la sécheresse, certains stockent d'importantes quantités de vivres dans leur placard. – Le premier mai, on cueille des brins de muguet.

 Écrivez les verbes en bleu au futur simple de l'indicatif en utilisant chacun des sujets proposés.

À son réveil, plier les draps et secouer les couvertures
(Nous – Je – Vous – Les randonneurs – John – Tu)
observer les limitations de vitesse et ralentir
(Tu – Les automobilistes – Nous – Mme Collet – Vous)
réunir toute sa monnaie et la donner à la caissière
(Les clients – Je – Nous – Marion – Vous – Tu)

 Copiez les phrases en les complétant avec des verbes du 1er groupe, conjugués au futur simple.

Malgré la difficulté, nous trio… de tous les obstacles. – Un brin de persil amé… le goût de ce plat de poissons. – Une gigantesque panne d'électricité par… l'ensemble du pays. – Si tu te coupes, tu pos… immédiatement une compresse sur la blessure. – Dans quinze jours, vous rapp… les documents que vous avez empruntés au CDI. – Je ne m'ave… jamais dans cette forêt sans une boussole. – Tu agi… la bouteille de jus de fruits avant de l'ouvrir.

436 **Copiez les phrases en les complétant avec des verbes du 2e groupe, conjugués au futur simple.**

Vous amor… votre chute en pliant les genoux. – Le libraire répa… les livres neufs sur les rayons de sa boutique. – Tu noi… la situation pour impression-ner tes camarades. – Avant de les tresser, le vannier ass… les brins d'osier en les trempant dans l'eau. – S'il suit les conseils du médecin, Antoine gué… en quelques jours. – Nous ne réu… pas à terminer ce travail avant ce soir. – Un jour, les hommes bâ… peut-être des tours de plus de mille mètres de hauteur.

Citation _____

Ma foi, sur l'avenir bien fou qui se fiera :
Tel qui rit vendredi dimanche pleurera.
(**Racine**, *Les Plaideurs*)

64ᵉ Leçon — Le futur simple de l'indicatif : verbes du 3ᵉ groupe

Quand il verra qu'il s'est égaré, Antonio reviendra sur ses pas.

RÈGLE

- Les terminaisons du futur simple des **verbes du 3ᵉ groupe** sont les mêmes que celles des verbes des 1ᵉʳ et 2ᵉ groupes, mais il peut y avoir une modification du radical.

faire	je ferai	tu feras	nous ferons	ils feront
aller	il ira	nous irons	vous irez	elles iront
venir	je viendrai	tu viendras	nous viendrons	vous viendrez
vouloir	tu voudras	il voudra	nous voudrons	ils voudront
courir	je courrai	il courra	nous courrons	ils courront
mourir	tu mourras	il mourra	vous mourrez	elles mourront
voir	tu verras	elle verra	nous verrons	vous verrez
pouvoir	je pourrai	tu pourras	vous pourrez	ils pourront
acquérir	tu acquerras	il acquerra	nous acquerrons	ils acquerront
valoir	tu vaudras	il vaudra	vous vaudrez	ils vaudront
devoir	je devrai	il devra	nous devrons	vous devrez
recevoir	tu recevras	il recevra	vous recevrez	elles recevront
savoir	tu sauras	il saura	vous saurez	ils sauront
asseoir*	j'assoirai	tu assoiras	nous assoirons	elles assoiront
asseoir*	j'assiérai	tu assiéras	nous assiérons	ils assiéront

* Les deux conjugaisons sont acceptées.

- **Les verbes du 3ᵉ groupe** dont l'infinitif se termine par « e » perdent cette lettre.
   descendre → je descendrai   écrire → tu écriras   rire → nous rirons
- *Revoir* et *entrevoir* (ainsi qu'*envoyer*) se conjuguent comme *voir*.
   nous reverrons – vous entreverrez – ils enverront
Mais *pourvoir* et *prévoir* se conjuguent sur un autre radical.
   je pourvoirai – elle prévoira

---

437 Copiez les phrases en écrivant les verbes entre parenthèses au futur simple.

Je (recourir) au dictionnaire pour trouver le sens du mot « orthodontie ». – Les montagnards (secourir) des alpinistes, partis sans matériels. – Dans un futur peut-être pas très lointain, l'homme (conquérir) les planètes du système solaire. – Dès que son maître (sortir) sa gamelle, Roxy (accourir). – Mme Le Gal (convaincre) facilement son mari de changer de costume. – Si tu n'as pas un peu de patience, tu ne (défaire) jamais ce nœud. – Il (pleuvoir) demain, c'est du moins ce qu'annonce le bulletin météo.

Conjuguez les verbes de ces expressions au futur simple.

retenir le nom de ce village   *répandre* du sel sur le trottoir gelé
ne pas *commettre* d'erreurs   ne pas *vouloir* revivre une telle épreuve
pouvoir soulever ce carton   *revoir* le quartier de son enfance

 Les verbes en bleu sont au présent de l'indicatif ; copiez les phrases en les écrivant au futur simple.

Vous *répondez* à tous les SMS que vous *envoient* vos amis. – L'éleveur *vend* ses bêtes au marché de Saint-Christophe. – Tu ne *perds* pas ton temps en vaines paroles. – Nous nous *satisfaisons* d'une place sur un strapontin. – Je me *souviens* de la fin de ce film. – On *détruit* les vieux immeubles pour bâtir une salle de sport. – Les bergers *tondent* leurs moutons. – Trois minutes *suffisent* pour cuire ces œufs à la coque. – Les chercheurs d'or *extraient* quelques pépites du fleuve. – Il *faut* changer les piles de la télécommande.

 Copiez les phrases en transformant le futur proche en futur simple.

Tu *ne vas pas confondre* ces jumeaux, car ils portent des habits différents. – Je *vais m'asseoir* au premier rang. – Ce jeune couple *va acquérir* un appartement dans le quartier de la Buire. – Il y a une fuite de gaz ; nous *allons prévenir* les techniciens. – Après le lycée, Yohan *va s'inscrire* dans une école de commerce. – Vous *allez prendre* une passoire pour égoutter les haricots. – Dans la navette spatiale, les cosmonautes *vont vivre* une expérience exceptionnelle. – Cette imprimante *va reproduire* le courrier en plusieurs exemplaires. – Si tu viens trop tôt, tu *vas me surprendre* devant mon petit déjeuner. – Si le soleil persiste, la neige *va fondre* en quelques heures.

 Copiez les phrases et complétez les verbes au futur simple ; justifiez la terminaison en donnant l'infinitif entre parenthèses.

Ces enfants *jou...* avec leur console. – Si vous prenez le train fantôme de la fête foraine, vous *mou...* de peur. – Si vous ne suivez pas les instructions, vous *échou...* lors du montage de cette maquette. – La majorette *recou...* les boutons de son uniforme. – Adrien *secou...* les branches du noyer pour faire tomber les fruits. – Personne ne *vou...* s'embarquer sur un canot aussi délabré. – À l'entraînement, les athlètes *cou......* à allure régulière.

 Copiez les phrases et complétez les verbes au futur simple ; justifiez la terminaison en donnant l'infinitif entre parenthèses.

S'il retrouve sa voix, ce chanteur *renou...* avec le succès. – Tu *résou...* facilement cette énigme si nous te donnons un indice. – Tu ne *pou...* pas lire cette inscription écrite en russe. – Avant de me servir de ma calculatrice, j'*évalu...* l'ordre de grandeur du résultat. – J'*inclu...* ton numéro dans mon répertoire téléphonique. – Lorsque le signal d'alarme *retenti...*, nous *évacu...* les lieux sans délai. – Nous *exclu...* les aliments trop gras de notre alimentation.

 itation _____

Que personne ne dise : Fontaine, je ne boirai pas de ton eau.
(**Cervantès**, *Don Quichotte*)

155

65^e
Leçon

Le passé simple de l'indicatif : « être » - « avoir » verbes du 1er groupe

Lorsque tu eus besoin d'aide, tes camarades se portèrent à tes côtés.

RÈGLE

• **Le passé simple de l'indicatif** exprime des faits passés, complètement achevés, qui ont eu lieu à un moment précis, sans idée d'habitude et sans lien avec le présent.

• Aujourd'hui, **le passé simple** est essentiellement un temps du récit. Il est surtout employé aux troisièmes personnes du singulier et du pluriel dont les formes sont plus aisées à mémoriser.
Pour les deux premières personnes du pluriel, on lui préfèrera le passé composé.

être	avoir	1er groupe
Je fus en danger.	J'eus froid.	J'ajoutai du sel.
Tu fus en danger.	Tu eus froid.	Tu ajoutas du sel.
Elle fut en danger.	Elle eut froid.	Elle ajouta du sel.
Nous fûmes en danger.	Nous eûmes froid.	Nous ajoutâmes du sel.
Vous fûtes en danger.	Vous eûtes froid.	Vous ajoutâtes du sel.
Ils furent en danger.	Ils eurent froid.	Ils ajoutèrent du sel.

Tous les verbes du 1er groupe prennent les mêmes terminaisons.

• Pour éviter la confusion entre la première personne du singulier du passé simple et celle de l'imparfait des verbes du 1er groupe, on conjugue à la 2e personne du singulier. On entend la différence.
Souvent, j'ajoutais du sel. → *Souvent, tu ajoutais du sel.* → imparfait
Ce jour-là, j'ajoutai du sel. → *Ce jour-là, tu ajoutas du sel.* → p. simple

• Le verbe *aller*, du 3e groupe, se conjugue au passé simple comme un verbe du 1er groupe.
J'allai à Londres.   *Elle alla à Londres.*   *Ils allèrent à Londres.*

 Copiez les phrases en plaçant un pronom personnel ou un groupe sujet devant les verbes écrits au passé simple.

Sous le choc, ... chancelas. – ... élabora un plan pour prendre l'as de son adversaire. – ... s'écrasèrent sur le toit du hangar. – ... diversifia sa production en plantant du maïs. – En racontant votre aventure, ... l'enjolivâtes pour amuser vos camarades. – ... effleurai la surface de l'eau du plat de la main. – ... confisqua le téléphone portable de Nadia qui l'avait laissé allumé. – Faute d'avoir chaussé des pneus spéciaux, ... dérapèrent sur le verglas. – ... dévissâmes les boulons à l'aide d'une clé à molette.

Copiez les phrases en complétant les verbes en bleu avec les terminaisons du passé simple qui conviennent.

Après ta chute, tu remu… les doigts et tu constat… qu'ils n'étaient pas cassés. – Le roi Henri II succéd… à son père François Ier. – Nous ne dout… pas un instant de votre bonne volonté. – Ces scènes violentes choqu… les personnes sensibles. – Édith Piaf compens… sa petite taille en portant des hauts talons. – En un clic de souris, j'enregistr… le document dans un fichier spécial. – Vous m'assur… de votre bienveillance et vous approuv… mon opinion. – Bien graissées, les portes couliss… sans aucun bruit.

 Copiez les phrases en écrivant les verbes entre parenthèses au passé simple.

Personne ne (douter) un instant de ta détermination. – Ce véhicule (présenter) toutes les garanties de fiabilité et (être) déclaré apte à sortir du garage. – Tu (déchirer) ton blouson en voulant passer sous les fils de fer barbelés. – Alors que je (claquer) la porte, je (pousser) un cri : mes clés se trouvaient à l'intérieur ! – Nous (étudier) la carte et nous (décider) de ne pas prendre ce sentier trop escarpé. – Vous (s'enfermer) dans le laboratoire photographique. – Je (profiter) d'une heure de permanence pour terminer mon travail.

 Les verbes en bleu sont au présent de l'indicatif. Copiez les phrases en écrivant ces verbes au passé simple.

Nous déballons nos cadeaux en toute hâte. – Les grêlons crépitent sur le toit du hangar. – Le médecin ausculte longuement le malade. – Tu te comportes en élève responsable en te présentant comme délégué de classe. – Vous emportez seulement le strict nécessaire pour traverser le désert marocain. – Devant un tel chef-d'œuvre, je demeure sans voix. – Les hirondelles volent au ras de l'eau. – Le portier contrôle les entrées de tous les visiteurs. – Ces joueurs n'abusent pas de leur supériorité, ils laissent leurs adversaires marquer quelques points. – Les mécaniciens s'activent pour réparer la voiture du pilote de rallye. – Corentin reste coincé dans l'ascenseur et il a la peur de sa vie.

447 **Copiez les phrases en complétant avec des verbes du Ier groupe ; vous les écrirez au passé simple.**

Le 21 septembre 1792, les députés de la Convention nationale pro… la Ire République. – Pour découper les contours de cette gravure, j'uti… une paire de ciseaux spéciaux. – Ce champion esc… les pentes du mont Ventoux en moins d'une heure et demie. – Tu sur… ton trac et tu ent… en scène sous les ovations du public. – Le marinier sur… le niveau d'eau du canal, car il craignait de s'échouer. – Comme il y avait trop de lumière dans la pièce, vous fer… les volets. – Comme la chaussée était glissante, nous red… de vigilance. – Les pluies de la nuit cau… d'importants dégâts dans les vergers du Roussillon. – Le correcteur orthographique sig… une erreur de frappe.

Citation _____

L'autre jour, au fond d'un vallon,
Un serpent piqua Jean Fréron.
(**Voltaire**, *Épigramme*)

Que pensez-vous qu'il arriva ?
Ce fut le serpent qui creva.

Le passé simple de l'indicatif : verbes des 2ᵉ et 3ᵉ groupes en « -i »

Lorsque les passagers descendirent de l'avion, tu te réjouis de me voir.

RÈGLE

2ᵉ groupe

rougir	**sourire**
je roug**is**	je sour**is**
tu roug**is**	tu sour**is**
elle roug**it**	elle sour**it**
nous roug**îmes**	nous sour**îmes**
vous roug**îtes**	vous sour**îtes**
ils roug**irent**	ils sour**irent**

3ᵉ groupe

sortir	**entendre**
je sort**is**	j'entend**is**
tu sort**is**	tu entend**is**
elle sort**it**	elle entend**it**
nous sort**îmes**	nous entend**îmes**
vous sort**îtes**	vous entend**îtes**
ils sort**irent**	ils entend**irent**

• Pour **quelques verbes du 3ᵉ groupe** la forme du radical est modifiée.

faire	je fis	tu fis	elle fit	ils firent
prendre	je pris	tu pris	elle prit	ils prirent
voir	je vis	tu vis	elle vit	ils virent
mettre	je mis	tu mis	elle mit	ils mirent
dire	je dis	tu dis	elle dit	ils dirent
conduire	je conduisis	tu conduisis	elle conduisit	ils conduisirent
asseoir	j'assis	tu assis	elle assit	ils assirent
écrire	j'écrivis	tu écrivis	elle écrivit	ils écrivirent
peindre	je peignis	tu peignis	elle peignit	ils peignirent
naître	je naquis	tu naquis	elle naquit	ils naquirent
vaincre	je vainquis	tu vainquis	elle vainquit	ils vainquirent
acquérir	j'acquis	tu acquis	elle acquit	ils acquirent

À la 3ᵉ personne du singulier, il n'y a jamais d'accent circonflexe sur le « i » qui précède le « t ».

• Attention, tous les verbes du 3ᵉ groupe n'ont pas une terminaison en « -i » au passé simple (voir leçon 67).

---

448 Copiez les phrases en écrivant les verbes entre parenthèses au passé simple.

Pour réparer le rayonnage, j'(enduire) les deux morceaux avec une colle spéciale, mais elle (durcir) plus vite que je ne l'avais prévu. – Grâce à des heures d'entraînement, ce violoniste (acquérir) une maîtrise exceptionnelle. – Afin d'endiguer la famine, Parmentier (introduire) la culture de la pomme de terre sous le règne de Louis XVI. – Tu (naître) exactement un an et un jour après ta sœur. – Lorsque nous (perdre) notre jeune chaton, nous (ressentir) une immense tristesse. – Le comédien (vaincre) son trac en buvant un grand verre d'eau. – Cette usine (produire) longtemps des vêtements de sport.

Conjuguez, aux quatre temps simples de l'indicatif, les verbes de ces expressions.

se plaindre de la chaleur   ressurgir au dernier moment
pâlir devant les fauves   pressentir une catastrophe
voir ses forces décliner   répondre aux SMS

 Copiez les phrases en écrivant les verbes entre parenthèses au passé simple ou à l'imparfait de l'indicatif selon le sens.

Le metteur en scène (répartir) les rôles entre les acteurs lorsqu'il (entendre) un des assistants renverser un projecteur. – En 1981, les députés français (abolir) la peine de mort. – Tu (gravir) la Barre des Écrins en compagnie d'un guide, mais à cent mètres du sommet tu (faiblir) subitement et tu n'(atteindre) jamais la crête rocheuse. – Je (craindre) une chute de grêle, alors je (recouvrir) ma bicyclette d'une bâche. – Les joueurs toulousains ne (réagir) que mollement aux attaques de leurs adversaires, aussi l'entraîneur leur (transmettre)-il des consignes strictes pour la seconde mi-temps. – Après la pluie, les pelouses (reverdir) aussitôt. – Une forte odeur de moisi (flotter) dans la pièce, alors tu (assainir) l'atmosphère en ouvrant les fenêtres.

451 Copiez les phrases en changeant les sujets mais en respectant les temps.

Alors que nous franchissions le seuil de la boutique, nous sentîmes une bonne odeur de pâtisserie.
(Mouloud – je – les invités – tu)
Vous fouilliez dans les tiroirs du bureau lorsque vous découvrîtes un mystérieux document.
(Les espions – Je – Tu – Sherlock Holmes)
Nous agîmes selon vos conseils et nous acquîmes de l'expérience.
(Tu – Justine et Thomas – Je – Renaud)
Vous ne ralentîtes guère vos pas et vous vous prîtes les pieds dans le tapis.
(Je – Les jeunes enfants – Tu – Erwan)

452 Copiez le texte en écrivant les verbes entre parenthèses au passé simple.

C'était l'époque où le doux temps d'été déclinait et faisait place au rigoureux hiver. Renart, dans sa maison, était à bout de provisions. Un jour de grande faim, il (quitter) son logis et (se glisser) parmi les joncs entre la rivière et le bois. Après avoir beaucoup erré, il (finir) par arriver sur une grand-route. Il (s'accroupir) dans le fossé et (tendre) le cou de tous côtés. La faim au ventre, il ne savait où chercher de la nourriture. Ne sachant que faire, il (se coucher) près d'une haie, espérant une occasion.
Enfin, il (entendre) un bruit de roues. C'étaient des marchands qui revenaient des bords de la mer ; ils rapportaient de grosses quantités de poissons.

Le Roman de Renart, XIIe-XIIIe siècles. Adaptation de Paulin Paris.

Citation _____

Nous partîmes cinq cents ; mais par un prompt renfort
Nous nous vîmes trois mille en arrivant au port. (**Corneille**, *Le Cid*)

Le passé simple de l'indicatif : verbes du 3e groupe en « -u » et en « -in »

Tu me prévins de ta visite et je résolus de t'attendre au pied de l'immeuble.

RÈGLE

courir	vouloir	venir	tenir
je courus	je voulus	je vins	je tins
tu courus	tu voulus	tu vins	tu tins
elle courut	elle voulut	elle vint	elle tint
nous courûmes	nous voulûmes	nous vînmes	nous tînmes
vous courûtes	vous voulûtes	vous vîntes	vous tîntes
ils coururent	ils voulurent	ils vinrent	ils tinrent

• Les verbes des familles de *venir* et *tenir*, formés avec des préfixes, prennent les mêmes terminaisons.

• Pour **quelques verbes du 3e groupe**, la forme du radical est modifiée, bien souvent écourtée.

connaître	je connus	tu connus	elle connut	ils connurent
savoir	je sus	tu sus	elle sut	ils surent
valoir	je valus	tu valus	elle valut	ils valurent
pouvoir	je pus	tu pus	elle put	ils purent
devoir	je dus	tu dus	elle dut	ils durent
vivre	je vécus	tu vécus	elle vécut	ils vécurent
boire	je bus	tu bus	elle but	ils burent
croire *	je crus	tu crus	elle crut	ils crurent
croître *	je crûs	tu crûs	elle crût	ils crûrent
plaire	je plus	tu plus	elle plut	ils plurent
taire	je tus	tu tus	elle tut	ils turent
résoudre	je résolus	tu résolus	elle résolut	ils résolurent
pourvoir	je pourvus	tu pourvus	elle pourvut	ils pourvurent

* Le verbe *croître* (grandir) prend un accent circonflexe à toutes les personnes pour ne pas être confondu avec le verbe *croire* qui, comme les autres verbes, prend seulement un accent circonflexe aux deux premières personnes du pluriel.

453 **Les verbes en bleu sont au présent de l'indicatif ; copiez les phrases en écrivant ces verbes au passé simple.**

Les sismologues préviennent la population de l'imminence d'un tremblement de terre. – Auteur d'un excès de vitesse, le chauffard comparaît devant le tribunal. – Les sauveteurs secourent les victimes de l'explosion de la tuyauterie de gaz. – Je dois changer les câbles de freins de mon vélo. – Tu relis le compte rendu de la dernière réunion du foyer des élèves. – Des barrières métalliques contiennent les curieux loin du palais des festivals. – Les meilleures places échoient à ceux qui ont le courage de faire la queue.

454 Copiez les phrases en écrivant les verbes entre parenthèses au passé simple.

Pour être prêt le jour du concert, il (falloir) t'astreindre à de longues séances de répétition. – Le chirurgien (devoir) opérer d'urgence ce motard victime d'un accident de la circulation. – Louis XVI, roi de France, (mourir) sur l'échafaud le 21 janvier 1793. – Tu t'(abstenir) de prendre position dans cette discussion. – Ne comprenant pas une seule des questions, je me (taire). – Les différents rebondissements (entretenir) le suspense jusqu'à la dernière seconde. – L'émission était ennuyeuse et Déborah (retenir) difficilement un bâillement. – Le dernier film de ce réalisateur lui (valoir) un prix au festival de Cognac. – À peine le désherbant passé, les mauvaises herbes (réapparaître).

455 Copiez les phrases en changeant les sujets mais en respectant les temps.

À la première sonnerie, nous accourûmes et nous saisîmes notre portable. (je – les secrétaires – tu – M. Crance)

Vous intervîntes à temps et vous pûtes éviter une coupure d'électricité. (Tu – Le technicien – Je – Les pompiers)

Nous parcourûmes le journal et nous n'en crûmes pas nos yeux : Paris avait gagné la Coupe de France ! (Les supporters – Tu – Michaël – Je)

456 Copiez les phrases et écrivez les verbes en bleu au présent, puis au futur simple et au passé simple de l'indicatif.

Les pilotes du rallye de Monte-Carlo (reconnaître) le tracé du circuit et celui-ci leur (plaire) immédiatement. – L'épreuve (être) rude, mais l'explorateur (survivre) grâce à son courage. – Le Venezuela (maintenir) sa production de pétrole à son plus haut niveau. – Les nuages (revenir) par l'ouest et il (pleuvoir) à verse. – La sagesse (prévaloir) et les protagonistes de cette querelle (finir) par se mettre d'accord. – Nous (venir) à la rencontre de nos amis. – Je (soutenir) ton regard sans baisser les yeux.

457 Copiez le texte en écrivant les verbes entre parenthèses au passé simple.

Quand la Belle (se réveiller) le matin, elle (se trouver) dans la maison de son père ; et, ayant sonné une clochette qui était à côté de son lit, elle (voir) venir la servante qui (faire) un grand cri en la voyant. Le bonhomme (accourir) à ce cri, et (manquer) de mourir de joie en revoyant sa chère fille, et ils (se tenir) embrassés plus d'un quart d'heure. La Belle, après les premiers transports, (penser) qu'elle n'avait pas d'habits pour se lever ; mais la servante lui (dire) qu'elle venait de trouver dans la chambre voisine un grand coffre plein de robes toutes d'or, garnies de diamants.

La Belle (remercier) la bonne Bête de ses attentions ; elle (prendre) la moins riche des robes et (dire) à la servante de porter les autres à ses sœurs. Mais à peine (avoir)-elle prononcé ces paroles que le coffre (disparaître).

Madame Leprince de Beaumont, *La Belle et la Bête*, 1757.

Citation ————————————————————————————

Que serais-je sans toi qui vins à ma rencontre.
Que cette heure arrêtée au cadran de la montre.
(**Louis Aragon**, *Le Roman inachevé*)

68e Leçon
Le passé composé et le plus-que-parfait de l'indicatif

Le couvreur a dû remplacer les tuiles qui s'étaient envolées.

RÈGLE _____

- **Pour former le passé composé** et **le plus-que-parfait de l'indicatif**, on conjugue l'auxiliaire au présent ou à l'imparfait de l'indicatif devant le participe passé.

- **Beaucoup** de verbes, en particulier **les verbes transitifs**, se conjuguent avec l'auxiliaire *avoir*.
Quelques verbes intransitifs (*aller, venir, partir, arriver, entrer…*), ainsi que les **verbes pronominaux**, se conjuguent avec l'auxiliaire *être*.

passé composé

j'ai bu	tu as bu	elle a bu
nous avons bu	vous avez bu	ils ont bu
je suis parti(e)	tu es parti(e)	elle est partie
nous sommes parti(e)s	vous êtes parti(e)s	ils sont partis

plus-que-parfait

j'avais bu	tu avais bu	elle avait bu
nous avions bu	vous aviez bu	ils avaient bu
j'étais parti(e)	tu étais parti(e)	elle était partie
nous étions parti(e)s	vous étiez parti(e)s	ils étaient partis

- Les verbes *avoir* et *être* se conjuguent avec l'auxiliaire *avoir*.

passé composé

j'ai eu soif	tu as eu soif	elle a eu soif
nous avons eu soif	vous avez eu soif	ils ont eu soif

plus-que-parfait

j'avais été vu(e)	tu avais été vu(e)	elle avait été vue
nous avions été vu(e)s	vous aviez été vu(e)s	ils avaient été vus

Voir « L'accord des participes passés », pp. 88 à 91.

 Copiez les phrases en complétant avec l'auxiliaire qui convient, conjugué au présent de l'indicatif.

Nous … allés féliciter nos camarades champions d'académie de basket. – Tu … soumis ta proposition de séjour au bord de la mer à tes amis. – Celui qui … né un 29 février, reste-t-il jeune plus longtemps ? – La noblesse et le clergé … aboli les privilèges dans la nuit du 4 août 1789. – Vous … entrés sans allumer et vous … heurté une chaise. – Ce financier … investi toute sa fortune dans une fabrique de dragées. – Avant de passer son permis de conduire moto, le frère de Tonio s' … acheté un CD pour réviser le code. – Je … retourné sur mes pas car je me … égaré. – Justin … hésité un instant avant de s'engager dans ce souterrain.

résister à la tentation   observer le travail des fourmis
se retenir de rire   réclamer une petite pause
avancer au bord du gouffre   apprendre la liste des départements
verser du sucre sur le flan   brancher le répondeur

 Copiez les phrases en écrivant les verbes entre parenthèses au passé composé.

J'(voir) fondre mes économies et je ne pouvais plus payer mon billet de retour. – M. Stada (parvenir) à traduire ce message bien qu'il soit écrit en roumain. – Qu'(transporter)-tu sur ton porte-bagages ? – Le conseiller d'orientation (venir) nous présenter les différents métiers de la restauration. – Trouvant sa jupe trop longue, Sylvia l'(raccourcir). – Vous nous (convaincre) : nous lirons ce roman. – L'acrobate (tomber), mais il (se relever) immédiatement et, aussitôt, il (recommencer) son numéro. – Trois coups de baguette magique et la citrouille (se transformer) en carrosse ! – Après avoir badgé, tu (se diriger) vers la chaîne du self et tu (prendre) un plateau. – La ligne à haute tension (transformer) le paysage et les écologistes ne sont pas contents.

 Copiez les phrases en écrivant les verbes entre parenthèses au plus-que-parfait.

Ce perturbateur n'(récolter) que ce qu'il (semer) : la discorde parmi le groupe. – Le soudeur (se protéger) les yeux avant d'allumer son chalumeau. – Alors que le suspense était à son comble, l'émission (s'interrompre) brusquement. – On voyait nettement que le piano (être) déplacé sans précautions. – Nous (retenir) nos places une semaine à l'avance pour être certains d'assister au concert. – Vous (ne pas s'apercevoir) de l'ardeur du soleil et vous (se brûler) la peau. – Grâce à son GPS, M. Valin (se sortir) sans peine des encombrements. – Les supporters étaient déçus car leur équipe (subir) une sévère défaite.

 Copiez les phrases en remplaçant les sujets en bleu par chacun des sujets proposés, sans modifier les temps.

Le photographe avait pris des risques lorsqu'il s'était aventuré en zone de combat sans protection.
(Vous – Les reporters – Tu – La journaliste)
J'étais restée paralysée et je n'avais pu faire aucun mouvement.
(Les explorateurs – Tu – Nous – Vous – Alexandra)
Comme vous aviez un peu de retard, vous avez marché plus vite.
(tu – ces élèves – nous – Edwige – j')
Tu as observé les indices et tu as résolu aisément cette énigme.
(Vous – Les enquêteurs – J' – La police)

Citation

Je me suis rendu compte que j'avais pris de l'âge le jour où je me suis aperçu que je passais plus de temps avec les pharmaciens qu'avec les garçons de café.
(**J. Gabin**, *Le meilleur du pire*)

Le passé antérieur et le futur antérieur de l'indicatif

Dès qu'il eut lancé sa ligne, le pêcheur sentit qu'un poisson mordait.

RÈGLE

I. Le passé antérieur de l'indicatif exprime des faits accomplis, généralement brefs, dont la durée est déterminée. Ces faits se situent avant une autre action passée, exprimée au passé simple. On dit que c'est le passé du passé.

Pour former le passé antérieur d'un verbe, on conjugue un des deux auxiliaires au passé simple de l'indicatif, devant le participe passé.

refuser	rester	se servir
j'eus refusé	je fus resté(e)	je me fus servi(e)
tu eus refusé	tu fus resté(e)	tu te fus servi(e)
elle eut refusé	elle fut restée	elle se fut servie
nous eûmes refusé	nous fûmes resté(e)s	nous nous fûmes servi(e)s
vous eûtes refusé	vous fûtes resté(e)s	vous vous fûtes servi(e)s
ils eurent refusé	ils furent restés	ils se furent servis

2. Le futur antérieur de l'indicatif exprime une action qui sera achevée à un moment donné du futur. On dit que c'est le passé du futur.

Pour former le futur antérieur d'un verbe, on conjugue un des deux auxiliaires au futur simple de l'indicatif, devant le participe passé.

j'aurai refusé	je serai resté(e)	je me serai servi(e)
tu auras refusé	tu seras resté(e)	tu te seras servi(e)
elle aura refusé	elle sera restée	elle se sera servie
nous aurons refusé	nous serons resté(e)s	nous nous serons servi(e)s
vous aurez refusé	vous serez resté(e)s	vous vous serez servi(e)s
ils auront refusé	ils seront restés	ils se seront servis

Voir « L'accord des participes passés », pp. 88 à 91.

463 **Copiez les phrases en écrivant les verbes entre parenthèses au passé antérieur.**

Quand il (bâtir) les murs de son hangar, M. Samir prépara la charpente. – Lorsque la pelleteuse (creuser) la tranchée, les ouvriers posèrent le câble électrique. – Après que les dernières fusées (éclater), il se fit un grand silence, puis des applaudissements retentirent. – Dès que j'(recevoir) confirmation de ma commande, je guettai le facteur qui devait m'apporter le colis. – Lorsque tu (comparer) ces deux articles, tu fis ton choix. – Dès que la Ferrari (rentrer) dans les stands, les mécaniciens s'activèrent pour changer les pneus. – Après que j'(sucrer) mon bol de chocolat, je le laissai refroidir un peu.

Copiez les phrases en écrivant les verbes entre parenthèses au futur antérieur.

Lorsqu'on nous (livrer) les éléments de la bibliothèque, il ne restera plus qu'à les assembler. – Quand il (tondre) la pelouse, M. Debourg ôtera ses lunettes de protection. – Comme vous n'avez pas révisé, demain vous (oublier) l'essentiel de la leçon. – Dès que tu (s'asseoir), tu prendras un livre pour passer le temps. – Lorsque nous (sécher) nos cheveux, nous nous peignerons. – Quand vous (brancher) la Webcam, vous pourrez filmer et envoyer un message à vos cousins. – Comme Éric est prévoyant, il (louer) sa place bien à l'avance.

465 **Copiez les phrases en écrivant les verbes soulignés au passé simple et les verbes entre parenthèses au passé antérieur.**

Après qu'il (observer) longuement sa boule de cristal, le mage annoncer à Flavien que la chance lui sourirait. – Dès qu'il (glisser) son bulletin dans l'urne, l'électeur signer en face de son nom sur la liste électorale. – Lorsque les enquêteurs (rassembler) les indices, ils orienter leurs recherches en direction de la Suisse. – Quand tu (casser) les noix, tu les répartir sur la pâte à tarte. – Lorsque Ronald (marquer) son vingtième panier, il égaler son record en un seul match. – Après que les pompiers (contrôler) le bon fonctionnement des extincteurs, la représentation pouvoir débuter. – Après que j'(découvrir) un lieu où les myrtilles abondaient, j'en remplir un plein panier.

466 **Copiez les phrases en écrivant les verbes soulignés au futur simple et les verbes entre parenthèses au futur antérieur.**

Quand la marée (découvrir) la plage, nous ramasser des coquillages. – Lorsque la cantatrice (se chauffer) la voix, elle entrer en scène. – Dès que tu (éplucher) les pommes de terre, tu les mouliner pour préparer la purée. – Sitôt que j'(allumer) l'ordinateur, je taper mon code d'accès. – Lorsque nous (choisir) les affiches, nous les punaiser sur les murs de la classe. – Quand les touristes américains (changer) leurs dollars, ils acheter des souvenirs à Paris. – Vous déplacer les meubles, dès que vous (rassembler) vos forces. – Lorsque la secrétaire (photocopier) les documents, elle les mettre sous enveloppe.

467 **Copiez les phrases en écrivant les verbes entre parenthèses au futur antérieur ou au plus-que-parfait de l'indicatif.**

Pour éviter la collision, les chauffeurs (devoir) freiner. – Dès que nous (lire) la notice, nous mettrons la cafetière en marche. – Tu (commettre) une erreur que tu corrigeas aussitôt. – Quand je (se souvenir) du prix, je te le donnerai. – Parce qu'elle craignait le froid, Angeline (revêtir) un anorak. – Lorsque le soleil se lèvera, vous (éteindre) les lumières depuis un moment. – Le chasse-neige (dégager) la chaussée pour que l'autobus puisse passer. – Les élèves (arriver) à dix heures, alors que le principal les attendait à neuf heures.

 itation _____

Dès que le docteur Gachet eut posé les yeux sur un tableau de Vincent Van Gogh, il sut ce qu'était le génie.
Viviane Forrester, *Van Gogh ou l'enterrement dans les blés)*

70ᵉ Leçon

Les valeurs des temps de l'indicatif

Paul n'a pas tenu sa promesse ; il devra fournir des explications.

RÈGLE

1. Le présent exprime généralement une action qui se déroule au moment où l'on parle, où l'on écrit.
Le professeur règle le vidéo projecteur et nous tirons les rideaux.
Il peut également exprimer :
– des faits habituels ;
Le lundi, les cours débutent à huit heures.
– une vérité générale, des proverbes, des maximes ;
Le soleil se lève à l'est et se couche à l'ouest.
– une action passée que l'on place dans le présent pour la rendre plus vivante ; c'est le présent de narration.
À la mort de Louis XIV, Philippe d'Orléans assure la régence.

2. Le futur simple indique une action qui se fera, avec plus ou moins de certitude, dans l'avenir par rapport au moment où l'on parle.
En 3ᵉ, nous passerons le brevet des collèges.

3. L'imparfait marque une action passée qui n'est peut-être pas achevée, qui n'est pas délimitée dans le temps. **Le passé simple** exprime des faits passés, généralement brefs, **complètements** achevés, sans idée d'habitude et sans lien avec le présent.
Karine dévalait la piste noire lorsqu'elle tomba.

4. Le passé composé exprime des faits achevés à un moment donné du passé, en relation avec le présent.
Térésa essaie le manteau qu'elle a choisi.

5. Le plus-que-parfait exprime des faits qui se situent avant une autre action passée.
Térésa voulut essayer le manteau qu'elle avait choisi.

---

 468 Copiez les phrases et indiquez entre parenthèses la valeur du présent de l'indicatif.

Les maçons ouvrent les sacs de ciment, ils approchent les brouettes de sable, ils chargent la bétonnière et n'oublient pas d'ajouter de grands seaux d'eau. – Les piles électriques ne doivent pas être jetées avec les ordures ménagères, car certaines contiennent des produits toxiques, non recyclables. – On a souvent besoin d'un plus petit que soi. – Tous les matins, je prends mon petit-déjeuner à sept heures. – Quand le doigt montre la lune, l'imbécile regarde le doigt. – Ulysse gagne l'île du dieu Éole qui le reçoit avec amabilité pendant un mois. Pour aider son retour à Ithaque, il enferme les vents dans un sac.

469 **Copiez les phrases en remplaçant les verbes au présent de l'indicatif par un autre temps de l'indicatif qui pourrait convenir.**

Est-ce que tu viens à la maison ce soir ? – Je termine ce travail et je pars aussitôt. – En 1945, les troupes alliées découvrent les horreurs des camps de concentration. – Ne vous inquiétez pas, je viens dans un instant. – Renard prend le fromage et se moque du naïf corbeau. – Des barrières métalliques interdisent à la foule de s'approcher de l'entrée du palais de l'Élysée. – L'absence d'amortisseurs accentue les inégalités de la chaussée. – À Roncevaux, lorsqu'il se voit cerné par l'ennemi, Roland sonne du cor et tente de briser son épée Durandal sur un rocher.

470 **Copiez les phrases en écrivant les verbes entre parenthèses au passé simple ou à l'imparfait de l'indicatif.**

La pirogue (descendre) lentement le fleuve lorsqu'un crocodile la (renverser) d'un coup de queue. – Un éclair (zébrer) le ciel et la foudre (s'abattre) sur le pylône. – Autrefois, on (glisser) un sachet de lavande entre les piles de linge placées dans les armoires. – Le suspense (être) à son comble lorsqu'une panne d'électricité (interrompre) la projection du film. – Sous l'Ancien Régime, les unités de mesure (varier) d'une province à l'autre.

471 **Copiez les phrases en écrivant les verbes entre parenthèses au passé composé ou au plus-que-parfait de l'indicatif.**

Angelo (franchir) l'entrée lorsque le portier lui demanda ce qu'il désirait. – Les habitants de Laval sont furieux ; à minuit, une moto (traverser) la ville dans un bruit d'enfer. – L'épicier (confectionner) de superbes pyramides de fruits pour attirer les clients qui n'en croyaient pas leurs yeux. – À leur retour de vacances, nos voisins (trouver) leur boîte aux lettres pleine de courrier ; ayant écarté les publicités, ils (prendre) le temps de le lire. – Comme le niveau d'eau frisait la cote d'alerte, les responsables du barrage (ouvrir) les vannes.

472 **Copiez le texte en écrivant les verbes entre parenthèses au passé simple ou à l'imparfait de l'indicatif.**

Ali Baba (être) un jour dans la forêt, et il (achever) d'avoir coupé assez de bois pour faire la charge de ses ânes, lorsqu'il (apercevoir) une grosse poussière qui (avancer) droit du côté où il (être). Il (regarder) attentivement et (distinguer) une troupe nombreuse de gens à cheval qui (venir) d'un bon train. Ali Baba (avoir) la pensée que ces cavaliers (pouvoir) être des voleurs. Sans considérer ce que deviendraient ses ânes, il (songer) à sauver sa personne. Il (monter) sur un gros arbre qui (s'élever) au pied d'un rocher. De là, il (voir) tout sans être vu. Les cavaliers (arriver) près du rocher, où ils (mettre) pied à terre ; et Ali Baba, qui en (compter) quarante, à leur mine et à leur équipement, (ne pas douter) qu'ils fussent des voleurs.

Contes des Mille et Une Nuits, « Histoire d'Ali Baba et des quarante voleurs », xᵉ-xivᵉ siècles.

itation ―――――――――――――――――――――――――

Tel est pris qui croyait prendre.
La Fontaine, *Le Rat et l'Huître*)

Le présent du conditionnel

Si le spectacle en valait la peine, nous applaudirions à tout rompre.

RÈGLE

- **Le présent du conditionnel** a valeur de mode lorsque l'action est :
  – la conséquence possible d'un fait supposé, d'une condition ;
  S'il faisait beau, nous profiterions de la plage.
  – une éventualité ;
  Un bouquet garni aromatiserait ce court-bouillon.
  – un souhait ;
  J'aimerais exercer un métier en plein air.
  – un fait dont on n'est pas certain, une supposition.
  Affronterais-tu cet adversaire sans crainte ?

- **Le présent du conditionnel**, pour certains emplois, est considéré comme un temps de l'indicatif. C'est un futur hypothétique du passé.
  Fernand a déclaré (déclara) qu'il accepterait volontiers un café.
  Dans ce cas, le présent du conditionnel s'impose parce que le verbe de la principale est au passé. Si le verbe de la principale est au présent de l'indicatif, le verbe de la subordonnée est au futur simple de l'indicatif.
  Fernand déclare qu'il acceptera volontiers un café.

- **Au présent du conditionnel**, tous les verbes ont les mêmes terminaisons, celles de l'imparfait de l'indicatif. Quant au radical, c'est le même que celui qui permet de former le futur simple.

1er groupe	2e groupe	3e groupe
je camperais	je faiblirais	je dormirais
tu camperais	tu faiblirais	tu dormirais
elle camperait	elle faiblirait	elle dormirait
nous camperions	nous faiblirions	nous dormirions
vous camperiez	vous faibliriez	vous dormiriez
ils camperaient	ils faibliraient	ils dormiraient

 Copiez ces phrases et n'entourez que les verbes conjugués au présent du conditionnel.

Le moindre mouvement vous trahirait ; ne bougez pas. – Si tu te munis d'une scie électrique, tu découperas plus facilement cette planche. – Pourquoi M. Reynaud investirait-il tout son argent dans cette aventure ? – Si j'étais toi, je réfléchirais à deux fois avant de monter en équilibre sur cette poutre branlante. – Le technicien était certain que ces appareils détecteraient toute trace de radioactivité.

 Conjuguez les verbes de ces expressions au présent du conditionnel.

balbutier quelques mots
unir ses efforts pour réussir

rétablir la vérité
vérifier les calculs

Copiez les phrases en écrivant les verbes entre parenthèses au présent du conditionnel.

S'il y avait un défaut, le vendeur (accepter) immédiatement un échange. – Pourquoi ne (choisir)-vous pas ce roman policier ? – L'ingénieur pensait que les piles du pont (supporter) des charges importantes sans se déformer. – Si je voulais changer les rideaux, je (mesurer) soigneusement la hauteur des fenêtres. – Le règlement précisait que chaque concurrent ne (disposer) que de trois essais. – Même en utilisant une loupe, tu ne (déchiffrer) pas cette écriture bien trop fine. – Ces juges (fuir)-ils leurs responsabilités ?

 Écrivez les phrases en remplaçant les mots en bleu par les sujets proposés, mais en conservant les temps.

Si tu consultais ce répertoire, tu y trouverais l'adresse de tes amis.
(nous – vous – je – mes sœurs – Mme Carillo)
Si j'avais un moment de libre, j'écouterais des disques.
(Benoît – nous – vous – tu – ces jeunes)
Si vous portiez votre sac en bandoulière, vous ne vous fatigueriez pas.
(les élèves – tu – je – nous – Mohamed)
Si nous suivions les indications du GPS, nous arriverions à destination.
(je – les conducteurs – M. Lanier – vous – tu)

477 Copiez les phrases en complétant avec les verbes suivants que vous conjuguerez au présent du conditionnel.

remuer – se barricader – chercher – sentir – désirer – rester – aggraver – refuser – avantager

Si vous ne disiez pas la vérité, vous … à coup sûr votre cas. – …-vous de nous accompagner ? – En aucune manière, l'arbitre n'… une équipe plutôt qu'une autre. – S'il survenait un cyclone, les habitants de Pointe-à-Pitre … chez eux. – Si tu avais de la fièvre, tu … couché. – Pour retrouver son chien, M. Vanet … ciel et terre. – Avec une piqûre anesthésiante, je ne … pas la douleur, mais le dentiste n'a pas voulu me la faire ! – Valérian … que ses parents lui achètent un scooter ; mais pour cela il faut qu'il travaille mieux. – En cas de tempête, le capitaine du navire … un abri sûr.

478 Copiez les phrases en écrivant les verbes en bleu à l'imparfait de l'indicatif et les verbes soulignés au présent du conditionnel.

Si tu (utiliser) cette tondeuse, tu porter des lunettes de protection. – Si l'historien (consulter) ces documents inédits, il rédiger la biographie originale de Jules Ferry. – Si j'(être) face à un fauve dangereux, je ne bouger pas en attendant le garde-chasse. – Le comédien briser sa carrière, s'il (refuser) ce rôle. – Si un malfaiteur (se glisser) nuitamment dans le centre commercial, l'alarme retentir. – Nous supporter la température polaire, si nous (porter) des chaussettes de laine – L'arbitre arrêter la partie, si le brouillard (s'épaissir).

Citation

J'aimerais mieux être le premier dans un village que le second dans Rome.
Jules César, *cité par Plutarque*)

72ᵉ
Leçon

Le présent du conditionnel : verbes irréguliers

Si vous étiez plus âgés, vous pourriez voter lors des élections nationales.

RÈGLE

* Pour un certain nombre de verbes, on retrouve, **au présent du conditionnel**, les mêmes irrégularités de formes du radical qu'au futur simple. Les terminaisons sont toujours celles de l'imparfait de l'indicatif.

avoir	j'aurais	elle aurait	nous aurions	ils auraient
être	tu serais	elle serait	nous serions	ils seraient
aller	j'irais	elle irait	nous irions	ils iraient
faire	tu ferais	elle ferait	vous feriez	ils feraient
courir	je courrais	elle courrait	nous courrions	ils courraient
voir	tu verrais	elle verrait	vous verriez	ils verraient
tenir	je tiendrais	elle tiendrait	nous tiendrions	ils tiendraient
pouvoir	tu pourrais	elle pourrait	vous pourriez	ils pourraient
vouloir	je voudrais	elle voudrait	nous voudrions	ils voudraient
savoir	tu saurais	elle saurait	vous sauriez	ils sauraient
valoir	tu vaudrais	elle vaudrait	vous vaudriez	ils vaudraient
envoyer	tu enverrais	elle enverrait	vous enverriez	ils enverraient
cueillir	je cueillerais	elle cueillerait	nous cueillerions	ils cueilleraient
asseoir*	j'assoirais	elle assoirait	nous assoirions	ils assoiraient
asseoir*	j'assiérais	elle assiérait	nous assiérions	ils assiéraient

* Les deux conjugaisons sont acceptées, même si la seconde est plus soutenue.

* **Pour les verbes qui doublent le « r »** au présent du conditionnel (*mourir ; courir ; conquérir…*), il ne faut pas confondre les formes de l'imparfait de l'indicatif et celles du présent du conditionnel qui se prononcent presque de la même manière.
L'an dernier, les ormes mouraient mystérieusement.
S'ils n'étaient pas traités, les ormes mourraient mystérieusement.

 Copiez les phrases en écrivant les verbes entre parenthèses au présent du conditionnel.

Si ces empreintes étaient plus larges, ce (pouvoir) être celles d'un éléphant. – Un trèfle à six feuilles ? Nous n'y (croire) que si nous le voyions. – Vous ne (savoir) imaginer combien il est difficile de tenir en équilibre sur des patins à glace. – Le déménageur estima qu'un petit camion (suffire) pour transporter ces quelques meubles. – Ce flacon (contenir)-il un breuvage miraculeux ? – I (valoir) mieux que les automobilistes ne prennent pas l'autoroute, car il y a un ralentissement. – En me laissant la clé, vous me (permettre) de rentrer sans vous déranger. – Je ne savais pas que tu (revenir) si vite.

Conjuguez les verbes de ces expressions au présent du conditionnel.

revenir en trottinant vivre volontiers à la campagne
mourir de peur devant le tigre produire un certificat de scolarité

 Transformez les phrases selon l'exemple ; les verbes seront conjugués au présent du conditionnel.
Ex. : *Un café vous fait plaisir.* → *Un café vous ferait-il plaisir ?*

La route est barrée pour cause de travaux. – La cérémonie de remise des médailles se tient à quinze heures. – Tu sais me donner l'adresse d'un bon coiffeur. – Vous croyez encore au Père Noël. – Fabien se souvient de tous les détails du montage électrique. – Ces produits proviennent d'Indonésie. – Tu romps notre accord. – Nous écrirons pour demander des renseignements au directeur du musée. – Le journaliste décrit les circonstances de l'accident.

 Transformez les phrases en respectant la concordance des temps.
Ex. : *Quand tu éteindras la lumière, tu n'y verras plus rien.*
→ *Si tu éteignais la lumière, tu n'y verrais plus rien.*

Quand on nous le permettra, nous nous assiérons au premier rang. – Lorsque vous procéderez avec méthode, vous résolverez ce problème. – Quand je visiterai l'Amérique, je verrai les chutes du Niagara. – Lorsque ses porcs seront plus gras, cet éleveur les vendra un bon prix. – Quand les enfants écouteront les conseils, il y aura moins d'accidents domestiques. – Lorsqu'ils auront confronté leur agenda, ces deux amis conviendront d'un rendez-vous. – Quand ils auront les plans exacts, les maçons entreprendront les travaux.

 Copiez ces phrases en les complétant par une proposition principale dont le verbe sera conjugué au présent du conditionnel.

S'il pleuvait, … . – Si les bulldozers entraient en action, … . – Si les douaniers interceptaient une livraison de drogue, … . – Si vous laissiez le plat au four micro-ondes encore quelques minutes, … . – Si les marins larguaient les amarres, … . – Si tu en avais le courage, … . – Si je patientais quelques instants, … . – Si ce cheval pouvait gagner la course, … . – Si le patron de l'usine décidait de la moderniser, … .

484 **Copiez les phrases en écrivant les verbes entre parenthèses au futur simple ou au présent du conditionnel.**

Comme il n'y a plus de dessert, Maxime (reprendre) du fromage. – Si le film n'est pas intéressant, vous n'(attendre) pas la fin. – Si les moustiques envahissaient l'appartement, tu les (poursuivre) avec une bombe insecticide. – Si Gérald vivait à Toulon, il (apprendre) peut-être le provençal. – Si je ne prends pas de précautions, je (pouvoir) m'électrocuter en branchant le projecteur. – Si le sol tremblait, des fissures (apparaître) dans la façade. – Si j'utilisais un traitement de texte, mon travail (être) plus soigné.

Citation

Il faudrait essayer d'être heureux, ne serait-ce que pour donner l'exemple.
(**Jacques Prévert**, *Spectacles*)

Le présent du subjonctif

Il est urgent que vous remplaciez les piles de votre baladeur.

RÈGLE

- **Le subjonctif exprime** généralement un désir, un souhait, un ordre, un doute, un regret, un conseil, un désir, une supposition...
- Les verbes au subjonctif sont, assez souvent, inclus dans une proposition subordonnée introduite par la conjonction *que*.

    Il faut que tu réagisses immédiatement.
    La recette exige que le lait soit chaud avant de le verser sur la farine.
    Il convient que je rassure mes parents en leur téléphonant.

- **Au présent du subjonctif**, tous les verbes (sauf *être* et *avoir*) prennent les mêmes terminaisons.

    avoir : que j'aie – que tu aies – qu'elle ait – que nous ayons – que vous ayez – qu'ils aient

    être : que je sois – que tu sois – qu'elle soit – que nous soyons – que vous soyez – qu'ils soient

jouer	**obéir**	**sortir**
que je joue	que j'obéisse	que je sorte
que tu joues	que tu obéisses	que tu sortes
qu'elle joue	qu'elle obéisse	qu'elle sorte
que nous jouions	que nous obéissions	que nous sortions
que vous jouiez	que vous obéissiez	que vous sortiez
qu'ils jouent	qu'ils obéissent	qu'ils sortent

- **Pour les verbes du 2ᵉ groupe**, -ss- sont toujours intercalés entre le radical et la terminaison.

    réussir → *Il faut que je réussisse.*
    applaudir → *Il faut que nous applaudissions.*

- Les conjonctions *que* et *quoi* peuvent se trouver en tête de phrase dans des exclamations marquant l'étonnement, l'indignation, le refus. Le verbe est alors au subjonctif.

    Que chacun soit à son poste ; le tournage va débuter !
    Quoi que vous cherchiez, vous le trouverez dans cette boutique.

 Transformez les phrases selon l'exemple.

Ex. : *Vous vous préparez à sortir.*
→ *Il faut que vous vous **prépariez** à sortir.*

Tu consens à nous suivre.
Je ressors mon anorak fourré.
Vous redoublez de vigilance.
Nous rencontrons le principal.
William se rétablit très vite.

Maeva sert à boire à tout le monde.
Nous conservons notre calme.
Le voilier part avant la tempête.
Je ne salis pas mes baskets.
Tu te réjouis à l'idée d'être en vacances.

Copiez les phrases en écrivant les verbes entre parenthèses au présent du subjonctif.

Il paraît indispensable que vous (s'abonner) à Internet dès aujourd'hui. – Le professeur regrette que nous (rester) sans voix lorsqu'il pose des questions en anglais. – Avant de retirer vos billets au distributeur, il est nécessaire que vous (taper) votre code confidentiel. – Je veux que le vendeur me (garantir) la qualité de ce produit. – Quoi que Grégory (accomplir), il y met toute son ardeur.

 Écrivez les phrases en remplaçant les mots en bleu par les sujets proposés, mais en conservant les temps.

Il faut que je couvre mes livres afin qu'ils restent en bon état.
(Jordan – nous – les élèves – vous – tu)
Il faut que nous nous munissions de notre carte d'identité.
(je – les touristes – Mme Slama – vous – tu)

 Copiez les phrases en écrivant les verbes entre parenthèses au présent du subjonctif.

Il est rare qu'un patineur (accomplir) une quadruple boucle. – Il est possible que nous (survoler) le Sahara par temps clair. – L'objectif de notre professeur d'EPS est que nous (participer) tous au cross annuel. – Vos parents tiennent à ce que vous (être) de retour avant vingt-deux heures. – Il est fâcheux que ce ballon ne (rebondir) pas plus haut ; il n'est pas assez gonflé. – Il arrive que le parking (être) complètement désert, mais c'est exceptionnel.

 Copiez les phrases en les complétant avec les verbes suivants que vous conjuguerez correctement.

abattre – répandre – confondre – admettre – se diriger

Avant que Stéphane … qu'il s'est trompé, il faudra lui expliquer longuement la solution. – Il se peut que nous … dans la mauvaise direction ; nous n'avons pas de plan. – Je m'étonne que tu … ces deux numéros de téléphone. – Comme le sol est peu fertile, il faut que les agriculteurs … de l'engrais. – Pour que mon adversaire … sa dernière carte, il faut que je joue mon as.

490 **Copiez les phrases en remplaçant le verbe de la principale par le verbe entre parenthèses et effectuez les changements dans la subordonnée.**

Les techniciens assurent (douter) que la fusée partira normalement. – Le coureur précise (exiger) que ses freins seront réglés. – Il est (ne pas être) certain que le cavalier accomplira un exploit en franchissant cette haie. – Nous n'ignorons pas (refuser) que les mauvaises herbes envahiront la pelouse. – Il est clair (être bon) que ce jeune chien obéira à son maître. – Je sais (ne pas douter) que vous transformerez l'essai. – Le professeur pense (vouloir) que je poursuivrai l'apprentissage de la trompette.

Citation _____

Il m'a dit qu'il ne faut jamais
Vendre la peau de l'ours qu'on ne l'ait mis par terre.
La Fontaine, *L'Ours et les deux Compagnons*)

74ᵉ Leçon

Le présent du subjonctif : verbes irréguliers

Il serait bon que vous sachiez vos leçons par cœur.

RÈGLE

- Au présent du subjonctif, le radical de certains verbes du 3ᵉ groupe est modifié, **mais** les terminaisons sont toujours les mêmes.

aller	qu'elle aille	que nous allions	qu'ils aillent
faire	que tu fasses	que vous fassiez	qu'elles fassent
venir (tenir)	que je vienne	que nous tenions	qu'elles tiennent
savoir	qu'elle sache	que vous sachiez	qu'ils sachent
vouloir	que tu veuilles	qu'elle veuille	que vous vouliez
voir	que je voie	que nous voyions	qu'elles voient
recevoir	qu'il reçoive	que nous recevions	qu'ils reçoivent
valoir	qu'il vaille	que vous valiez	qu'elles vaillent
lire (dire)	que je lise	que nous disions	qu'elles lisent
prendre	qu'il prenne	que nous prenions	qu'elles prennent
conduire	que je conduise	que vous conduisiez	qu'ils conduisent
plaire	que tu plaises	qu'elle plaise	que vous plaisiez
craindre	qu'elle craigne	que nous craignions	que vous craigniez
mourir	qu'il meure	que nous mourions	qu'elles meurent
asseoir*	que j'assoie	que nous assoyions	qu'ils assoient
asseoir*	que tu asseyes	qu'elle asseye	que vous asseyiez

* Les deux conjugaisons sont acceptées, même si la seconde est plus soutenue.

Le verbe falloir ne s'emploie qu'à la 3ᵉ personne du singulier : qu'il faille.

 Copiez les phrases en écrivant les verbes entre parenthèses au présent du subjonctif.

Il est peu probable que José (venir) avec nous au parc d'attractions ; il a du travail. – Il est regrettable qu'il (falloir) si longtemps pour avoir une réponse à notre réclamation. – Il est vraiment exceptionnel que le service postal (perdre) une lettre ou un colis. – Il est rare que le propriétaire d'un appartement ne (souscrire) pas une assurance. – Je m'étonne que Marine (se satisfaire) d'une seule part de tarte ! – Orso déplore que le CDI n'(acquérir) pas assez de romans fantastiques. – Le règlement de la société de pêche s'oppose à ce qu'on (introduire) des truites trop petites dans la Valserine.

 Conjuguez les verbes entre parenthèses à toutes les personnes du présent du subjonctif. Pour les 3ᵉ personnes vous choisirez des noms sujets.

Il faut absolument que (voir) ce film historique.
Il faut que (enduire) l'affiche de colle avant de la poser.
Il est temps que (reconnaître) les panneaux du code de la route.
Aubin regrette que (pouvoir) pas l'accompagner à la piscine.

Copiez les phrases en écrivant les verbes entre parenthèses au présent du subjonctif.

Pour que tu (faire) bonne figure lors de la représentation théâtrale, il serait préférable que tu (savoir) ton texte par cœur. – Il n'est pas question que vous (s'asseoir) alors que des personnes âgées sont debout. – Il est faux de dire qu'il (falloir) un passeport pour se rendre en Allemagne. – Il faut que tu (poursuivre) tes efforts si tu veux réussir ton examen. – Valentin a une bronchite ; il faut que le médecin lui (prescrire) un sirop antitussif. – M. Kebbar ne pense pas que cette moto (valoir) plus de cinq mille euros. – Il faut que le suspect (convaincre) les enquêteurs de son innocence ; ce sera facile puisqu'il a un solide alibi.

 Copiez les phrases en écrivant les verbes entre parenthèses au présent du subjonctif.

Il serait bon que tu (se nourrir) de fruits et de légumes. – Je doute que ce stylo t'(appartenir). – Je ne crois pas que tu (comprendre) la gravité de la situation. – Mon câble de frein avant est desserré ; il faut que je le (retendre). – Il ne faudrait pas que la tornade (détruire) les cabanons bâtis sur la plage. – Il n'est pas concevable que vous (faire) autant d'erreurs : les opérations sont pourtant simples. – Pourvu que l'entraîneur (soutenir) ses joueurs jusqu'à la fin du match !

495 **Écrivez les phrases en remplaçant les mots en bleu par les sujets proposés, mais en conservant les temps.**

Il importe que je m'inscrive à temps pour le concours de chant.
(les concurrents – nous – tu – vous – Mme Tramoy)
Il est fâcheux que tu ne sois pas attentive lorsqu'on te pose une question.
(nous – vous – Loris – les élèves – je)
Il est possible que beaucoup s'abstiennent lors de l'élection des délégués.
(vous – tu – je – nous – Tiffany)
Il faut que je conçoive un projet de sortie scolaire.
(Gladys – nous – les internes – vous – tu)

496 **Copiez les phrases en complétant avec les verbes suivants que vous conjuguerez correctement.**

éconduire – fondre – entrevoir – réapprendre – luire – se tordre – mourir – mettre – contenir

Julien craint que, faute d'arrosage, son yucca ne … . – Il importe que tu … tes réactions sinon tu vas avoir des ennuis. – Il est dommage que vous n' … aucune issue à cette situation. – Il serait bon que le beurre … dans la poêle avant que vous y … les escalopes. – Le boxeur porte un solide bandage de crainte que son pouce … . – M. Aleski passe une peau de chamois sur la carrosserie de sa voiture pour qu'elle … . – Après son opération, il faut que mon grand-père … à marcher. – Il est possible que la gardienne … les vendeurs ambulants qui veulent s'introduire dans l'immeuble.

Citation

Si vous voulez que la vie vous sourie, apportez-lui d'abord de la bonne humeur.
(Spinoza)

175

75ᵉ Leçon

Le présent de l'indicatif ou le présent du subjonctif ?

Je ne crois plus au Père Noël, mais il est possible que mon petit frère y croie encore.

RÈGLE

- **Les formes des personnes du singulier du présent** de l'indicatif et celles du **présent du subjonctif** sont homophones pour certains verbes du 3ᵉ groupe.

  On sait que tu cours le cent mètres en 13 secondes.
  On doute que tu coures le cent mètres en 13 secondes.

- Pour ne pas les confondre, il faut se rapporter au sens de l'action. On peut penser à la première ou à la deuxième personne du pluriel :

  On sait que vous courez le cent mètres en 13 secondes. → indicatif
  On doute que vous couriez le cent mètres en 13 secondes. → subjonctif

- On peut aussi employer un autre verbe du 3ᵉ groupe pour lequel on entend la différence entre ces deux formes :

  On sait que vous faites les brocantes chaque dimanche. → indicatif
  On doute que vous fassiez les brocantes chaque dimanche. → subjonctif

- Aux deux premières personnes du pluriel du présent du subjonctif, il ne faut pas oublier le « i » de la terminaison pour les verbes du 1ᵉʳ groupe terminés par -yer, -ier, -iller, -gner à l'infinitif (et pour quelques verbes du 3ᵉ groupe).

  Il faut que nous pliions les feuilles en quatre.
  Il faut que vous envoyiez de vos nouvelles.
  Il faut que nous repeignions le mur de la chambre.
  Il faut que vous verrouilliez toutes les portes.
  Il est rare que nous voyions des vipères dans cette région.

 Écrivez les verbes entre parenthèses aux personnes et aux temps demandés.

	présent de l'indicatif	présent du subjonctif
(attendre)	J'…	Il faut que j'…
(fuir)	Le chevreuil …	Il faut que le chevreuil …
(balayer)	Vous …	Il faut que vous …
(bouillir)	L'eau …	Il faut que l'eau …
(se justifier)	Nous …	Il faut que nous …
(accourir)	Tu …	Il faut que tu …
(travailler)	Nous …	Il faut que nous …
(s'asseoir)	Je …	Il faut que je …

Copiez les phrases en écrivant les verbes entre parenthèses au présent de l'indicatif ou au présent du subjonctif.

Il est certain que ce savant (venir) de rendre un immense service à la science. – Il est possible que ce médicament (venir) révolutionner le traitement de certaines maladies. – Je suis sûre que le train de Strasbourg n'(être) pas encore arrivé. – Nous pourrons partir de bonne heure, à moins que Fanny (être) en retard. – Tu crains que ton petit chaton n'(avoir) pas faim, mais plutôt qu'il (avoir) soif. – Je sais que ce chien n'(avoir) pas faim, mais qu'il (avoir) soif. – Il est surprenant que l'on (extraire) du pétrole de cette région antarctique. – De cette mine, on (extraire) un minerai de fer d'excellente qualité.

 Copiez les phrases en écrivant les verbes entre parenthèses au présent de l'indicatif ou au présent du subjonctif.

En attendant que l'alpiniste (entrevoir) une possibilité de bivouaquer, il vérifie l'état de son matériel. – Aussitôt que le capitaine du navire (entrevoir) une anse bien abritée, il s'y dirige. – Il faut que chaque membre du projet scientifique (concourir) à sa réussite. – Le sérieux dans le travail (concourir) évidemment à la satisfaction personnelle. – Nous regrettons que tu ne (sourire) pas plus souvent. – Comme l'histoire n'est pas vraiment drôle, tu (sourire) à peine. – Il est juste que le voleur de bijoux (encourir) une sévère condamnation. – Auteur d'une violation caractérisée des accords de paix, ce pays (encourir) des représailles.

500 Copiez les phrases en remplaçant le verbe de la principale par le verbe entre parenthèses, et effectuez les changements dans la subordonnée.

J'affirme (regretter) que tu parcours un peu trop rapidement ce document : il est important. – Nous savons (ne pouvoir croire) que Camille meurt de peur à la simple vue d'une minuscule araignée. – Le journaliste précise (douter) que cette information est fiable. – Je suppose (tenir à ce) que tu recours à une paire de ciseaux à bouts ronds pour découper ce solide carton. – Il paraît (être de règle) que le fabricant garantit cet appareil pendant cinq ans. – Il n'est pas douteux (être regrettable) que certains ateliers clandestins contrefont des articles de luxe.

501 Copiez les phrases en écrivant les verbes entre parenthèses au présent de l'indicatif ou au présent du subjonctif.

Il est indispensable que l'éleveur (traire) ses chèvres matin et soir. – Aujourd'hui, on ne (traire) plus les vaches à la main ; les machines font ce travail en respectant les règles d'hygiène. – Êtes-vous sûr que le prix affiché sur ce meuble (inclure) la livraison ? – Le notaire (inclure) une clause suspensive dans le contrat de vente. – Il n'est pas impossible que ce coureur (se soustraire) au contrôle antidopage. – Le magicien (se soustraire) un instant à la vue du public derrière un épais rideau. – Le médecin exige que ce patient (exclure) toute matière grasse de son alimentation.

Citation _____

Il est bon de suivre sa pente, pourvu que ce soit en montant.
André Gide, *Les Faux-Monnayeurs*)

76^e

Leçon   **Le passé du subjonctif**

En admettant que nous ayons trouvé la solution du problème, encore faut-il qu'elle soit exacte.

RÈGLE

- On écrit le verbe de la subordonnée **au passé du subjonctif** si le verbe de la proposition principale est au présent, au futur simple de l'indicatif ou au conditionnel. On exprime alors un fait passé par rapport au fait de la principale ou par rapport à un moment à venir.
  Il est possible que ce magasin ait changé de propriétaire.
  Romuald s'étonnera que tu sois parti sans laisser un mot d'explication.

- **Le verbe de la principale** peut être au présent de l'impératif.
  Attends que j'aie allumé avant de t'engager dans ce couloir.

- **Le passé du subjonctif** est formé du présent du subjonctif de l'auxiliaire (être ou avoir) et du participe passé du verbe conjugué.

rêver	réagir	rester
que j'aie rêvé	que j'aie réagi	que je sois resté(e)
que tu aies rêvé	que tu aies réagi	que tu sois resté(e)
qu'elle ait rêvé	qu'elle ait réagi	qu'elle soit restée
que nous ayons rêvé	que nous ayons réagi	que nous soyons resté(e)s
que vous ayez rêvé	que vous ayez réagi	que vous soyez resté(e)s
qu'ils aient rêvé	qu'ils aient réagi	qu'ils soient restés

- Pour les verbes employés avec l'auxiliaire avoir, il ne faut pas confondre les formes du passé composé de l'indicatif avec celles du passé du subjonctif.
  Je crois que j'ai attrapé la grippe.   → passé composé
  Il ne faudrait pas que j'aie attrapé la grippe.   → passé du subjonctif
  Pour les distinguer, il suffit d'employer une des deux premières personnes du pluriel.
  Le médecin croit que nous avons attrapé une bonne grippe.
  Il ne faudrait pas que nous ayons attrapé une bonne grippe.

---

502 **Écrivez les verbes des expressions entre parenthèses aux personnes et aux temps demandés.**

	passé composé de l'indicatif	passé du subjonctif
(revenir du collège)	Je ...	Il faudrait que je ...
(compléter la notice)	Tu ...	Il faudrait que tu ...
(aplanir les difficultés)	Elle ...	Il faudrait qu'elle ...
(repartir à temps)	Vous ...	Il faudrait que vous ..
(terminer sa toilette)	Nous ...	Il faudrait que nous ..
(clarifier la situation)	Nous	Il faudrait que nous ..

503 Copiez les phrases en écrivant les verbes entre parenthèses au passé du subjonctif.

Il faudra que M. Nallet (maigrir) beaucoup pour porter ce costume serré à la taille. – Si malin que ce renard (pouvoir) être, la cigogne s'est bien moquée de lui. – Est-il possible que le chauffeur (se tromper) à ce point ? Nous sommes en rase campagne. – Bien que je (ne pas réserver) de place, j'ai tout de même pu assister au concert. – Je n'ai jamais cru que vous (atteindre) le sommet du mont Blanc chaussés de simples baskets. – Les règles d'hygiène exigent que l'infirmier (se laver) les mains avant de soigner le blessé. – Éric lira ce texte à condition qu'il (retenir) quelques notions de portugais. – Vous aviez partagé la tarte de façon que, à la fin du repas, chacun (déguster) la même quantité.

504 Copiez les phrases en écrivant les verbes entre parenthèses au passé du subjonctif.

Pour peu que vous (être) aimable, il n'est pas étonnant que tous vos amis vous (apprécier). – Il est essentiel que les niveaux (être) tracés avant de poser les premières briques. – Christophe Colomb est le seul qui (ne jamais douter) de la réussite de son expédition. – Avant que les services municipaux (dégager) la neige de la chaussée, il ne faudrait pas qu'un poids lourd (se garer) au bord du trottoir. – Cela m'étonnerait que la caissière (commettre) une erreur en saisissant les codes barres.

505 Copiez les phrases en écrivant les verbes entre parenthèses au passé composé de l'indicatif ou au passé du subjonctif.

Le moniteur d'EPS attend que nous (accomplir) trois tours de piste avant de placer les haies. – Connaissez-vous une femme qui (être) championne olympique de lutte ? – Lance Armstrong (être) le seul à remporter sept fois le Tour de France. – Attendez que le professeur vous (donner) la parole avant de répondre. – Le professeur (donner) la parole à celui qui a levé le doigt en premier. – Pour écrire la réponse, Stany (négliger) les chiffres après la virgule. – Vos parents ne comprennent pas que votre travail (être) négligé à ce point.

506 Copiez les phrases en écrivant les verbes entre parenthèses au présent ou au passé du subjonctif.

Croyez-vous que Laurence (pouvoir) nous rendre visite la semaine prochaine ? – Croyez-vous que Vanessa (pouvoir) nous rendre visite la semaine dernière ? – M. Avakian est heureux que, dans sa jeunesse, son père lui (apprendre) à jouer aux échecs. – Nelly souhaite que son père lui (apprendre) à jouer aux échecs. – À condition que vous (être) patients, vous aurez les meilleures places. – À condition que vous (être) patients, les meilleures places vous ont été attribuées. – Il faut que Chenouda (aller) au bout de son raisonnement. – Il faudrait que Stéphanie (aller) au bout de son raisonnement.

Citation

L'étude a été pour moi le souverain remède contre les dégoûts de la vie, n'ayant jamais eu de chagrin qu'une heure de lecture n'ait dissipé.
Charles-Louis de Montesquieu, *Cahiers*)

77e Leçon   **Le présent de l'impératif**

Prends des précautions; ne **traverse** pas hors des passages protégés.

RÈGLE

- **Le présent de l'impératif** permet d'exprimer des ordres, des conseils, des souhaits, des recommandations, des interdictions.

Ier groupe	2e groupe	3e groupe
écoute	applaudis	écris
écoutons	applaudissons	écrivons
écoutez	applaudissez	écrivez

- Pour les verbes du 2e groupe, on intercale « ss » entre le radical et les terminaisons pour les personnes du pluriel.
- Certains verbes ont des formes particulières.
  Sois courageux.   Aie du courage.   Sachez nager.   Asseyez-vous.
- **On place un trait d'union** entre le verbe à l'impératif et le pronom personnel qui le suit.
  Tourne-toi.   Unissons-nous.   Suivez-moi.
- **À la deuxième personne du singulier**, les verbes du Ier groupe (ainsi que certains verbes du 3e groupe : *offrir, souffrir, ouvrir, savoir, aller…*) ne prennent pas de « s ».
  Néanmoins, pour faciliter la prononciation, on place un « s » devant les pronoms *en* et *y*.
  Ces fruits sont juteux; goûtes-en un.   N'hésite pas, vas-y franchement.

 Conjuguez les verbes de ces expressions au présent de l'impératif.

vérifier ses calculs   affranchir son courrier
se servir d'une équerre   s'endormir calmement
décoder ce message   ne pas ébruiter le secret

 Copiez les phrases en écrivant les verbes entre parenthèses au présent de l'impératif.

Lorsque vous tracez des traits trop épais avec vos crayons, (tailler)-les. − (Ne pas ouvrir) les fenêtres, toutes tes feuilles de papier risquent de s'envoler. − (Réfléchir) avant de prendre votre décision. − (Apprendre) à te servir de ton ordinateur, tes textes seront mieux présentés. − (Avertir) nos camarades, car le cours d'anglais de dix heures est supprimé. − Pour préserver l'environnement, (trier) tous nos déchets. − (Se servir) de ton équerre pour mesurer les angles droits. − (Se confier) à ta meilleure amie, elle saura t'écouter. − (Ne pas avoir) peur, vous ne risquez rien; ce serpent est inoffensif : c'est un orvet. − (Ne pas quitter) ton pull-over, il fait trop froid.

509 Copiez le texte en écrivant les verbes entre parenthèses à la 2e personne du singulier du présent de l'impératif.

Avant la prise de vue, le metteur en scène s'adresse à la comédienne.
Pendant qu'on te maquille, (commencer) par répéter mentalement les répliques que tu donneras à ton partenaire. Ensuite, (se placer) de profil par rapport à la caméra n° 2. (Ne pas prendre) un air trop sévère. (Être) la plus naturelle possible et ne (se déplacer) que très lentement. (Ne pas faire) de gestes brusques. (Se rappeler) que tu ne dois jamais manifester trop violemment tes sentiments. (Rester) sur une réserve prudente. (Ne pas chercher) à forcer ton jeu, je sais que tu es capable d'exprimer beaucoup de choses d'un simple regard. Si tu te sens en difficulté, (ne pas hésiter) à me faire un signe, nous interromprons immédiatement le tournage.

510 Copiez ces phrases en écrivant les verbes en bleu au présent de l'indicatif ou au présent de l'impératif.

Pourquoi (se troubler)-tu quand on te (poser) une question ? – Tu (regretter) d'avoir pris ce pantalon, car il est trop étroit ; (échanger)-le au plus vite. – (Monter) sur la terrasse de cet immeuble ; tu (bénéficier) d'une vue magnifique sur les toits de Paris. – Comment (occuper)-tu tes loisirs ? (Savoir) que la lecture est un passe-temps fort agréable. – Avant de partir, (se renseigner) sur les conditions météorologiques ; tu profiteras ainsi pleinement de ta journée.

511 Écrivez les verbes entre parenthèses à la 2e personne du singulier du présent de l'impératif. Dans chaque expression, l'un des verbes sera à la forme négative.

Ex. : *rouler vite, ralentir → Ne **roule** pas vite, **ralentis**.*

(entrer) et (attendre) devant l'entrée
(s'approcher) et (avoir) peur
(hurler) et (garder) son calme
(courir) dans l'escalier et (marcher)
(se laisser) abattre, (réagir)

(manger) vite, (prendre) son temps
(écouter) calmement, (se fâcher)
(dire) la vérité, (mentir)
(hésiter), (aller) droit au but
(rejeter) la proposition, (étudier)-la

512 Copiez les phrases en remplaçant le groupe nominal en bleu par un des pronoms suivants : en – y – la – le – l'.

Ex. : *Avale **deux cachets**. → Avales-**en** deux.*

Prends ces cartes, et distribue huit cartes à chacun. – Cet emplacement est bien abrité ; installe ta tente sur cet emplacement. – Si tu veux que nous comprenions ta réponse, formule clairement ta réponse. – Ton sac est là ; trouve dans ton sac le livre de géographie. – Ce pâté est appétissant ; coupe une tranche de ce pâté. – Après avoir répandu de l'engrais dans ce pot, plante le bulbe de tulipe dans ce pot. – Ce chat est gourmand ; éloigne ce chat de ton bol de lait. – À dix-huit ans, tu auras le droit de voter ; profite du droit de voter, car des peuples n'ont pas ce droit de voter.

 itation ───────────────────────────────

Va, cours, vole et nous venge !
(**Corneille**, *Le Cid*)

Les particularités des temps simples des verbes en -yer, -eler, -eter

Lorsque tu achètes beaucoup de provisions, tu paies avec une carte bancaire.

RÈGLE

- **Les verbes terminés par** « -yer » à l'infinitif, transforment le « y » en « i » devant les terminaisons débutant par un « e » muet.
  - présent de l'indicatif : *Je nettoie le sol. Un bouquet égaie la pièce.*
  - futur simple de l'indicatif : *Après le repas, tu nettoieras le sol.*
  - présent du conditionnel : *Si tu plaçais un bouquet, cela égaierait la pièce.*
  - présent de l'impératif : *Nettoie le sol.*
  - présent du subjonctif : *Il faut que tu nettoies le sol.*

- Pour les verbes terminés par « -ayer » à l'infinitif, le maintien du « y » devant le « e » muet est toléré. Néanmoins, pour mieux retenir l'ensemble des conjugaisons des verbes en « -yer », il est préférable de transformer le « y » en « i » pour tous les verbes.

- Les verbes *envoyer* et *renvoyer* ont des formes particulières au futur. *tu enverras – nous renverrons*

- La plupart des **verbes terminés par** « -eler » et « -eter » doublent le « l » ou le « t » devant les terminaisons débutant par un « e » muet.
  - présent de l'indicatif : *J'appelle Luc. Lisa feuillette une revue.*
  - futur simple de l'indicatif : *J'appellerai Luc. Lisa feuillettera une revue.*
  - présent de l'impératif : *Appelle Luc. Feuillette une revue.*
  - présent du conditionnel : *Si je n'avais pas de nouvelles, j'appellerais Luc.*
  - présent du subjonctif : *Il est surprenant que Lisa feuillette une revue.*

- Seuls quelques verbes ne doublent pas la consonne, mais prennent un accent grave sur le « e » qui précède le « l » ou le « t ». *je pèle – il gèlera – nous halèterons – vous modèleriez – achète – il faut que tu crochètes*

  Copiez les phrases en écrivant les verbes entre parenthèses au présent de l'indicatif.

À l'affût du moindre poisson, les mouettes (tournoyer) au-dessus des casiers des pêcheurs. – Quand il a une console de jeux à portée de main, Mourad ne (s'ennuyer) jamais. – M. Fischer (renvoyer) le livre qu'il avait commandé, car il est abîmé. – Agathe (envoyer) plusieurs SMS à son amie Flavie. – Julien (employer) une brosse métallique pour décaper la peinture. – Tu (essayer) de traduire ce texte, mais tu n'as pas de dictionnaire d'anglais. – Je (payer) mes achats avec un billet de vingt euros. – Beaucoup de personnes (s'apitoyer) sur le sort des malheureux bébés phoques.

Copiez les phrases en écrivant les verbes entre parenthèses au présent de l'indicatif. (Vous pouvez consulter un livre de conjugaison.)

Comme la proposition n'est pas intéressante, M. Benech la (rejeter). – À la sortie du magasin, des bénévoles (empaqueter) les cadeaux. – (Peler)-tu les pommes avant de les couper en quatre, ou après ? – Avant de sortir, Marie (museler) toujours son chien ; il pourrait mordre un passant. – Sophie (décongeler) la langue de bœuf avant de la laisser cuire au court-bouillon. – Comme Alexandre a perdu ses clés, le serrurier (crocheter) le verrou. – Le cuisinier (congeler) certains de ses plats.

 Les verbes de ces phrases sont à l'imparfait de l'indicatif ; recopiez-les en écrivant les verbes au futur simple de l'indicatif.

Le petit voilier louvoyait parmi les récifs à la recherche de la passe. – Énervé, Olivier martelait ses propos de grands coups de poing sur la table. – Les questions étaient si difficiles que tu en bégayais, incapable de répondre. – Le palefrenier attelait la jument au sulky de son entraîneur. – Les aventures de cette actrice américaine défrayaient la chronique des magazines. – La grand-mère choyait ses petits-enfants. – M. Évrard brevetait toutes ses inventions, même les plus farfelues. – Les jardiniers balayaient les feuilles mortes qui envahissaient le parc municipal. – Après la pluie, j'essuyais mes verres de lunettes. – Tu décachetais ton courrier. – Cet escroc ensorcelait ses victimes avec de belles paroles et leur dérobait leur argent.

 Copiez les phrases en écrivant les verbes entre parenthèses au présent du conditionnel de l'indicatif.

Si tu faisais un peu plus attention, tu (déceler) tes erreurs de calcul. – Un puissant bulldozer (déblayer) la terre en quelques heures, alors qu'il (falloir) des jours avec une équipe d'ouvriers. – Si les caniveaux étaient mal entretenus, l'eau de pluie (ruisseler) sur la chaussée. – Si tu les connaissais mieux, tu (tutoyer) ces personnes. – Ne gratte pas la vitre avec un couteau, tu la (rayer). – S'ils parvenaient à l'identifier, les policiers (démanteler) un réseau de trafiquants. – Si je pouvais assister au tournage d'un film, je (côtoyer) des vedettes. – Si on ne les ramassait pas régulièrement, les ordures (s'amonceler).

 Copiez les phrases en écrivant les verbes entre parenthèses au présent de l'impératif.

(Nettoyer) les bougies de ton vélomoteur. – (Épeler) ton nom et ton prénom au surveillant. – (Fureter) dans les coins pour retrouver ton stylo. – (Étayer) ton raisonnement avec de solides arguments. – (Ne pas harceler) tes parents de questions stupides. – Lorsque tu montes un poney, (ne pas le rudoyer) ; il se cabrerait. – (Délayer) la farine avec un petit peu de lait tiède et tu obtiendras une pâte consistante. – (Se frayer) un passage parmi la foule pour arriver devant le guichet.

 itation

Nous pardonnons souvent à ceux qui nous ennuient, mais nous ne pouvons pardonner à ceux que nous ennuyons.

(**La Rochefoucauld**, *Réflexions ou Sentences et Maximes morales*)

79ᵉ Leçon

Les particularités des temps simples des verbes en -cer, -ger, -guer, -quer

Léo naviguait calmement lorsqu'il aperçut une baleine qui plongea aussitôt.

RÈGLE

- **Les verbes terminés par « -cer »** à l'infinitif prennent une cédille sous le « c » pour conserver le son [s] devant les terminaisons débutant par les voyelles « a » ou « o ».
  Nous avançons lentement.   *Tu avançais lentement.*

- **Quelques verbes du 3ᵉ groupe** (*apercevoir, décevoir, recevoir…*) s'écrivent avec un « ç » devant les voyelles « o » et « u ».
  J'aperçois un aigle.   *Tu déçois tes amis.*   *J'ai reçu un message.*

- **Les verbes terminés par « -ger »** à l'infinitif prennent un « e » après le « g » devant les terminaisons débutant par les voyelles « a » ou « o », afin de conserver le son [ʒ].
  Nous mélangeons les couleurs. Je mélangeais les couleurs.

- **Les verbes terminés par « -guer »** ou « -quer » conservent le « u » à toutes les personnes et à tous les temps, même si ce « u » n'est pas indispensable pour conserver le son [g].
  Nous nous fatiguons un peu trop.   *Ils suffoquaient dans la fumée.*

 Copiez les phrases en écrivant les verbes entre parenthèses au présent de l'indicatif.

Nous (rédiger) le résumé de l'expérience de physique que nous (venir) d'effectuer. – Vous (encourager) vos équipiers à résister aux attaques de l'adversaire. – Nous ne (critiquer) jamais les travaux de nos camarades. – Avant d'entrer sur le terrain, tu (lacer) tes baskets avec soin. – Nous (allonger) la table de la terrasse en plaçant deux planches sur des tréteaux. – Les alpinistes (renoncer) à poursuivre l'ascension à cinq cents mètres du sommet. – Nous (s'exercer) régulièrement au trampoline et nous (essayer) de rebondir le plus haut possible. – Tu (s'engager) à assurer la permanence du club de modélisme.

 Copiez les phrases en écrivant les verbes entre parenthèses à l'imparfait de l'indicatif.

Même si je ne (trouver) pas tout de suite les réponses, je ne (se décourager) jamais. – Avec ton costume blanc, tu (intriguer) tous ceux que tu (rencontrer). – Les lavandières (rincer) le linge au lavoir communal. – Lorsque l'ennemi (assiéger) une citadelle, il (placer) des sentinelles tout autour. – J'(espacer) progressivement mes visites à la bibliothèque du quartier. – Tu (voyager) souvent avec tes parents ; vous (aller) chez vos cousins, au Canada. – De lourdes barres de fer (renforcer) la porte d'entrée de la ville.

Copiez les phrases en écrivant les verbes entre parenthèses au passé simple de l'indicatif.

Au terme d'une partie disputée, l'équipe du collège (s'adjuger) la victoire. – Tu (déléguer) une partie du travail de copie à Henriette. – La famille Serra (emménager) dans un nouvel appartement. – J'(indiquer) la bonne direction à des touristes égarés. – La crème anglaise (être) si bonne que tu (sucer) la cuillère. – À l'âge de neuf ans, Napoléon Bonaparte (s'embarquer) à Ajaccio pour gagner le continent. – Lorsque l'eau (être) bouillante, tu y (plonger) les saucisses. – Attisé par le mistral, le feu (se propager) très vite. – La fée (exaucer) les trois vœux de la jeune princesse.

 Copiez les phrases en écrivant les verbes entre parenthèses à l'imparfait de l'indicatif.

On dit que le roi Saint Louis (juger) ses sujets à l'ombre d'un chêne. – Ce célèbre auteur de bandes dessinées (dédicacer) ses albums au festival d'Angoulême. – Avec son accent russe, Olga (prononcer) bizarrement les mots français. – Tu (prodiguer) de nombreux conseils à ta petite sœur lorsqu'elle (apprendre) à lire. – Des travaux (obliger) les piétons à changer de trottoir. – Dès mon plus jeune âge, je (songer) à mon futur métier : vétérinaire. – Une rangée de tilleuls (ombrager) l'allée principale du parc. – Dès la fin février, les crocus (percer) sous la neige.

 Écrivez les phrases en remplaçant les mots en bleu par les sujets proposés, mais en conservant les temps.

Alors que tu t'engageais dans le sous-bois, tu dérangeas un écureuil.
(nous – le chasseur – les ramasseurs de champignons – je – vous)
Comme tu grimaçais sous le poids de ton sac, tu l'allégeas.
(les porteurs – nous – je – Xavier – vous)
Vous amorciez votre virage, lorsque vous changeâtes soudain de direction.
(Le skieur – Nous – Les surfeurs – Je – Tu)
Je plaçai un pansement sur la brûlure et je soulageai la douleur.
(Nous – Tu – Les secouristes – Vous – Le docteur Paul)

 Copiez les phrases en écrivant les verbes entre parenthèses à l'imparfait de l'indicatif ou au passé simple, selon le sens.

Au moment où M. Larue (aller) prendre la photo, la biche (bouger). – Tu (s'efforcer) de relancer la conversation, mais tu (remarquer) que personne ne t'(écouter). – Nous (s'avancer) au bord du gouffre et nous (voir) combien il (être) profond. – Le chocolat te (faire) envie et tu en (croquer) un morceau. – Voyant que tout le monde (hésiter) à débuter, le professeur (partager) le travail. – Le maréchal-ferrant (forger) les outils des paysans ; dans les villages, tout le monde l'(apprécier). – La tempête (faire) rage et une énorme vague (submerger) la jetée du port.

 itation _____

Les injures que nous infligeons et celles que nous subissons se pèsent rarement à la même balance. (**Ésope**, *Fables*)

Les particularités des temps simples des verbes comme «lever» et «céder»

Les habitants d'Arbois célèbrent la mémoire de Louis Pasteur; ils élèveront prochainement une statue à son effigie.

RÈGLE

• Pour **les verbes du 1ᵉʳ groupe** qui ont un « e » muet dans l'avant-dernière syllabe de leur infinitif, on place un accent grave sur ce « e » devant une terminaison débutant par un « e » muet.
– présent de l'indicatif : *Je me lève de bonne heure.*
– futur simple de l'indicatif : *Demain matin, tu te lèveras de bonne heure.*
– présent du conditionnel : *Si tu ne veillais pas, tu te lèverais tôt.*
– présent de l'impératif : *Lève-toi de bonne heure.*
– présent du subjonctif : *Il faut que tu te lèves de bonne heure.*

• Pour **les verbes du 1ᵉʳ groupe** qui ont un « é » dans l'avant-dernière syllabe de leur infinitif, l'accent aigu devient un accent grave devant une terminaison débutant par un « e » muet.
– présent de l'indicatif : *Tu accélères la cadence.*
– futur simple de l'indicatif : *Tu accéléreras la cadence.*
– présent du conditionnel : *S'il le fallait, tu accélérerais la cadence.*
– présent de l'impératif : *Accélère la cadence.*
– présent du subjonctif : *Il faut que tu accélères la cadence.*

• Pour le futur simple, l'usage admet que l'on puisse conserver le « é » devant la terminaison muette. Cependant, pour ne pas créer de confusion, il est préférable d'appliquer la même règle qu'au présent de l'indicatif, d'autant que la prononciation actuelle appelle le plus souvent l'accent grave.

• On applique la même règle de transformation du « é » en « è » devant une terminaison débutant par un « e » muet pour les **verbes du 1ᵉʳ groupe** terminés par « -éguer » ou « -égner » à l'infinitif.
déléguer : *je délègue; il déléguera; ils délégueraient*
régner : *tu règnes; il régnera; vous régneriez*

---

524 Écrivez les verbes entre parenthèses au présent de l'indicatif.

Quand M. Clet (énumérer) tous les pays qu'il a visités, cela n'en (finir) plus ! – Tu (assister) le professeur d'EPS et tu (chronométrer) tes camarades. – Florimon (parachever) la victoire de son équipe en marquant le dernier panier. – Le directeur (déléguer) une partie de ses pouvoirs au chef d'atelier. – Les arrivées d'avion (se succéder); les aiguilleurs du ciel sont débordés. – J'(espérer) que ma sœur réussira son permis de conduire. – Ma mère (soupeser) les melons pour choisir le plus mûr. – Tu (régler) ta cotisation avant la date limite.

Copiez les phrases en écrivant les verbes entre parenthèses au futur simple de l'indicatif.

En prenant l'escalier roulant, j'(accéder) plus rapidement aux étages supérieurs. – Quand on (assécher) les marais, on (pouvoir) les transformer en terres agricoles. – Les prédictions de ton horoscope (s'avérer) peut-être exactes ; sait-on jamais ? – Vous (réfléchir) à cette proposition et vous (différer) votre réponse. – Le conseil de classe (délibérer) et nous (savoir) si nous passons en classe supérieure. – Quel journal (révéler) la date du prochain mariage de ce célèbre mannequin ? – Vous (s'inquiéter) sans raison. – Une bâche (protéger) les engins de chantier des intempéries.

 Les verbes de ces phrases sont à l'imparfait de l'indicatif ; recopiez-les en écrivant les verbes au présent de l'indicatif.

Mal garées, ces voitures empiétaient sur le trottoir réservé aux piétons. – Le premier jour des soldes, la foule des clients assiégeait les rayons de vêtements. – Je me promenais souvent au bord du lac d'Annecy. – Tu repérais facilement les erreurs commises dans ce texte. – Des ondes électriques déréglaient tous les appareils de bord. – Alizée gérait toujours son emploi du temps sans difficulté. – Le chirurgien opérait les blessés en urgence. – De nombreuses répétitions précédaient la représentation théâtrale. – L'ensemble de tes bagages n'excédait pas trente kilos.

 Copiez les phrases en écrivant les verbes entre parenthèses au présent du conditionnel.

Si la pluie cessait, l'agriculteur (semer) son blé. – Si tu allais au parc d'attractions, m'(emmener)-tu ? – Même si la situation était critique, le capitaine ne (céder) pas à la panique. – Si vous en aviez le temps, vous (compléter) le questionnaire. – Si nous avions des pneus spéciaux, nous ne (crever) pas. – Si je mangeais moins vite, je (digérer) peut-être un peu mieux. – S'ils n'étaient pas contrôlés depuis la Terre, les satellites (se désintégrer) dans l'atmosphère. – Si tu lavais ce chemisier à trop haute température, tu le (décolorer). – Si l'arbitre n'était pas impartial, cela (générer) des injustices.

 Copiez les phrases en écrivant les verbes entre parenthèses au présent de l'impératif.

(Abréger) ton exposé ; tes camarades ne t'écoutent plus. – (Ne pas pénétrer) dans cette pièce ; tu risquerais de t'asphyxier. – (Sécher) tes cheveux avant de sortir. – (Ne pas soulever) cette lourde pierre ; elle risque de te tomber sur les pieds. – (Prélever) une carte dans le paquet et (montrer)-la à tes partenaires. – (Ne pas exagérer) ; la piqûre ne t'a pas fait mal. – (Relever) tous les adjectifs qualificatifs de ce texte. – (Aérer) votre chambre, vous respirerez mieux. – (Transférer) ce texte dans ton fichier « Documents scolaires ». – Pour nettoyer tes chaussures, (imprégner) le chiffon avec ce produit spécial.

Citation _____

Les forêts précèdent les hommes, les déserts les suivent.
(**José Artur**, *Les Pensées*)

Révisions ....

 Copiez les phrases, soulignez les verbes conjugués et encadrez les verbes à l'infinitif. (leçon 56)

Comment Francis a-t-il pu perdre la partie de belote alors qu'il possédait de nombreux atouts ? – M. Renucci réalise enfin son rêve : visiter les îles du Pacifique et plonger dans les lagons bleus. – Pour que la circulation soit fluide, on ne peut tolérer que des véhicules stationnent en double file. – Je vous assure que toutes les précautions ont été prises pour remplir la cuve de fioul. – Comme il refuse de répondre aux questions des journalistes, le ministre alimente les rumeurs. – Si vous tirez les rideaux, vous n'aurez plus le soleil dans les yeux et vous pourrez lire tranquillement.

530 **Copiez les phrases, soulignez les verbes transitifs et encadrez les verbes intransitifs.** (leçon 56)

Le batteur donne le rythme à tout l'orchestre. – Caroline nourrit ses perruches avec des grains de millet. – Où cette ruelle aboutit-elle ?– Faute d'arrosage, cette plante dépérit lentement. – Les naufragés ont survécu en rationnant leurs vivres. – Les oisillons se blottissent sous l'aile de leur mère. – Quand il arrive sur une bosse, le skieur modifie la position de son corps. – D'une moue dédaigneuse, Mathilde manifeste son mécontentement. – Le garagiste vérifie la pression des quatre pneus.

531 **Copiez les phrases et indiquez les modes, les temps et les personnes auxquels les verbes sont conjugués.** (leçon 57)

Vous n'avez pas réalisé la moitié de vos projets ; quand allez-vous terminer ? – Il convient que les forêts tropicales demeurent des espaces préservés. – Quoique je méconnaisse l'emplacement exact des îles Malouines, je sais qu'elles furent l'objet d'un conflit entre l'Argentine et la Grande-Bretagne. – Le vendeur craint que ce modèle de pantalon ne soit pas à ta taille. – Si je parlais le portugais, je pourrais converser avec des Brésiliens. – L'arbitre est intervenu pour séparer les deux boxeurs. – Comme tu apprécies la salade aux lardons, ressers-toi. – En cueillant des marguerites, Hervé a trouvé par hasard un trèfle à quatre feuilles.

 Copiez les phrases et indiquez le mode, personnel ou impersonnel, des verbes en bleu. (leçon 57)

Pour comprendre ce message, il faudrait que je possède un dictionnaire SMS ! – En voulant dégager le ballon, l'arrière droit a donné un coup à son adversaire. – Déformées par la chaleur, ces barres de fer seront inutilisables. – Si tu veux profiter du soleil, n'oublie pas de mettre de la crème solaire. – À la terrasse du café, tu commandes un citron pressé. – Si Charlotte boit trop de café, elle ne pourra pas dormir. – Si nous en avions obtenu l'autorisation, nous aurions décoré les murs du CDI. – En refusant de répondre, l'accusé se met en fâcheuse posture.

Le lutteur (ceinturer) son adversaire et le (plaquer) au sol. – Les députés (improviser) souvent leurs discours. – Tu (se lamenter) sur le sort des malheureux phoques. – Par manque d'entraînement, Laure (gâcher) toutes ses chances de briller aux Jeux olympiques. – Vous (ne pas se fier) à tout ce que l'on vous (raconter). – Dès que l'autobus (s'arrêter), nous (s'engouffrer) pour avoir une place assise. – J'(enregistrer) un film qui (durer) plus de deux heures. – Mon père (embrocher) les saucisses et il les (déposer) sur la grille du barbecue. – Une célèbre marque de vêtements de sport (équiper) les joueurs du tournoi de Paris. – Pendant l'heure de français, nous (étudier) des extraits de l'*Iliade* et de l'*Odyssée*.

Le cuisinier (farcir) une pintade et il la (mettre) au four. – Le chauffeur de taxi (serrer) de trop près la voiture qui le précède. – Cette organisation humanitaire (servir) la cause des personnes déplacées. – Tu (dormir) comme un loir, même s'il y a du bruit. – Pour les restaurer, on (dorer) les cadres de ces tableaux. – L'escrimeur (parer) les assauts de son adversaire. – Le train pour Perpignan (partir) avec dix minutes de retard. – À la fin de son discours, l'orateur (s'écrier) : « Vous (être) tous formidables ! » – J'(écrire) une longue lettre à mon correspondant allemand.

Une panne d'électricité (interrompre) la projection du court métrage ; nous (sortir) déçus de la salle. – Comme tu (prendre) ton parapluie, j'en (déduire) que le ciel (s'assombrir). – Tu n'(admettre) pas que l'on te (déranger) quand tu (travailler). – Depuis trois ans, la famille Desbois (vivre) dans la banlieue grenobloise. – Le service médical (combattre) l'épidémie de choléra qui (sévir) en Afrique centrale. – Charlot et sa canne (survivre) dans la mémoire de tous les enfants et de leurs parents ! – Une solide barrière (exclure) toute possibilité de franchir ce portail ; nous (attendre) l'arrivée du gardien.

Dès son apparition à l'écran, tous les téléspectateurs (reconnaître) cette actrice américaine. – Toutes les histoires drôles que j'(entendre), je ne les (retenir) pas souvent. – Les humoristes (dépeindre) les défauts des hommes. – Qu'est-ce que vous (dire) de ce canular ? – Il y a bien longtemps que mes petits cousins ne (croire) plus au Père Noël. – Aujourd'hui, on ne (moudre) plus les grains de café avec un moulin mécanique. – Les pompiers (éteindre) le feu de forêt qui menaçait la villa de M. Frachon. – Tu (se plaindre) du bruit du marteau-piqueur qu'(utiliser) les terrassiers. – Seuls les très jeunes enfants (croire) que les bébés (naître) dans les roses ou dans les choux.

Copiez les phrases et écrivez les verbes entre parenthèses à l'imparfait de l'indicatif. (leçon 61)

Au Moyen Âge, on (servir) les boissons dans des timbales. – Fatigués, vous (ralentir) la progression de votre cordée. – Sans mon portable, je ne (parvenir) pas à joindre mon amie Ghislaine. – Sous le poids des responsabilités, votre détermination (fléchir). – Toutes ces provisions (alourdir) singulièrement ton sac à dos. – Les banquiers florentins s'(enrichir) aux dépens des rois de France auxquels ils (prêter) de l'argent. – Après chaque réparation, le mécanicien (contrôler) le fonctionnement des freins. – Tu (étendre) le linge. – Le donneur (répartir) les cartes entre les joueurs.

 Copiez les phrases et écrivez les verbes entre parenthèses à l'imparfait de l'indicatif. (leçon 62)

Zorro (soustraire) les malheureux paysans des griffes du terrible seigneur. – Ne sachant que faire, les médecins de Molière (prescrire) des saignées pour tous les maux ! – Dans cette région, on (produire) des fromages d'excellente qualité. – Chaque dimanche la poule au pot (cuire) sur un feu de bois. – Les premiers boulets lancés par les bombardes n'(atteindre) que rarement leur cible. – S'il (suffire) d'un coup de baguette magique pour transformer une citrouille en carrosse, les contes décriraient la réalité !

 Copiez les phrases en les complétant avec des verbes des 1er ou 2e groupes, conjugués au futur simple. (leçon 63)

Je ne tra… pas ta confiance et je ne dév… pas le secret que tu m'as confié. – Avant le concert, chaque musicien sai… son instrument et il l'acc… . – Le collectionneur exam… cette pièce de monnaie avant d'en faire l'acquisition. – Nous ne cri… pas votre travail car il est parfait ; je suis sûr que vous rou… de plaisir. – En raison du froid et de la neige, tu écou… ton séjour à Chamonix et tu ne gra… pas le mont Blanc. – Les pétroliers péné… dans le port du Havre.

 Copiez les phrases en écrivant les verbes entre parenthèses au futur simple. (leçon 64)

Ce mauvais geste (valoir) un carton jaune au joueur parisien. – Pour le cross départemental, nous (concourir) dans la catégorie « benjamins ». – Dans le secret de son laboratoire, cet ingénieur (concevoir) un moteur très économique. – La nuance entre ces deux couleurs est si minime que tu ne la (percevoir) pas. – Wilfrid (conclure) le set par un magnifique smash. – En cas de victoire ce soir, l'entraîneur (reconduire) la même équipe pour le prochain match.

 Copiez les phrases et écrivez les verbes entre parenthèses au passé simple. (leçon 65)

N'ayant plus de vivres, les assiégés (capituler). – Je (dissimuler) au mieux ma déception. – Le sort (défavoriser) l'empereur Napoléon Ier lors de la bataille de Waterloo. – Les deux boxeurs (s'affronter) du regard avant de monter sur le ring. – Tu (ne pas daigner) jeter un regard sur l'article du journal. – Vous (éplucher) les haricots verts pour en ôter les fils. – Le géomètre (délimiter) le terrain sur lequel sera prochainement bâti un immeuble.

Copiez les phrases en écrivant les verbes entre parenthèses au passé simple ou à l'imparfait de l'indicatif, selon le sens. (leçon 65)

Le conducteur de la diligence (mener) bon train lorsque, au détour d'un chemin, un essieu (se briser). – L'obscurité (être) toujours épaisse, mais j'(arriver) néanmoins à trouver la sortie. – Nous (dévaler) la piste rouge lorsque l'un d'entre nous (chuter) lourdement. – Je (taquiner) mon chat, mais il n'(apprécier) que modérément ce jeu et il me (griffer). – Vous (pédaler) tranquillement lorsque Manon vous (dépasser) en trombe. – Les obstacles s'(accumuler) sur le parcours, mais tu les (contourner) en quelques enjambées.

543 **Copiez les phrases en écrivant les verbes entre parenthèses au passé simple.** (leçon 66)

Lorsque la guêpe te (piquer), tu (ressentir) comme une brûlure au creux du bras. – Les braconniers (poursuivre) le malheureux rhinocéros qui (réussir) néanmoins à leur échapper. – Les journalistes (assaillir) la vedette du film de questions parfois indiscrètes. – Je me (servir) d'un moulin à légumes pour écraser la purée. – Tu (mettre) la lettre dans la boîte avant la levée de dix-huit heures. – Philibert (s'accroupir) pour chercher son stylo qui avait roulé sous le bureau. – Le couscous (cuire) à feu doux. – Après la Révolution, les habitants de Cluny (démolir) l'abbaye pour récupérer les pierres de taille avec lesquelles ils (construire) de belles demeures.

544 **Les verbes en bleu sont au futur simple ; copiez les phrases en les écrivant au passé simple.** (leçon 66)

Je ferai un essai de couleur avant de développer les photos. – Lorsque tu apprendras la bonne nouvelle, tu t'assoiras pour reprendre tes esprits. – La récolte de fraises pâtira d'un printemps trop sec. – Je ne mettrai que quelques minutes pour changer la roue arrière de mon VTT. – Face à la menace d'inondation, les riverains entreprendront le renforcement de la digue. – Devant les pitreries du clown, le public rira aux éclats. – Cet éboulement imprévisible contraindra les automobilistes à faire un long détour.

545 **Copiez le texte en écrivant les verbes entre parenthèses au passé simple.** (leçon 67)

Jim et ses amis tentent d'échapper aux pirates.

Nous (aller) bon train jusqu'à la porte du docteur Livesey, où l'on (faire) halte. M. Dance m'(ordonner) d'aller frapper, et M. Dogger me (prêter) son étrier pour descendre. La porte (s'ouvrir) aussitôt et une servante (paraître).

« Est-ce que le docteur Livesey est chez lui ? » (demander)-je.

Elle me (répondre) négativement. Il était rentré dans l'après-midi, mais il était ressorti pour dîner au château et passer la soirée avec le chevalier.

« Eh bien, garçons, allons-y », dit M. Dance.

Cette fois, comme la distance était brève, je (rester) à pied et (courir) auprès de Dogger en me tenant à la courroie de son étrier. On (passer) la grille et on (remonter) l'avenue aux arbres dépouillés. Arrivé là, M. Dance (mettre) pied à terre et (être) au premier mot introduit dans la maison, où je l'(accompagner).

Robert Louis Stevenson, *L'Île au trésor*. 1883.

Copiez les phrases en écrivant les verbes entre parenthèses au passé simple. (leçon 67)

On ne (savoir) jamais ce qu'il (advenir) du bateau d'Alain Colas. – Pour répondre à des commandes urgentes, cette usine (accroître) sa production. – En colonie de vacances, je (vivre) des moments exceptionnels. – Tu ne (croire) pas un mot de cette histoire et tu (avoir) raison, ce n'était qu'une fable inventée par un humoriste farfelu. – Charles Lindbergh (connaître) la gloire en traversant le premier l'Atlantique en avion. – Avec ce produit miracle, les taches de graisse (disparaître) au premier lavage.

 Les verbes en bleu sont au passé simple ; copiez les phrases en écrivant ces verbes au passé composé. (leçon 68)

Magellan partit pour faire le tour du monde, mais il mourut au cours du voyage. – Le pharmacien prévint le patient ; ce médicament pouvait avoir des effets secondaires. – Avec tes histoires drôles, tu divertis tes amis. – À la vue des dégâts, tu téléphonas à ton assureur. – La station spatiale émit un faible signal et disparut dans l'espace. – Les grilles du hangar coulissèrent dans un bruit d'enfer. – On dit que l'ennui naquit un jour de l'uniformité. – Je refusai de rester plus longtemps dans cette pièce mal chauffée. – Nous restâmes devant le portail, mais il ne s'ouvrit pas. – Vous vous installâtes dans la salle d'attente du médecin et vous prîtes un magazine. – M. Morel postula pour un emploi de jardinier.

 Copiez les phrases en écrivant les verbes soulignés à l'imparfait de l'indicatif et ceux en bleu au plus-que-parfait de l'indicatif. (leçon 68)

Comme le printemps est de retour, les jardiniers ont sorti leur matériel et ils ont commencé à bêcher. – Les lionnes dévorent les gazelles qu'elles ont poursuivies à travers la savane. – J'imprime le questionnaire que j'ai complété hier soir. – Vous avez laissé votre scooter chez le garagiste parce qu'il refuse de démarrer. – Le civet de lièvre que le cuisinier a préparé fait l'unanimité : il est savoureux. – Nous sommes parvenues à destination et nous récupérons nos valises à l'aéroport. – Tu assembles les pièces du puzzle que tu as triées au préalable.

 Copiez les phrases en écrivant les verbes entre parenthèses au passé simple ou au participe passé. (leçon 68)

Tu as (connaître) un colosse qui soulevait des troncs d'arbres. – L'agriculteur a (concevoir) un dispositif ingénieux pour irriguer ses champs. – Je (devoir) remplacer l'ampoule de ma lampe de chevet. – M. Tachan (connaître) les joies de la paternité avec la naissance de son premier enfant. – J'ai (exclure) les choux à la crème de mon alimentation. – À la suite des chutes de neige, il a (falloir) dégager les routes. – Au petit matin, il (pleuvoir) pendant quelques minutes. – Il a (suffire) d'un bouquet de fleurs pour égayer l'appartement. – J'ai (vouloir) mettre un peu d'ordre dans ma collection de voitures miniatures. – Tu as (savoir) trouver les paroles qui ont (plaire) à tes camarades.

Copiez les phrases en écrivant les verbes entre parenthèses au passé antérieur ou au futur antérieur, selon le sens. (leçon 69)

Dès qu'Ali Baba (prononcer) la formule magique, la caverne s'ouvrit. – Lorsque nous (s'habiller), nous sortîmes. – Sitôt que le sol (absorber) l'eau, le maraîcher put repiquer les salades. – Dès que le jockey (solliciter) son cheval, il accéléra et prit l'avantage sur ses concurrents. – Lorsque j'(composter) mon billet, je pourrai monter dans le TGV. – Quand vous (effacer) la mémoire de votre ordinateur, vous aurez de la place pour enregistrer ce fichier. – Dès que tu (te doucher), tu te sentiras en pleine forme. – Sitôt que nous (taper) notre code confidentiel, le distributeur nous interrogera.

 Copiez les phrases en écrivant les verbes entre parenthèses au passé antérieur ou au futur antérieur, selon le sens. (leçon 69)

Lorsque tu (maîtriser) les gestes élémentaires du vannier, tu réalisas quelques beaux paniers que tu offris à tes sœurs. – Aussitôt que tu (goûter) à ce baba au rhum, un sourire illumina ton visage. – Dès que l'ingénieur (perfectionner) son prototype, il essaya de le vendre à une grande entreprise. – Quand j'(retenir) mon billet par Internet, je me rendrai tranquillement à la gare. – Lorsque le soleil (réchauffer) la terre, les plantes vivaces refleuriront. – Sitôt que les mannequins (se maquiller), ils enfilèrent de somptueuses toilettes. – Aussitôt que la nuit (tomber) sur le parc de la Vanoise, les chamois et les bouquetins apparaîtront.

 Copiez le texte en écrivant les verbes entre parenthèses à un temps de l'indicatif qui convient. (leçon 70)

Le soir de ce même jour, à neuf heures, deux bicyclettes sortaient de Nevers. Bénin et Broudier (rouler) coude à coude. Comme il y (avoir) clair de lune, deux ombres très longues, très minces, (précéder) les machines, telles que les deux oreilles du même âne.
« (Sentir)-tu cette petite brise, (dire) Bénin.
– Si je la (sentir), (répondre) Broudier. Ça me (traverser) les cheveux tout doucement, comme un peigne aux dents espacées.
– Tu (quitter) ta casquette ?
– Oui, on (être) mieux.
– C'(être) vrai. Il (sembler) qu'on ait la tête sous un robinet d'air… Mon vieux ! Je (être) heureux ! Tout (être) admirable ! Et nous (glisser) sur de souples et silencieuses machines. »

Jules Romains, Les Copains, © Gallimard, 1913.

 Copiez les phrases en écrivant les verbes entre parenthèses au présent du conditionnel. (leçon 71)

Un bon réglage (améliorer) les performances de ce moteur. – Si les travaux étaient terminés, le maire (inaugurer) les aménagements du centre-ville. – Pourquoi ne (changer)-vous pas de coiffure avant l'été ? – Si le brouillard se dissipait, les avions (décoller). – Sans casque, le motard ne (se risquer) pas à prendre la route. – Si le bateau chavirait, les marins (lancer) un SOS. – Si tu avais mieux essuyé les verres, ils (briller) d'un vif éclat. – Je (souhaiter) vivement apprendre à jouer du saxophone.

554 Écrivez les phrases en remplaçant les mots en bleu par les sujets proposés, mais en conservant les temps. (leçon 72)

Si tu en avais la possibilité, tu acquerrais une console de jeux électronique.
(ces enfants – je – nous – Romane – vous)
Si vous étiez plus âgés, vous concourriez dans la catégorie « Juniors ».
(tu – nous – Laurine – je – ces judokas)
Si l'on peignait calmement, on obtiendrait un meilleur résultat.
(je – tu – nous – vous – les artistes amateurs)
Pourquoi t'abstiendrais-tu lors du choix des délégués de classe ?
(nous – certains – je – vous – Sandrine)

555 Copiez les phrases en écrivant les verbes entre parenthèses au présent du subjonctif. (leçon 73)

Il n'y a que toi qui (blondir) lorsque tu te mets au soleil. – Que je (choisir) ce modèle à trente euros ou un autre plus cher, la garantie est la même. – Qui que vous (interroger), il vous répondra la même chose que moi. – Il est exclu que tu (se suspendre) à ce trapèze ; les cordes ne sont pas assez solides. – Avec ce bruit, il est peu probable que je (s'endormir). – Il est exceptionnel que ces marchandises (être) vendues à prix coûtant. – On craint que l'apprenti jardinier (dégarnir) le massif de ses plus belles roses. – Quelle que (être) l'heure, l'épicerie du quartier est toujours ouverte. – Est-il urgent que nous (se rendre) en salle informatique ?

556 Trouvez des verbes pour décrire ce que doivent faire ces personnes. (leçon 74)

Ex. : *Le verre de Saïd est vide.* → *Il faut qu'il le remplisse.*

Le sanglier veut échapper à la meute.	Il faut qu'il …
Le comédien va entrer en scène.	Il faut qu'il …
Les spectateurs font trop de bruit.	Il faut qu'ils …
Didier s'est trompé de direction.	Il faut qu'il …
Luc a reçu une lettre de son ami espagnol.	Il faut qu'il …
J'ai retrouvé la notice de montage.	Il faut que je …
Les pompiers s'approchent du feu.	Il faut qu'ils …
Ces conducteurs ont eu un accident.	Il faut qu'ils …
Gérard a trop chaud.	Il faut qu'il …

557 Copiez les phrases en écrivant les verbes entre parenthèses au présent de l'indicatif ou au présent du subjonctif. (leçon 75)

Il est urgent que le remorqueur (secourir) le cargo échoué sur la plage des Sables-d'Olonne. – Il faut que le technicien (revêtir) une combinaison spéciale pour se protéger de la radioactivité. – Dans la mesure où un condamné (se pourvoir) en appel, la sentence est suspendue : c'est la loi. – Il faut que le secrétaire (pourvoir) au chargement de l'imprimante en feuilles blanches. – Nul ne souhaite que l'épidémie de grippe aviaire (se répandre) dans le monde entier. – Les élèves demi-pensionnaires n'oublient pas que le car de ramassage (partir) à dix-sept heures précises. – Le philatéliste affirme que sa collection (valoir) une petite fortune.

Copiez les phrases en écrivant le verbe de la principale à la forme négative, et effectuez les changements dans la subordonnée. (leçon 75)

Il est certain que cette fabrique peut produire de la porcelaine d'excellente qualité. – Nous pensons que le coureur éthiopien franchit facilement les haies du parcours. – Il est évident que Roberto reconnaît les lieux où il a passé son enfance. – Le professeur de mathématiques croit qu'il faut donner plus d'explications. – J'imagine que vous contredirez ceux qui affirment que la Terre tourne autour du Soleil. – Le médecin est convaincu que cette analyse de sang traduit un manque de calcium. – Le couturier prétend que son manteau en lamelles de plastique plaît à tout le monde.

Copiez les phrases en écrivant les verbes entre parenthèses au passé du subjonctif. (leçon 76)

Je voudrais que tu (répondre) à mon message avant la fin de la journée. – Pour cueillir les cerises, il faudrait que je (sortir) une grande échelle. – Bien que l'incendie (se propager) rapidement, il n'y eut que peu de dégâts. – Avant que nous (effectuer) deux longueurs de bassin, Célia en aura déjà fait quatre ; quelle championne ! – Quoique la pluie (tomber) toute la nuit, le guide décida néanmoins de se mettre en route au petit matin. – Il vaudrait mieux que nous (ne pas égarer) ce document important. – Tu as eu peur que l'ascenseur (se bloquer) entre deux étages.

Copiez le texte en écrivant les verbes entre parenthèses à la 2ᵉ personne du pluriel de l'impératif. (leçon 77)

Le maître d'armes donne une leçon d'escrime à M. Jourdain, bourgeois gentilhomme.

(Avancer). Le corps ferme. (Toucher)-moi l'épée de quarte et (achever) de même. Une, deux. (Se remettre). (Redoubler) de pied ferme. Un saut en arrière. Quand vous portez la botte, monsieur, il faut que l'épée parte la première, et que le corps soit bien effacé. Une, deux. (Aller), (toucher)-moi l'épée de tierce, et (achever) de même. (Avancer). Le corps ferme. (Avancer). (Partir) de là. Une, deux. (Se remettre). (Redoubler). Un saut en arrière. En garde, monsieur, en garde.

Molière, *Le Bourgeois gentilhomme*, II, 2, 1670.

Copiez les phrases en écrivant les verbes entre parenthèses au présent de l'indicatif. (leçon 78)

Avant l'inauguration officielle, les employés communaux (nettoyer) la salle de sport. – Le secrétaire (cacheter) les lettres avant de les poster. – (Renouveler)-tu ton abonnement ? – Depuis qu'il a une voiture à boîte de vitesses automatique, M. Roblot ne (débrayer) plus. – Les moineaux (voleter) autour des miettes de pain. – Après avoir saisi ton texte, tu (appuyer) sur la touche de validation. – Ce musée (receler) quelques tableaux remarquables de la période impressionniste. – Le bruit (effrayer) les serins de M. Simonin qui refusent alors de chanter. – Les motards de la gendarmerie (convoyer) le cortège présidentiel. – J'(épousseter) les meubles à l'aide d'un plumeau.

562 Copiez les phrases en complétant les verbes avec les terminaisons du futur simple de l'indicatif que vous justifierez en donnant l'infinitif entre parenthèses. (leçon 78)

Le chien du voisin aboi… à l'approche des inconnus : c'est un bon gardien. – Après ce bon couscous, Anatole boi… un thé à la menthe. – Pas la peine de continuer ce récit incohérent, personne ne croi… de telles sornettes. – Le concasseur broi… les documents secrets. – Le déménageur ploi… sous le poids de la machine à laver, mais il ne faibli… pas. – S'il ne sait pas nager, Bryan se noi… dès que son canoë chavi…. – Comme la température est bien basse, vous prévoi… des vêtements chauds. – De fervents supporters déploi… d'immenses banderoles pour encourager leur équipe. – Pour assister au cours de musique, tu t'ass… à côté de Valérie.

563 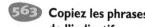 Copiez les phrases en écrivant les verbes entre parenthèses à l'imparfait de l'indicatif ou au passé simple, selon le sens. (leçon 79)

Comme tu ne (pouvoir) plus téléphoner, tu (recharger) la batterie de ton portable. – Devant les protestations, Jeanne (nuancer) sa position quant au choix des affiches à exposer. – En accordant un penalty litigieux, l'arbitre (avantager) les Bordelais. – Le navire (tanguer) et (s'enfoncer) à chaque nouvelle vague : le capitaine (juger) plus prudent de regagner le port. – Dans les tournois, certaines lances (transpercer) parfois les armures. – Comme il (prévoir) de fortes pluies, le viticulteur (vendanger) au plus vite. – Le plus grand désordre (régner) dans ma chambre, alors je (ranger) mes livres et mes classeurs. – Au Moyen Âge, on ne (manger) pas souvent de la viande, sauf chez les seigneurs.

564 Copiez les phrases en écrivant les verbes entre parenthèses au présent de l'indicatif. (leçon 80)

Où (mener) ce sentier ? – Pas du tout éprouvé par le direct du gauche de son adversaire, le boxeur (se relever) aussitôt. – Nous (tempérer) son ardeur car Hamid (exagérer) toujours l'importance des événements. – L'actrice (promener) un regard ravissant sur la foule de ses admirateurs. – Une petite estrade (surélever) le chef d'orchestre. – Malgré les embûches du parcours, tu (persévérer) et tu (poursuivre) ton chemin. – Le frère de Bastien (procéder) à un changement d'orientation ; il veut devenir électricien. – Les soldats de la paix (libérer) les otages des pirates des mers.

565 Écrivez les phrases en remplaçant les mots en bleu par les sujets proposés, mais en conservant les temps. (leçon 80)

Tu enlèves le ruban de la cartouche et tu l'insères dans l'imprimante.
(Les informaticiens – Nous – Malika – Je – Vous)
Épuisés, vous achevez la course et vous vous désaltérez longuement.
(Raphaël – tu – nous – les concurrents – je)
Nous possédons une console de jeux que nous ne malmenons jamais.
(Je – Vous – Lorine – Tu – Ces enfants)
Messan considèrera que ses propos sont trop rudes et il les modèrera.
(Nous – Tu – Je – Les surveillants – Vous)

Vocabulaire

La formation des mots (préfixes – suffixes)

RÈGLE

I. Le préfixe se place au début du radical pour former un mot nouveau.
anormal – contredire – un désaccord – impossible – rétroactif
L'addition d'un préfixe ne change pas la classe grammaticale du mot.

2. Le suffixe se place à la fin du radical pour former un mot nouveau.
le pilotage – la trahison – un séchoir – savonner – une centaine
L'addition d'un suffixe change souvent la classe grammaticale du mot.

3. Quelques mots sont formés avec des **préfixes** et des **suffixes**.
im-manqu-able-ment   in-dé-fini-ment

• Certains préfixes et suffixes ont un sens précis.

trans- (à travers, au-delà)	: *transpercer – transalpin – transmettre*
re- (répétition, de nouveau)	: *remonter – refaire – recommencer*
in-, im-, il-, ir- (contraire)	: *invendu – impossible – illisible – irréel*
-té (qualité)	: *l'honnêteté – l'égalité – la rapidité*
-al, -el (manière d'être)	: *familial – fraternel – glacial – habituel*
-eur (au masculin, celui qui agit)	: *le nageur – l'éleveur – le voyageur*
-eur (au féminin, la qualité)	: *la grandeur – la maigreur – la frayeur*
-graphe, -graphie (écriture)	: *le paragraphe – la géographie*
-ance, -ence (résultat de l'action)	: *la méfiance – la prudence*

Attention
– Certains suffixes ont des formes homophones.
   la résistance – la prudence   ambitieux – officieux
– Comme il est toujours difficile de se fier à un mot de la même famille,
il est préférable, en cas de doute, de vérifier dans un dictionnaire.
   le commerce → commercial   mais   l'espace → spatial
   l'acte → l'action   mais   *réfléchir → la réflexion*

Voir « Les familles de mots », pp. 200-201.

566 **Recopiez les phrases en complétant les mots en bleu avec le préfixe qui convient.**

Ce croquis n'est pas clair ; il convient de l'…grandir. – Juliette écrit à sa …respondante anglaise. – Celui qui est …lexique éprouve des difficultés pour écrire les mots. – Lorsque l'aigle plane au-dessus des buissons, les petits rongeurs s'…fuient. – L'Europe se trouve dans l'…sphère Nord. – Lorsqu'on souffre d'…glycémie, il faut absolument manger du sucre. – La …entente règne malheureusement dans ce groupe ; il y a de la discorde dans l'air. – Sébastien a réparé le dérailleur de sa …cyclette. – Les enfants ont construit un …homme de neige dans la cour de l'…meuble.

567 Recopiez ces phrases en complétant les mots en bleu avec le suffixe qui convient.

M. Grillet a une bronch… ; il boit du sirop contre la toux. – Les œufs des poules sont placés dans une couv… électrique ; les pouss… naîtront dans vingt jours. – La climat… ne fonctionne plus normal…, aussi la chal… est-elle étouffante. – Les Français ont la chance de vivre dans une démocra… . – Les technic… sont venus réparer la chaud… défectueuse. – La Frasse est un petit vill… proche de la front… suisse. – Les cheval… du Moyen Âge portaient une arm… lorsqu'ils partaient guerr… .

568 Complétez chaque phrase avec un mot que vous formerez à partir du radical entre parenthèses auquel vous ajouterez un préfixe.

J'ai oublié la clé sur la porte de l'appartement et je suis … (fermer) à l'intérieur. – Pendant l'… (la classe) de midi, certains élèves jouent au tennis de table. – L'immense cuve est … (le chemin) sur le chantier en convoi spécial. – Les étudiants suivent le cours du professeur dans un vaste … (un théâtre). – Gabriel relit les … (les notes) qui figurent sur sa copie. – La … (la chance) n'a pas permis à Quentin de franchir la ligne d'arrivée en vainqueur. – Tu as oublié ton … (la pluie) ; tu vas te mouiller ! – Il paraît qu'à … (la nuit), les fantômes hantent les couloirs du château.

569 Transformez les phrases comme dans l'exemple.

Ex. : *Valentin fait preuve de courage.* → *Valentin **est courageux**.*

Ce gâteau : quel délice !   Mathieu déborde de générosité.
Nourdine a des soucis.   Le bébé fait des caprices.
Ce danseur est plein de grâce.   Tu es plein de prétention.
Charles a de l'ambition.   Nous observons le silence.

570 Donnez le nom des personnes qui exercent ces métiers.

Ex. : *Celui qui répare les horloges.* → *un horloger*

Celui qui soude les tuyaux.   Celui qui fait la police.
Celui qui pose les charpentes.   Celui qui installe les fils électriques.
Celle qui instruit les enfants.   Celle qui dirige une entreprise.
Celui qui prépare le pain.   Celui qui pose des carreaux.
Celle qui coud des vêtements.   Celle qui traduit des romans.

571 Donnez le nom de l'action, ou son résultat, dérivé de ces verbes.
Vous utiliserez des suffixes différents. Ex. : *grouper* → *le groupement*

aérer	ralentir	constater	livrer	tricher
souder	piloter	fleurir	causer	élever
glisser	espérer	traverser	blesser	louer
coiffer	respirer	couper	flotter	traduire
charger	frire	suffire	abattre	rouler

Citation _____

Microscope pour voir ce qui est petit, télescope pour voir ce qui est loin, horoscope pour voir ce qui n'est pas. (**Paul Carvel**, *Sel d'esprit*)

82ᵉ

Leçon — **Les familles de mots**

RÈGLE

- Tous les mots **formés** sur le même radical par l'ajout de préfixes ou de suffixes constituent une **même famille**.
  étaler – un étalage – un étalagiste – un étalon – détaler
  une lance – lancer – un lanceur – relancer – le lancement

- Le **radical** peut se présenter sous des formes différentes.
  (latin *carnis*) → *un carnassier – carné – un carnivore*
  mais également → *la chair – charnu – décharné*
  (latin *quattor*) → *quatre – un quadrilatère – un quadrige*
  mais également → *carré – la carrure – le carrelage – un carreau*

- Sauf à faire appel à l'étymologie, il est parfois difficile de retrouver le radical à partir de plusieurs mots de même famille.
  un trépied – un piéton – pédestre – une pédale – un bipède – un piédestal

- Il arrive que le radical soit un mot d'origine latine qui n'appartient plus au français d'aujourd'hui.
  innocent → radical « *nocere* » (en latin : *nuire*) → qui ne peut nuire.

- Dans quelques familles, certains mots contiennent une consonne double et d'autres une consonne simple. En cas de doute, il faut toujours vérifier dans un dictionnaire.
  un collier mais *une accolade*   *une trappe* mais *attraper*
  un homme mais *un homicide*   *le tonnerre* mais *une détonation*

---

572 Recopiez les phrases en les complétant avec un mot de la même famille que le mot entre parenthèses.

Les … (la vitre) de la cathédrale de Reims viennent d'être restaurés. – Le petit frère de Cyril ne va pas à l'école ; c'est une … (nourrir) qui le garde. – Les … (le cheval) disputaient des tournois lorsqu'ils ne partaient pas en guerre. – La lecture de l'*Odyssée* a … (l'intérêt) tous les élèves de la classe. – Après le contrôle des passeports, le douanier lève la … (barrer) et les véhicules passent la frontière. – On dit que l' … (exact) est la politesse des rois ; est-ce bien vrai ?

573 Regroupez les mots de ces listes par familles.
Ex. : *l'établi – un établissement – stable*

A. suivre – le point – la famille – le départ – tenir – une concentration – temporaire – emmurer – se démarquer – opérer – l'anniversaire
B. une opération – temporel – en partance – l'année – la poursuite – familier – le pointage – intenable – marquant – la muraille – le centre
C. annuel – le temps – décentraliser – familièrement – suivant – retenir – repartir – coopérer – ponctuel – remarquable – un muret

Recopiez les phrases en les complétant par des mots de la même famille que le mot entre parenthèses.

(la terre)
Le … de Belfort est le plus petit département français. – Lorsqu'il fait chaud, les clients s'installent à la … des cafés. – Les chasseurs rentrent bredouilles ; les lapins ont regagné leur … . – La cuisinière a préparé une … de canard. – Des hommes célèbres sont … au cimetière du Père Lachaise, à Paris.

(chaîner)
La nuit, de lourdes … interdisaient l'entrée des villes du Moyen Âge. – Il manque un … à ce bracelet ; il faudra le faire réparer. – L'… des événements maintient le suspense de ce film. – Ce lutteur est … ; il plaque tous ses adversaires au sol. – Les galériens étaient … au navire en cas d'attaque de l'ennemi.

575 **Recopiez les phrases en les complétant par des mots de la même famille que le mot entre parenthèses.**

(porter)
La Chine … de nombreux produits en Europe. – À l'issue d'une échappée de cent kilomètres, ce coureur … la course cycliste Paris-Roubaix. – Beaucoup de résistants français sont morts en … lors de la dernière guerre. – Ce camion frigorifique … des centaines de cageots de fruits. – Camille recharge la batterie de son téléphone … .

(passer)
Les … s'arrêtent devant la vitrine du bijoutier pour admirer les bagues et les colliers. – Le … simple n'est plus un temps employé à l'oral. – Sur cette route étroite, les … sont dangereux. – Tu verses les haricots dans une … pour les égoutter. – Les … à destination d'Istanbul se dirigent vers la porte d'embarquement n° 45.

(la fleur)
Pascal Dunoix a disputé l'épreuve du … au tournoi olympique. – La maman … la joue de son bébé. – Chaque année, au début du mois de mai, le muguet … . – Le fromage de roquefort est un des … de la gastronomie française.

576 **Complétez le tableau par des mots de même famille sur chaque ligne.**

noms	verbes	adjectifs masculins	adverbes
	généraliser		
		sec	
l'ouverture			
			longuement
	faiblir		
		réel	
la saleté			

Citation ————————————————————————————

Le *pacifique* est celui qui porte la paix, le *paisible* est celui qui reste en paix.
Émile Littré, *Dictionnaire de la langue française*)

83ᵉ Leçon
Les synonymes
Les antonymes
Les hyperonymes

RÈGLE

I. Les synonymes sont des mots qui, dans un même contexte, ont des sens à peu près identiques.

La voiture de M. Denisot n'est pas encore réparée : il attend.
La voiture de M. Denisot n'est pas encore réparée : il patiente.

Les **synonymes** appartiennent à la même classe grammaticale.

• On utilise des **synonymes** pour éviter les répétitions.
Le talent de ce tailleur de pierre saute aux yeux.
Son habileté à manier le ciseau fait merveille.

• On utilise aussi des **synonymes** pour être plus précis.
Sur le menu de ce restaurant, il y a beaucoup de choses.
Sur le menu de ce restaurant, il y a beaucoup de plats.

• Les **synonymes** peuvent appartenir à des niveaux de langue différents.

langage soutenu   : *Nous flânons le long du canal.*
langage correct   : *Nous nous promenons le long du canal.*
langage familier : *Nous nous baladons le long du canal.*

2. Les antonymes sont des mots qui, dans un même contexte, ont des sens contraires.

M. Leroy travaille le jour.   *M. Leroy travaille la nuit.*

3. L'hyperonyme est un nom de sens général qui englobe un ensemble de noms de sens plus restreint et plus précis.

un fruit →   une cerise – une pomme – une pêche – un abricot

 Recopiez les phrases en remplaçant les mots en bleu par les synonymes suivants.

réclamation – disputent – offre – dévasté – savourent – extrait – noté – la répartition – attroupement – indique – renversée

Le minerai de fer prélevé dans cette mine est d'excellente qualité. – Ces personnes se querellent ; elles veulent toutes les deux avoir raison. – Dans un virage, la voiture s'est retournée, mais le conducteur est indemne. – Ce journal spécialisé annonce les sorties des nouveaux films. – Le partage des différents lots n'a donné lieu à aucune contestation. – As-tu inscrit mon numéro de téléphone sur ton agenda ? – Un cyclone a ravagé la petite île de Colombus, aux Bahamas. – Un rassemblement s'est formé devant l'entrée du magasin qui propose des réductions importantes. – Les invités dégustent une charlotte aux pommes.

Recopiez les phrases en remplaçant les mots en bleu par les antonymes suivants.

sec – honteux – s'appauvrit – grave – retrouvé – sais – rassembles – arrache – baisse – abandonne – satisfait – évité

Avant ton dessert, prendras-tu un fromage frais ? – Le chauffeur du poids lourd a heurté un obstacle. – Le problème est difficile ; Lucas persévère. – La blessure du boxeur est légère ; l'arbitre arrête le combat. – Trompé par le renard, le corbeau est fier. – Ce pays producteur de pétrole s'enrichit car le prix du baril est en hausse. – J'ignore où se trouve le Vanuatu. – José est ennuyé ; il a perdu son carnet de correspondance. – Le jardinier plante les pommes de terre. – Avant de commencer le puzzle, tu éparpilles les morceaux.

579 **Recopiez les phrases en remplaçant les mots en bleu par des antonymes.**

David a envoyé le ballon dans les bras de son partenaire. – Ce panneau permet les dépassements. – M. Met a vendu un canapé recouvert de cuir. – Notre place se situe près de l'entrée de la salle de spectacle. – Cet animal sauvage possède une fourrure soyeuse. – Pour descendre, tu ne prends pas l'ascenseur mais l'escalier. – Le serveur place une fine tranche de jambon dans mon sandwich. – Demain, c'est la première représentation du *Malade imaginaire* ; le comédien est inquiet. – Magali adore les endives au jambon.

 Trouvez au moins quatre noms qu'englobent ces hyperonymes.

Ex. : *un meuble → un banc – une chaise – un fauteuil – un tabouret*

un mammifère	un vêtement	un métier	un poisson
une chaussure	un outil	un bateau	une fleur

 Recopiez les phrases en les complétant par différents synonymes du mot entre parenthèses. Vous pouvez utiliser un dictionnaire.

(prendre)
Justin est désormais capable de répondre sans hésitation ; il a … confiance. – Le braconnier … un lapin au collet. – M. Garcin … son carnet de chèques pour régler ses achats. – Le boulanger … un apprenti pour le seconder.

(faible)
Joyce est plutôt … en mathématiques ; il devra faire un effort. – Il ne reste qu'un … espoir de retrouver des survivants à la suite du naufrage. – Le convalescent est encore … ; il ne se déplace qu'avec beaucoup de peine.

582 **Trouvez les hyperonymes de chacune de ces listes de noms.**

un chapeau – une casquette – un bonnet – un béret – un turban	→ une …
un gâteau – un flan – une galette – un clafoutis – une tarte	→ un …
l'acier – le cuivre – le nickel – l'aluminium – le plomb	→ un …
une villa – un chalet – un logement – une cabane – un studio	→ une …
la rougeole – la grippe – les oreillons – le diabète	→ une …

 itation

À vaincre sans péril, on triomphe sans gloire.
Corneille, *Le Cid*)

84ᵉ La polysémie

RÈGLE

- **La plupart des mots** du français possèdent plusieurs sens.
  Exemples pour le nom « feu ».
  Le chanteur est sous les feux de la rampe.
  Ne jouez pas avec le feu, roulez lentement.
  Cet orateur a le feu sacré ; il convainc les foules.
  C'est le coup de feu ; les vendeurs ne savent plus où donner de la tête.
  Mme Daumas allume un feu de cheminée.
  Dans cette bataille de boules de neige, tu es pris entre deux feux.

- Les différents sens d'un mot constituent son **champ sémantique**.
  Pour trouver le sens exact d'un mot, il faut examiner le contexte.

- Parfois le sens varie selon la préposition qui suit un verbe.
  Cette fenêtre donne sur la rue. → avoir une vue sur la rue
  Je donne mon devoir au professeur. → remettre un objet à quelqu'un

Dans un dictionnaire, les différents sens d'un mot sont le plus souvent numérotés et illustrés par des exemples.

---

583 **Recopiez et complétez les phrases avec les mots qui conviennent.**
troupes – peinture – eau – argent – traces – crème – œufs – nuits – teint

À Waterloo, Napoléon Bonaparte attendait des … *fraîches* pour poursuivre la bataille. – Mettez un peu de … *fraîche* sur vos fraises : ce sera délicieux. – Lorsqu'elle revient d'un séjour à Carnac, Claire a le … *frais*. – Au cœur de l'hiver, les … sont *fraîches*. – Ne vous approchez pas de la barrière, la … est encore *fraîche* et vous allez vous tacher. – Ces pâtes sont préparées avec des … *frais*. – Le trésorier de l'association enregistre une rentrée d'… *frais*. – Les … sont toutes *fraîches* : le loup ne doit pas être loin. – Les jeunes mariés, qui n'ont guère de ressources, vivent d'amour et d'… *fraîche*.

584 **Recopiez et complétez les phrases avec les mots qui conviennent.**
insectes – tout – fou – uniques – rien – centre – tour – meilleur – fin

Avant Copernic et Galilée, les Anciens croyaient que la Terre était le … du *monde*. – Les fourmis et les abeilles appartiennent au *monde* des … . – Les gens optimistes disent que tout est pour le mieux dans le … des *mondes*. – Tu te faisais … un *monde* de cette course, mais tu l'as remportée haut la main. – En l'an 2000, certains mages avaient prédit la … du *monde* ; il n'en a rien été. – L'expédition Magellan fut la première à réaliser le … du *monde* en bateau. – Pour … au *monde*, M. Perez ne voudrait embarquer sur ce vieux rafiot. – Les Pyramides d'Égypte sont … au *monde* ; aucun monument ne les égale. – Lors de la première représentation de ce spectacle, il y avait un *monde* … .

585 Retrouvez les mots correspondant à ces différentes définitions.

Celle du veau fait d'excellentes escalopes.
Sa coquille est un navire de piètre qualité. } → ....
Un coup de gaule, et elle tombe !

Lorsque les murs en ont, ne dites rien !
Se les faire tirer n'a rien d'agréable. } → ....
Avec des boucles, elles sont belles.

586 Recopiez chaque groupe de phrases en les complétant avec le mot qui convient.

→ Le couturier prend les ... de Mme Droin pour confectionner un tailleur. – David n'a pas toujours le sens de la ... ; il exagère sans cesse. – Toutes les ... de sécurité sont prises lors du transport de cette énorme cuve. – L'exercice est trop long ; je ne suis pas en ... de l'achever avant la fin du cours.

→ Cette photographie est la ... réussie de toutes. – Mathilde a pris une cuillé-rée de sirop contre la toux ; elle va ... . – Mon père est au ... avec le garagiste qui lui répare sa voiture en un temps record. – Lorsqu'il y a du verglas, il vaut ... ne pas sortir sa moto.

→ Le ... optique conduit les informations visuelles jusqu'au cerveau. – On dit que l'argent est le ... de la guerre. – Les avants de l'équipe de rugby de Biarritz manquent de ... ; ils reculent en mêlée. – Lorsqu'on pilote un avion au milieu d'un orage, il faut avoir les ... solides.

587 Recopiez les phrases en les complétant avec des mots qui préciseront le sens du mot en bleu.

Lorsque tu as entendu toute l'histoire, tu es ... d'un éclat de ... . – La bou-teille s'est ... sur le sol et il y a des éclats de ... partout. – La rose est une ... magnifique même si sa ... a des épines. – En nous rendant ce service, vous nous avez ... une sacrée épine du ... . – Le collectionneur a ... une vieille poupée en porcelaine au marché aux ... de Saint-Ouen. – Les produits fabri-qués dans cette ... sont ... marché, mais pas forcément de la meilleure qualité. – Le charcutier découpe le jambon en ... minces.

588 Recopiez les phrases en les complétant, selon le sens, avec les prépositions qui conviennent.

→ Tu touches ... tout, mais tu ne vas jamais au bout de tes intentions. – Ce vase est fragile ; ne le touchez qu'... beaucoup de précautions. – En échange de son travail, M. Aubry touche ... l'argent. – L'émission touche ... sa fin ; nous allons nous coucher.

→ Sous le choc, le boxeur tombe ... genoux. – La journée a été longue, Ama-dou tombe ... fatigue. – Les amateurs sont tombés ... les honneurs. – Jusqu'à maintenant tout réussissait à Nasser, mais là, il est tombé ... un os.

Citation ──────────────────────────────

Garde-toi, tant que tu vivras,
De juger des gens sur la mine.
(**La Fontaine**, *Le Cochet, le Chat et le Souriceau*)

85^e
Leçon

Les homonymes lexicaux

RÈGLE

- **Les homonymes** sont des mots qui se prononcent de la même manière mais qui, le plus souvent, s'écrivent différemment. On dit qu'ils sont **homophones**.

  Quel est le poids de cet objet?   *Le petit pois est un excellent légume.*

  Les homonymes peuvent être de natures grammaticales différentes.

nom	: *L'infirmière fait une prise de sang au malade.*
préposition	: *Il ne faut jamais rouler sans boucler sa ceinture.*
déterminant numéral	: *Cette usine produit plus de cent moteurs.*
verbe conjugué	: *Ce bouquet de fleurs sent bon.*

- **Les homonymes** n'ont jamais le même sens.

  Pour trouver la bonne orthographe, on peut examiner le sens de la phrase ou consulter un dictionnaire.

Jordan boit un verre d'eau.	→ un récipient
La poule avale un ver de terre.	→ un petit animal mollusque
Tu te diriges vers la sortie.	→ en direction de
Le vert symbolise l'espérance.	→ la couleur

- Lorsque des homonymes se prononcent et s'écrivent de la même manière, on dit qu'ils sont **homographes**. Il peut s'agir de
  - deux noms de genres différents :
    le tour de France   *la tour du château*
  - d'un nom et d'un verbe :
    la voie de chemin de fer   *Il faut que je te voie.*
  - d'un nom et d'un adjectif :
    le court de tennis   *J'arriverai dans un court instant.*

---

589 Recopiez les phrases en les complétant avec l'homonyme qui convient.

(amendes – amandes)

Le menu propose du loup au fenouil ou une truite aux … . – Les chauffards doivent payer de lourdes … .

(frêne – freine)

Le conducteur … avant de franchir le passage protégé. – On fabrique des manches d'outils avec le bois de … .

(terre – taire)

Quand on ne connaît pas la bonne réponse, il est conseillé de se … . – Après une traversée épuisante, les marins sont heureux de retrouver la … ferme.

(sole – sol)

Le … du gymnase est fait d'un matériau antidérapant. – La … est-elle un poisson de mer ou d'eau douce ?

Recopiez les phrases en les complétant avec les mots qui conviennent.

(vos – veau – vaut)

Les escalopes de … sont servies panées avec un filet de citron. – Avez-vous sorti … affaires de votre casier ? – Ce téléviseur … seulement quelques centaines d'euros.

(mai – mais – met)

Les acteurs de ce film parlent anglais, … il est sous-titré en français. – Le tireur de penalty … le ballon hors de portée du gardien de but. – Au mois de …, on compte de nombreux jours fériés.

591 **Complétez avec un article ou un pronom personnel. Il peut y avoir plusieurs réponses.**

… pleures	… calcule	… pouces	… faites
… pleurs	… calculs	… pousses	… fête
… rangs	… crient	… cous	… thon
… rend	… cri	… couds	… tond
… lient	… crie	… voix	… tri
… lits	… cris	… voit	… tries
… vents	… loup	… peint	… riz
… vends	… louent	… pain	… rit

592 **Recopiez les phrases en les complétant avec les mots qui conviennent.**

(serre – sert – serres – cerf)

En Islande, les tomates mûrissent dans des … chauffées par la géothermie. – Le … tente d'échapper à la meute lancée à sa poursuite. – Le blessé … les poings pour surmonter sa douleur. – Le menuisier se … d'un rabot pour ajuster la planche.

(vain – vingt – vin – vint)

Le … est une boisson à consommer avec beaucoup de modération. – Nous serons en vacances dans … jours ; nous sommes impatients. – À l'heure prévue, Christophe … à notre rencontre. – C'est en … que ce peintre amateur essaie d'imiter le sourire de la *Joconde*.

593 **Recopiez les phrases en les complétant avec des mots de la même famille que les mots entre parenthèses.**

Je n'ai pas pu voir la … (la finale) de cette émission, elle se terminait trop tard. – La … (affamé) fait sortir le loup du bois. – Les tours sont plus … (la hauteur) que les immeubles du quartier. – M. Viardot loue des chambres d'… (un hôtel) à des touristes. – Marseille est le plus important … (portuaire) de commerce de France. – La viande de … (un porcelet) doit être placée au réfrigérateur. – Le moniteur fixe des … (un pot) de phoque sous ses skis pour escalader la pente. – Le chasseur fait le … (guetter) à la lisière de la forêt. – L'architecte a dessiné les … (planifier) de la nouvelle mairie d'Aubusson.

itation

En toute chose il faut considérer la fin.

(La Fontaine, *Le Renard et le Bouc)*

207

86^e

Les paronymes
Les barbarismes
Les pléonasmes

RÈGLE

I. Certains mots se ressemblent **soit par leur** forme, **soit par leur** prononciation ; **mais ils ont des** sens différents. Ce sont **des paronymes.**

les *allocations familiales* → *allocation* : somme donnée à quelqu'un
une *longue allocution* → *allocution* : discours officiel

Lorsqu'on écrit, il faut examiner le contexte pour trouver le sens et l'orthographe de tous les mots pour lesquels un doute demeure. Les paronymes ont parfois la même étymologie.

2. Lorsqu'on emploie un mot pour un autre, ou lorsqu'on déforme légèrement un mot, on commet **un barbarisme.**
On ne dit pas : *Tu nous* rabats *les oreilles avec tes histoires.*
Mais on dit : *Tu nous* rebats *les oreilles avec tes histoires.*

Remarque :
En Grèce, les Barbares étaient les étrangers.

3. Lorsqu'on emploie deux mots qui veulent dire la même chose, on commet un **pléonasme.** Évitons les plus caractéristiques.
On ne dit pas :
monter en haut, mais *monter*
des paroles verbales, mais tout simplement *des paroles*
prévoir à l'avance, mais *prévoir* (*prévoir* se fait forcément à l'avance !)

---

 594 Recopiez les phrases en les complétant avec le mot qui convient.

(justesse – justice)
Amaury évita la chute d'extrême … . – Il paraît que le roi Saint Louis rendait la … sous un chêne.

(consommer – consumer)
Ces deux amis s'assoient à la terrasse du café pour … une boisson rafraîchissante. – Une énorme bûche achève de se … dans la cheminée.

 595 Recopiez les phrases en les complétant avec le mot qui convient.

(éclaircir – éclairer)
Les réverbères ne parviennent pas à … la contre-allée du boulevard Murat, tant le brouillard est épais. – Les policiers parviendront-ils à … le mystère du vol des bijoux de la place Vendôme ?

(embrasser – embraser)
Une forêt mal entretenue peut s'… en quelques minutes. – Coralie ne part jamais au collège sans … ses parents.

Recopiez les phrases en les complétant avec un paronyme du mot entre parenthèses.

À quel … (avènement) le présentateur du journal télévisé fait-il … (illusion)? – Ces prisonniers ont bénéficié d'une … (armistice) décrétée par le Président de la République. – En observant le mouvement des astres, l'… (astronome) prédit un avenir radieux à Sylvie. – La … (collusion) fut violente, mais aucun des deux conducteurs n'a été blessé. – Des braconniers ont pénétré par … (infraction) dans le parc animalier et ils ont massacré plusieurs animaux. – D'après les scientifiques, une catastrophe écologique est … (éminente) dans la forêt amazonienne.

597 **Recopiez les phrases en supprimant les pléonasmes.**

Dès que la sonnerie retentit, les élèves descendent en bas pour se rendre au self du collège. – Au jour d'aujourd'hui, le TGV relie Paris à Lyon en moins de deux heures. – Le cirque Médrano s'installera incessamment sous peu sur une place de la ville de Redon. – Pour se garer, M. Ricco recule en arrière en prenant d'infinies précautions. – Les hirondelles volent en l'air pour annoncer la venue du printemps. – Ce dessinateur et ce scénariste collaborent ensemble pour réaliser une bande dessinée. – Par coquetterie, ce chanteur porte une fausse perruque pour cacher sa calvitie. – Faustine a fait un mauvais cauchemar; elle s'est réveillée en sursaut. – Cet inventeur croit avoir découvert la panacée universelle.

598 **Recopiez les phrases en écrivant correctement les barbarismes en bleu.**

Pierrot et Colombine sont les héros de nombreuses pantomines. – L'absorbtion d'une grande quantité d'épices peut gâter le goût des bonnes choses. – Une brève échauffourée a opposé ces deux garnements qui se disputaient la même place. – Les employés de la concession automobile trouvent qu'ils sont mal rénumérés. – Les élèves de la 6e 3 répètent une scènette qu'ils joueront à la fin du trimestre. – Choisir entre ces deux propositions tout aussi alléchantes l'une que l'autre, quel dilemne! – M. Delcroix déclare avoir gagné une somme gastronomique lors du dernier tirage du loto. – Des médecins volontaires se rendent au Niger pour vacciner les enfants contre la poliomélite.

599 **Recopiez les phrases en écrivant correctement les barbarismes en bleu.**

Les voyageurs en partance pour Stockholm se rendent à l'aréoport de Roissy. – Le portail d'une cathédrale apparaît en filigramme sur ce billet de vingt euros. – Pour éviter les infractus, il faut mener une vie saine et pratiquer une activité sportive. – La cérémonie est émotionnante; beaucoup ont la larme à l'œil. – M. Bouchard a reçu ses amis à la bonne flanquette; ils ont savouré une pizza aux champignons. – Le 14 Juillet est célébré dans toute la France par des bals populeux. – Le cobra hynoptise ses proies avant de cracher son venin. – M. Morally a perdu en jouant à la bourse, et maintenant il a des ennuis pécuniers.

Citation _____

Mais enfin je l'ai vu, vu de mes yeux, vous dis-je!
(**La Fontaine**, *Le Dépositaire infidèle*)

87ᵉ
Leçon **L'origine des mots**

RÈGLE

• Si 80 % des mots du français sont **d'origine latine**, ils ont le plus souvent été déformés et seuls les latinistes sont capables de donner l'étymologie d'un mot.
Exemple : le nom « *eau* » vient du mot latin « *aqua* » ; origine que l'on retrouve néanmoins dans les mots : un *aqua*rium – *aqua*tique.
Cependant, environ 300 mots et expressions ont conservé leur forme latine. Ils sont parfois légèrement déformés ou peuvent prendre des accents alors qu'il n'y en a pas en latin.
un ultimatum – un album – un déficit – un mémento

• Les mots **d'origine grecque** sont nombreux, mais la plupart sont d'usage restreint car ils appartiennent, généralement, à des lexiques spécialisés, scientifiques ou techniques.
un microscope – le larynx – la philosophie – l'orthographe – une hémorragie

• Un certain nombre de noms, très souvent utilisés, sont empruntés à **d'autres langues** que le grec ou le latin.

l'anglais : *le camping – un puzzle*   l'italien : *un confetti – l'opéra*
l'espagnol : *un toréador – la paella*   l'allemand : *un bivouac – un blockhaus*
le japonais : *le karaté – le tatami*   l'arabe : *le bazar – le pacha*
le russe : *le mazout – la steppe*   le bulgare : *un yaourt*
le norvégien : *un fjord*   l'esquimau : *un anorak*
des langues africaines : *le baobab – le chimpanzé*

À l'écrit, il faut penser aux mots français avant d'utiliser certains mots anglo-saxons.
Il est préférable d'écrire *présentateur* plutôt que *speaker*.

600 **Recopiez les phrases en remplaçant les mots en bleu par les mots ou expressions d'origine latine.**

son curriculum vitæ – ex æquo – le maximum – a priori – grosso modo – post-scriptum – in extremis – recto verso

Vous m'avez invité à votre anniversaire ; à première vue, je serai là. – L'autobus allait partir et nous ne sommes montés qu'au dernier moment. – Rien ne peut départager ces deux concurrents qui sont arrivés ensemble. – Pour économiser du papier, M. Werner imprime tous ses documents à l'endroit et à l'envers. – Le conducteur du TGV fait tout ce qu'il peut pour que son train soit à l'heure, tout en respectant les consignes de sécurité. – Ce vendeur nous donne, sans entrer dans les détails, les modalités de fonctionnement de l'appareil. – Le candidat à l'emploi de magasinier remplit les indications relatives à ses diplômes et à ses capacités. – Lorsqu'on a terminé une lettre et que l'on veut ajouter une précision, on place un complément.

601 Recopiez les phrases en complétant les mots d'origine latine.

Le concert a lieu dans l'aud… Claude Debussy. – Le ciel se couvre de cum… ; il va pleuvoir. – Mme Sandoz réclame un dupl… de sa facture, car elle a égaré l'original. – Ce suspect a été rapidement innocenté, car il avait un solide ali… . – Lorsqu'on manque de cal…, les os deviennent fragiles. – La loi ne sera pas appliquée ; le président a mis son ve… . – Avant d'être un joueur professionnel, Akim fut sélectionné en équipe de France jun… .

602 Recopiez les phrases en complétant les mots d'origine grecque.

À partir du troisième mois de grossesse, l'emb… est bien visible à l'écho… . – Pour être un bon lutteur, il faut une morph… particulière. – Avant d'arracher la dent de sagesse de Daphné, le dentiste pratique une anes… locale. – La cantatrice est aph… ; elle ne pourra pas donner son récital. – Le typ… est une maladie contagieuse transmise par les poux. – Toutes les dates historiques figurent sur la frise chro… . – L'héli… est un engin volant à décollage vertical. – Combien l'al… français compte-t-il de lettres ? – L'ouragan fut d'une violence inouïe ; c'est un catac… de grande ampleur que vient de vivre Haïti.

603 Recopiez les phrases en complétant les noms d'origine étrangère.

Le Titanic a coulé après avoir heurté un ic… . – Dans un sl… spécial, les skieurs doivent passer au plus près des portes. – Avez-vous déjà essayé de prendre un animal au la…, comme les co…-bo… ? – Au bo…, il n'est pas facile de renverser toutes les quilles en une seule fois. – Monté par un jo… expérimenté, ce cheval a remporté la grande course de haies. – Le b…-j… est porté par les jeunes du monde entier. – Cette chanson est restée plusieurs semaines au h…-pa… . – Seuls de vieux véhicules participent aux courses de st…-ca… ; heureusement ! – À midi, pour tout repas, je me suis contenté d'un simple h…-d… . – Les garçons disputent une partie de bab…-f… acharnée contre les filles ; qui gagnera ? – Saviez-vous que les po…-co… sont préparés avec des grains de maïs ?

604 Recopiez les phrases en remplaçant les noms d'origine étrangère en bleu par des noms français.

La secrétaire envoie un fax pour réclamer le paiement d'une facture. – Un dangereux gangster a pris deux personnes en otages, mais la police l'a aussitôt arrêté. – Dans le quartier de la Défense, les buildings poussent comme des champignons. – C'est une star du cinéma français qui tient le rôle principal de ce film. – Le match entre la France et la Belgique débutera exceptionnellement à vingt heures. – Pourquoi les spots publicitaires envahissent-ils nos écrans ? – Le voyageur tend son ticket au contrôleur. – Le stock de meubles se trouve à l'abri de l'humidité, dans un hangar chauffé. – Ne pas faire de fautes dans cette dictée difficile, c'est un vrai challenge.

Citation _____

Le zapping a ceci de très commode qu'il permet de sauter ce qui déplaît. En livres, cela se dit : parcourir.
Charles Dantzig, *Dictionnaire égoïste de la littérature française*)

Les figures de style

RÈGLE

Les figures de style permettent une expression plus originale, plus riche et souvent plus personnelle. Elles retiennent l'attention du lecteur.

I. La comparaison rapproche, à l'aide d'un mot comparatif, deux termes pour insister sur les rapports de ressemblance qui les unissent.
Ce gardien de but bondit comme *un chat.*
Une silhouette, tel *un gigantesque spectre, se découpe sur le mur du château.*

2. La métaphore rapproche deux termes pour insister sur leurs rapports de ressemblance sans terme comparatif.
Pour M. Ravat, la peinture est une source de revenus.
Certaines métaphores sont passées dans le langage commun.
entrer en coup de vent – un terrain d'entente – un coup de fil (pour un appel téléphonique) – une pomme de discorde

3. La périphrase permet de remplacer un mot par une expression ou par une phrase.
le lion → *le roi des animaux*
l'époque des soldes → *la ruée sur les articles à prix réduit*

4. La litote consiste à dire peu pour suggérer beaucoup. Elle est souvent à la forme négative.
Ce tableau n'est pas mal du tout. → **Ce tableau est vraiment réussi.**

5. L'euphémisme permet d'atténuer le sens d'une idée déplaisante ou désagréable.
les chômeurs → *les demandeurs d'emploi*   la disparition → *la mort*

 Copiez les phrases en remplaçant les figures de style en bleu par les termes suivants.

s'occupe – un long discours – est apparue chez – situé sur le versant – barre – détective – provoqué de nombreux commentaires – permis de nombreux

Dans la salle d'attente, Julien tue le temps en feuilletant des magazines. – Qui peut bien habiter dans ce bloc de béton gris ? – Ce fin limier est sur la piste d'une bande de trafiquants d'objets d'art. – Le défilé des majorettes, a fait couler beaucoup d'encre. – Cette découverte a donné naissance à une foule de prolongements technologiques. – Ce hameau est niché au flanc de la colline. – La maladie a frappé M. Chenio alors qu'il se croyait en pleine forme. – L'orateur a noyé l'auditoire sous un déluge de paroles.

Copiez les phrases en remplaçant les mots en bleu par les figures de style suivantes.

la perle du Pacifique – comme un tambour – reste muet – en coup de vent – le Roi Soleil – dur comme fer – avoir comme un pigeon

À Versailles, Louis XIV était entouré d'une foule de courtisans. – En croyant faire une affaire, M. Meunier s'est fait voler en achetant ce vieux meuble. – Sarah croit vraiment à l'existence des extraterrestres. – Ce document garde son secret ; impossible de le déchiffrer. – Tahiti accueille chaque année des millions de touristes. – Lucie est pressée ; elle part rapidement. – Cette personne raisonne très mal ; il est impossible de discuter avec elle.

607 Recopiez les phrases en complétant les comparaisons avec les termes suivants.

une anguille – un vrai roman – des papillons – un poisson dans l'eau – un chat à l'affût – un ange

Les doigts du pianiste, tels …, volaient de touche en touche. – Comme …, je m'avançais parmi les rayons de livres à la recherche du roman qui me ferait voyager. – Après son biberon, le bébé dort comme … . – À peine arrivé dans sa nouvelle classe, Laurent s'est tout de suite senti comme … . – Souple comme …, Faouzi se glisse dans l'étroit boyau qui mène à la caverne souterraine. – La vie de M. Martin est … : il a séjourné dans des dizaines de pays.

608 Recopiez les phrases en remplaçant les euphémismes par les termes suivants.

les clandestins – obèse – une augmentation – aux pauvres – les invalides – les vieux – un cancer

Cette entreprise a procédé à un réaménagement inéluctable de ses prix de vente. – Désormais, les personnes à mobilité réduite ont des places réservées dans les salles de spectacle. – Les seniors du quartier se réunissent tous les jeudis pour jouer aux cartes. – Cet ancien fumeur est atteint d'une longue maladie. – Les sans-papiers ont des difficultés pour trouver du travail. – Cette personne est enveloppée ; elle devra suivre un régime. – Cette association procure des repas chauds aux personnes en difficulté.

609 Recopiez les phrases en remplaçant les mots en bleu par les litotes suivantes.

est intelligent – est ravi – serons rassasiés – avait raison – se trompe – a été méchante

Jean n'avait pas tort d'affirmer que la Terre n'est pas parfaitement ronde, mais légèrement écrasée aux deux pôles. – Denis n'est pas bête, il a su résoudre ce problème en quelques minutes. – Grégory manque de discernement ; il devrait faire attention. – Vanessa n'a pas toujours été tendre avec son amie Aurélie. – Ce nageur n'est pas mécontent de sa performance : il a battu le record du monde. – Le menu est copieux ; nous ne mourrons pas de faim.

Citation ―――――――――――――――――――

'a, je ne te hais point !
Corneille, *Le Cid*)

89ᵉ
Leçon

Le sens propre
Le sens figuré

RÈGLE

I. Un mot est au sens propre lorsqu'il est employé dans son sens courant, sans intention de créer une image.
Margaux donne des feuilles de salade à sa tortue.
Certains mots n'ont qu'un seul sens. C'est notamment le cas de tous les termes techniques ou scientifiques.
utiliser un tournevis   tracer un quadrilatère

2. Un mot est au sens figuré quand on le détourne de son sens premier **pour** créer un effet de style, en s'appuyant sur des caractéristiques attribuées à ce mot.
Regardez cette vieille voiture : une vraie tortue!
C'est la ressemblance entre la vieille voiture et la lenteur supposée de la tortue qui crée une image.

• Un mot peut avoir plusieurs sens figurés.
sens propre : *La forme de cet objet est bizarre.*
sens figurés : *J'écoute toutes les formes de musique.*
Ce coureur est en pleine forme.
Mets la phrase à la forme négative.

• Il existe de très nombreuses expressions de sens figurés.
perdre la tête   avoir l'œil à tout   sauter sur l'occasion

Les textes comiques et poétiques jouent sur le sens figuré des mots.

 Recopiez les phrases en indiquant entre parenthèses si l'expression en bleu est employée au sens propre ou au sens figuré.

M. Roncini remue ciel et terre pour trouver un emploi. – Ce ténor possède une voix chaude qui enthousiasme les spectateurs. – De nombreux médecins et infirmières travaillent dans cette clinique. – Le chef d'orchestre bat la mesure. – Les vieux du village sont assis sur un banc et ils évoquent leurs souvenirs. – Il a beaucoup plu et les rivières quittent leur lit. – Le feuilleton du vendredi commence à vingt et une heures. – La rencontre des chefs d'État a permis de réchauffer les relations entre ces deux pays.

 Recopiez et classez ces expressions selon qu'elles sont employées au sens propre ou au sens figuré.

prendre la mer
un gouffre très profond
marcher sur des œufs
jouer avec le feu
essuyer la vaisselle

prendre un crayon à papier
une profonde amitié
marcher dans la boue
mettre le feu aux brindilles
essuyer un refus

Recopiez les groupes de phrases en les complétant avec le verbe qui convient.

→ Ce coureur a tellement d'avance qu'il se ... le luxe de ralentir. – Cet achat est très cher, alors vous le ... à crédit. – La réussite au brevet a ... Walter de tous ses efforts.

→ Le lion ... la chair des animaux qu'il chasse. – Le professeur rassure Manon : « Même si tu te trompes, je ne te ... pas !» – On ne comprend pas Léonard ; il ... tous ses mots.

→ Clémence est intrépide : elle ... du plongeoir de trois mètres. – Vous n'avez pas encore trouvé la solution, pourtant elle ... aux yeux. – Si la proposition qu'on te fait est intéressante, ... sur l'occasion.

Recopiez les groupes de phrases en les complétant avec le nom qui convient.

→ En Beauce, les ... de blé s'étendent à perte de vue. – Patrice est parti sans nous prévenir ; il a pris la clé des ... . – Le professeur nous a laissé le ... libre pour le plan de notre exposé sur la mythologie.

→ Cet outil préhistorique est en ... polie. – Depuis qu'il a perdu son chat, Jonathan est malheureux comme les ... . – Le jour du mariage de ma sœur Mylène est à marquer d'une ... blanche.

Recopiez les groupes de phrases en les complétant avec le verbe qui convient.

→ Cet athlète ... le cent mètres en moins de dix secondes. – L'écrivain laisse ... sa pensée avant de rédiger. – Si vous touchez ces fils électriques avec des mains mouillées, vous ... un grave danger.

→ Il ne faut jamais ... les piles électriques dans les conteneurs pour la ferraille. – Avant de choisir une bague, ... un coup d'œil sur celles-ci. – Ne te ... pas la tête la première dans cette aventure ; réfléchis d'abord.

→ En jouant au foot dans la cour, les garçons ont ... une vitre. – À neuf heures, les ouvriers ont ... la croûte sur le chantier. – Raoul nous ... la tête avec ses histoires. – Franchement, ce film ne ... rien ; il est même ennuyeux.

Les mots et expressions en bleu sont au sens propre. Écrivez une phrase dans laquelle ils seront au sens figuré.

Ex. : *L'impression de ce document est parfaite.*
→ *Tu as l'impression de faire du sur-place.*

Mme Royer garde les enfants de sa voisine lorsqu'elle part travailler. – Tu as aché la manche de ta veste. – Le chasseur n'a pas tué un seul faisan. – L'index e trouve entre le pouce et le majeur. – Cette torche n'éclaire que faiblement. – Michèle a gravi le dôme des Écrins sous la conduite d'un guide. – Comme tu as mangé des framboises, tu as la langue toute rouge. – On n'installe plus de tuyaux n plomb dans les appartements et les villas. – Qui veut bien effacer le tableau ?

Citation

es miroirs feraient bien de réfléchir un peu avant de renvoyer les images.

(Jean Cocteau, *Essai de critique indirecte*)

616 Complétez chaque phrase avec un mot que vous formerez à partir du radical entre parenthèses auquel vous ajouterez un suffixe. (leçon 81)

Le maraîcher place ses légumes dans des ... (une cage). – Ces deux personnes disputent une partie de ... (une bille). – Lorsque la ... (sonner) retentit, toutes les classes du collège se vident. – La ... (propre) de ce local laisse à désirer ; il faudra procéder à un ... (nettoyer) général. – M. Bertin a placé toutes ses ... (écomome) dans un coffre-fort. – Dans cette ... (charcuter), vous trouverez des ... (une saucisse) pur porc. – Marie nous a reçus avec beaucoup de ... (gentil). – La ... (vaillant) de ce ... (la boxe) fait l'admiration du public. – L'... (un esclave) fut aboli dans les colonies françaises en 1848.

617 Donnez le contraire de ces mots en utilisant un préfixe ou en changeant de préfixe. Ex. : *la pesanteur* → *l'apesanteur* (leçon 81)

disparaître	monter	déménager	adroit	antérieur
agréable	amorcer	nouer	attacher	la politesse
loyal	raisonnable	plaire	perméable	le plaisir
qualifié	attentif	limité	discret	content

618 Recopiez les phrases en les complétant par des mots de la même famille que le mot entre parenthèses. (leçon 82)

(chauffer)
La ... au fioul a besoin d'être réglée ; elle émet trop de fumée. – La sorcière prépare ses poisons dans un immense ... . – Le ... de ce poids lourd se repose toutes les deux heures. – Pour rejoindre le pôle Nord, l'explorateur est ... habillé. – Le campeur prépare son repas sur un petit ... à gaz.

(charger)
M. Revol livre un ... de bois à la scierie. – La batterie est à plat ; le mécanicien branche le ... . – Les ... sauvages enlaidissent le paysage et polluent les sols. – Ce timbre-poste est ... de quarante centimes au profit de la Croix-Rouge.

619 Recopiez les phrases en les complétant par des mots de la même famille que le mot entre parenthèses. (leçon 82)

(courir)
Tout au long du ..., les spectateurs brandissent de petits fanions. – Il est bon d'avoir une trousse de ... dans chaque local public. – Ne vous aventurez pas dans l'eau de ce torrent ; le ... est trop violent. – Le facteur est ponctuel ; le ... est déposé chaque matin dans les boîtes aux lettres. – Sur son scooter, le ... se faufile entre les véhicules pour livrer un pli urgent.

(un hôte)
Les blessés sont conduits à l'... pour y recevoir les premiers soins. – Le Sahara est vraiment une contrée ... . – Des ..., fort aimables, renseignent les visiteurs à l'entrée de l'exposition. – Cet ..., situé en bord de mer, accueille les vacanciers. – Elliot est ... pour une opération bénigne : on doit lui ôter une verrue.

620 Recopiez les phrases en remplaçant les adjectifs qualificatifs en bleu par leur contraire. (leçon 83)

Au cours de la randonnée, nous prendrons un repas chaud. – L'adresse de l'opticien que tu m'as donnée est exacte. – Le témoignage de cette personne paraît mensonger ; les policiers en sont persuadés. – Il reste un étroit passage entre ces deux blocs d'immeubles. – Ces champignons sont-ils vénéneux ? – Cette passerelle semble solide ; ne vous aventurez pas plus loin. – Les consignes pour exécuter cet exercice sont vagues. – Comme les vents sont faibles, le skipper ajuste la voilure. – Pourquoi coupes-tu d'épaisses tranches de pain ? – Le terrain plat ne favorise pas la progression de la caravane. – Ta réponse est confuse ; le professeur te demande de la répéter. – Dans la classe, les garçons qui veulent jouer au rugby sont majoritaires.

621 Trouvez les hyperonymes de chacune de ces listes de noms. (leçon 83)

une mouche – une guêpe – un papillon – une fourmi – un pou   → un …
le bleu – le vert – le rouge – le jaune – le violet – le blanc   → une …
le poivre – la cannelle – le curry – la muscade – le safran   → une …
le colonel – le capitaine – le sergent – l'adjudant – le lieutenant   → un …

622 Recopiez chaque groupe de phrases en le complétant avec le mot qui convient. (leçon 84)

→ Ne me … pas sans cesse la parole ; écoutez-moi. – Ce matin, M. Marzio s'est … en se rasant. – Fabrice conteste tout ce qu'on lui dit ; il n'arrête pas de … les cheveux en quatre. – Ce médicament est efficace ; il a … la fièvre de Sandra. – Il y avait trop de bruit, alors j'ai … le son du téléviseur. – Lorsqu'il est parti travailler en Angleterre, M. Cardon s'est … de tous ses amis.
→ Ces deux cousins sont unis comme les cinq … de la main. – Il y a des traces de … sur l'arme du crime ; les enquêteurs relèvent les empreintes. – En soulignant ce mot, tu as mis le … sur la difficulté. – Ne commencez pas à fumer, sinon vous mettez le … dans l'engrenage. – Si tu ne profites pas de cette occasion de découvrir le Portugal, tu t'en mordras les … . – Ce chien est bien dressé, il obéit au … et à l'œil. – Ma leçon, je la sais sur le bout des … .
→ Ce spécialiste parle … ce qu'il connaît le mieux : les mécanismes électroniques. – Le sous-directeur parle … le contrôle de son supérieur. – Lorsque tu sais ta leçon, tu parles … assurance. – Les personnes raisonnables ne parlent pas … tort et à travers.

623 Recopiez les phrases en les complétant par un homonyme du mot entre parenthèses. (leçon 85)

Avant de servir le civet de lièvre, le cuisinier … (la goutte) la sauce. – Certains naïfs croient que le crapaud est le … (la malle) de la grenouille. – Ne marche pas dans la … (le bout) ; tu vas salir tes chaussures. – Le … (le signe) est un oiseau au plumage blanc qu'il ne faut pas taquiner. – Avant d'y placer les tomates, tu verses un peu d'huile dans la … (le poil). – Ce plat manque un peu de … (la selle). – Avez-vous déjà lu un … (le compte) de Charles Perrault ? – Le … (la cour) de français débutera avec cinq minutes de retard. – Ce basketteur mesure plus de deux … (le maître) ; il touche facilement le panier.

624 Recopiez les couples de phrases en les complétant avec deux paronymes.
(leçon 86)

→ Karim a marqué le but victorieux au cours de la seconde prol... du match de coupe. – L'entrée du musée se trouve dans le prol... de la rue des Cordeliers ; vous ne pouvez pas vous tromper.

→ Ce marigot est in... de crocodiles ; ne vous approchez pas ! – Si tu ne soignes pas cette plaie elle est va s'in... .

→ Cette fausse indication m'a in... en erreur ; je me suis perdu. – M. Varrant a en... les murs de colle avant de poser le papier peint.

→ Le pré... des enfants royaux était souvent un homme de lettres protégé par le souverain. – Le per... perçoit les impôts locaux au profit des communes.

625 Recopiez les phrases en les complétant par des noms d'origine étrangère. Vous chercherez la langue dont ils sont issus. (leçon 87)

Sur le chantier, un puissant bu... déplace des monceaux de terre. – Le jour du carnaval, les gens costumés jettent des poignées de co... sur leurs voisins. – Pour conserver le son [s], il faut placer une cé... sous la lettre « c ». – Blandine a changé la litière de son ham..., puis elle lui a donné à manger. – Dans l'arène, le to... affronte un redoutable taureau. – C'est un Français qui a remporté la course de ka... lors des Jeux olympiques. – Le ki... est un petit animal de Nouvelle-Zélande qui a donné son nom à un fruit. – Ce milliardaire voyage à bord d'un superbe ya... de quarante mètres de long.

626 Copiez les phrases et indiquez, entre parenthèses, la nature de la figure de style en bleu. (leçon 88)

Sébastien Loeb, le volant magique, a remporté le rallye de Monte-Carlo. – De son appartement, Nicolas percevait sans cesse le murmure de la ville. – Ce n'est pas désagréable de prendre un peu de repos après un tel effort. – Au crépuscule, l'étoile du berger est la première à faire son apparition. – Le message est porteur d'un pli urgent ; il vole de ville en ville. – Le bricolage n'est pas le point fort de M. Tranzi. – Les soldats du feu ont fait preuve d'un courage exemplaire. – Votre appel téléphonique rassurant nous apporte une bouffée d'oxygène. – Tous les ans, le septième art organise un festival à Cannes. – L'auteur Georges Courteline s'est souvent moqué des ronds-de-cuir. – Tu n'es pas très doué pour les mots croisés ; tu n'as rempli aucune case.

627 Recopiez les couples de phrases en les complétant avec le nom qui convient. Vous indiquerez s'il est employé au sens propre ou au sens figuré. (leçon 89)

→ Si vous agissez dans le même ..., vous arriverez à bout de ce travail. Cette rue est en ... interdit, aucun véhicule ne doit l'emprunter.

→ Ne faites pas tout un ... de cette aventure, cela n'en vaut pas la peine. – Un ... de pâtes avec de la sauce tomate et du gruyère, c'est délicieux.

→ Le médecin écoute le ... du malade à l'aide de son stéthoscope. – Je ne connais personne d'aussi serviable que Lorine : elle a le ... sur la main.

→ Les ... de ce chêne s'enfoncent profondément dans le sol. – De nombreux mots du français ont une ... latine.

Mémento grammatical

90ᵉ
Leçon

Les quatre types de phrases

« La blanquette de veau est délicieuse. Qu'y a-t-il dans la sauce ?
– De la crème fraîche, bien sûr !
– Alors, sers-moi une nouvelle portion. »

RÈGLE

1. La phrase déclarative fournit une information. Elle se termine par un point. L'intonation est descendante.
Nous avons une heure de permanence au milieu de la matinée.

2. La phrase interrogative pose une question. Elle se termine par un point d'interrogation. L'intonation est montante.
As-tu assisté au cours de dessin ?   *Le cours a-t-il débuté ?*

• Elle peut débuter par un mot interrogatif ou l'expression « Est-ce que... ».
Que lis-tu en ce moment ?   *Est-ce que tu lis des romans policiers ?*

3. La phrase exclamative permet d'exprimer des sentiments : joie, étonnement, admiration. Elle peut commencer par un déterminant exclamatif ou par « que ». Elle se termine par un point d'exclamation.
Comme ce livre est passionnant !   *Que la vie est belle !*

4. La phrase injonctive exprime un ordre, une interdiction, un conseil. Elle se termine par un point, ou par un point d'exclamation si l'injonction est forte. Elle peut se construire avec un verbe au mode impératif ou au mode infinitif.
Vous devez travailler davantage.   *Suivre les instructions.*

Voir « La ponctuation », pp. 60 à 63.

 Copiez les phrases et indiquez à quel type elles appartiennent.
Ex. : *Le jour du mariage de Céline, ses parents avaient invité ses amies.* (phrase déclarative)

Composer sa première symphonie à neuf ans, seul Mozart pouvait le faire ! – Une couche de peinture spéciale protègera la rambarde du balcon contre l rouille. – Connaissez-vous la légende du Lion à la crinière de feu ? – Est-c que la salle 10 est libre entre midi et quatorze heures ? – Farinez les poisson avant de les déposer dans la poêle. – Voilà un exploit pas banal : empiler cer boîtes de conserve sans qu'aucune ne tombe ! – Ne plongez surtout pas dan cette eau glacée ! – La pollution engendrée par la circulation sur le boulevar périphérique incommode les riverains. – Baisse le son de ton MP3. – Qu'est-c qui différencie un éléphant d'Asie d'un éléphant d'Afrique ? – Ne vous appro chez pas du précipice, c'est très dangereux ! – Que cherches-tu dans le tiro de cette commode ? – Des éclairs déchirent le ciel ; l'orage n'est pas loin.

629 Transformez ces phrases interrogatives en phrases déclaratives.

Le journaliste a-t-il réalisé un reportage lorsqu'il s'est rendu au Rwanda ? – Avez-vous l'intention de passer prochainement l'attestation de sécurité routière ? – Les acteurs apprennent-ils leur rôle longtemps à l'avance ? – Est-ce que les forêts absorbent le gaz carbonique ? – La rue Colbert sera-t-elle pavée ou goudronnée ? – Comment le facteur trouve-t-il rapidement la boîte aux lettres de M. Charles alors qu'il y en a plusieurs rangées ?

630 Transformez ces phrases déclaratives en phrases exclamatives.
Vous utiliserez des déterminants exclamatifs.

Dans les mines de charbon, le travail était pénible. – L'ascension de ce col est difficile. – Nous assistons à un coup de vent d'une force incroyable. – Vous n'avez pas mis de gant et le résultat est là : vos mains sont tachées. – Le toit est pentu. – Tu as eu la chance de gagner au loto. – Vous avez vécu une aventure unique lorsque vous avez descendu l'Ubaye en canoë. – M. Brun a préparé une délicieuse omelette aux morilles.

631 Transformez ces phrases déclaratives en phrases interrogatives.
Vous utiliserez la construction de votre choix.

Les enquêteurs ont retrouvé les auteurs du vol des tableaux du musée de Strasbourg. – Vous cherchez la sortie de secours. – Le diapason donne le « la » aux musiciens et aux chanteurs. – Le supermarché stocke des milliers de jouets en prévision des fêtes de fin d'année. – Le héros de ce film joue pour la première fois dans une comédie. – En entrée, je prendrai une salade grecque.

632 Écrivez les questions que l'on a posées pour obtenir ces réponses.
Vous utiliserez la construction de votre choix.

Le mont Blanc culmine à 4 810 mètres. – Le karaté est un sport olympique. – J'ai treize ans. – Le luthier fabrique des instruments de musique à cordes pincées ou grattées. – Je préfère le chocolat noir au chocolat au lait. – Nous sommes allés en vacances au Maroc. – Nadar a réalisé la première photographie aérienne. – La Paz est la plus haute capitale du monde. – Molière est mort à la fin d'une représentation théâtrale.

633 Transformez ces phrases déclaratives en phrases interrogatives.
Vous utiliserez la construction de votre choix.

Les feuilles mortes de Prévert et Kosma est la chanson française la plus connue à l'étranger. – Le houblon et le malt permettent de préparer de la bière. – Les Narbonnais ont gagné parce qu'ils ont su exploiter les erreurs de leurs adversaires. – Vous avez goûté une mangue. – Dans cette vallée, on ne capte pas toutes les chaînes de télévision. – Les chauves-souris se nourrissent d'insectes volants. – Le plus vieux timbre du monde a été émis en Angleterre, en 1840. – Le pêcheur porte des cuissardes pour s'avancer au milieu du torrent.

Citation _____

ous chantiez ? j'en suis fort aise. / Eh bien ! dansez maintenant.
La Fontaine, *La Cigale et la Fourmi*)

Les noms et les déterminants

Leçon 91

Le romancier Michel Tournier **a écrit** deux versions **de** l'aventure **de** Robinson Crusoé : une **pour** les adultes **et l'autre pour** les enfants. Cette version **est plus** facile à lire.

RÈGLE

1. Le nom commun désigne une personne, un animal, un lieu, une chose, une attitude, une qualité, en général. Il est le plus souvent précédé d'un déterminant.
Chaque nom a un genre (masculin ou féminin) repérable, le plus souvent, par le déterminant singulier qui le précède.
un professeur − un lion − la ville − un tableau − l'attente − la patience

2. Le nom propre désigne une personne, un animal, un lieu, une chose, en particulier.
Le nom propre commence toujours par une majuscule.
Maupassant − Fidou − le Ventoux − une Ferrari

3. Les déterminants
• *Les articles* sont les principaux déterminants :
  articles définis : le, la, l', les, au, du, aux
  articles indéfinis : un, une, des, de
  articles partitifs : du, de la

4. Autres déterminants
• possessifs singuliers : mon, ma, ton, ta, son, sa, notre, votre, leur
  possessifs pluriels : mes, tes, ses, nos, vos, leurs
• démonstratifs : ce, cet, cette, ces
• indéfinis : aucun, chaque, certain, tel, nul, quelques, tout, même...
• numéraux : deux, dix, quinze, vingt-cinq, cinquante, cent, mille...

Voir « Genre des noms », pp. 64-65 et « Pluriel des noms », pp. 66-67.

---

634 **Copiez le texte, soulignez les noms communs et encadrez les noms propres**

Cyrus Smith, originaire du Massachusetts, était un ingénieur, un savant de pre mier ordre, auquel le gouverneur de l'Union avait confié, pendant la guerre, direction des chemins de fer, dont le rôle stratégique fut considérable. Vérita ble Américain du nord, maigre, osseux, efflanqué, âgé de quarante-cinq an environ, il grisonnait déjà par ses cheveux ras et par sa barbe, dont il ne conse vait qu'une épaisse moustache. Il avait une de ces belles têtes qui sembler faites pour être frappées en médailles, les yeux ardents, la bouche sérieuse, physionomie d'un savant de l'école militaire.

Jules Verne, *L'Île mystérieuse*, 187

Copiez les phrases que vous complèterez avec des articles qui conviennent.

… miel dans … yaourt remplace avantageusement … sucre. − … rames … TGV empruntent … voies spécialement conçues pour … grandes vitesses. − Il est dommage que … papillons aient presque disparu … campagnes ; … pesticides en sont peut-être … cause. − Dans … désert, … chaleur est insupportable durant … journée, mais … nuits sont fraîches. − … pelle mécanique creuse … tranchée dans laquelle seront placés … tuyaux … gaz.

636 **Copiez les phrases en plaçant les déterminants démonstratifs qui conviennent.**

… fossiles, découverts au pied de la roche de Solutré, appartenaient sans doute à … race de chevaux sauvages que décrivent les archéologues. − En cas de fortes pluies, … abri est sûr. − … appartement possède un balcon, ce qui, dans … immeuble, est plutôt rare. − À quoi … objet peut-il bien servir ? − … cheminée d'usine crache une épaisse fumée noire.

637 **Copiez les phrases que vous complèterez avec les déterminants possessifs qui conviennent.**

Le skieur enfile … gants, enfonce … bonnet et remonte la fermeture éclair de … combinaison. − Nous déjeunerons seuls puisque … parents sont partis en vacances. − Vous réglez … écouteurs. − Les violonistes coupent … ongles afin de ne pas accrocher les cordes de … instrument. − La sentinelle reste à … poste, prête à donner l'alerte. − Je pense avoir corrigé toutes … erreurs ; … devoir est présentable.

638 **Copiez les phrases que vous complèterez avec des déterminants indéfinis qui conviennent.**

… enfants ne peuvent se passer de leur console de jeux. − … les personnes qui ont remplacé leurs lunettes par des lentilles sont satisfaites. − Mme Mercier a choisi les … rideaux pour sa chambre que pour son salon. − Il n'y a que Karim Benzema pour marquer de … buts ! − Dans … ruche, il n'y a qu'une seule reine et des milliers d'ouvrières.

639 **Copiez les phrases que vous complèterez avec des déterminants qui conviennent.**

… sportifs s'entraînent beaucoup pour améliorer … performances. − Dans … hôtel, … les chambres possèdent … salle de bain carrelée de marbre. − On dit que … riz pousse … tête … soleil et … pieds dans … eau ; c'est … image, bien sûr ! − Il a gelé et … récolte de cerises est compromise. − Dans … transports en commun, je cède volontiers … place … personnes âgées. − Pourquoi veux-tu changer la sonnerie de … téléphone ? − Comme … cheveux sont trop longs, tu te rends … salon de coiffure.

Citation ───────────────────────────────

Plus mon Loir gaulois que le Tibre latin,
Plus mon petit Liré que le mont Palatin,
Et plus que l'air marin la douceur angevine. (**J. Du Bellay**, *Les Regrets*)

Les adjectifs qualificatifs

De jeunes enfants s'amusent sur la pelouse fraîchement tondue du parc municipal.

RÈGLE

1. L'adjectif qualificatif précise le nom : forme, couleur, qualité, défaut, etc. Il appartient au groupe nominal et il s'accorde en genre et en nombre avec le nom **qu'il qualifie.**

un message bref	une réponse brève
des messages brefs	des réponses brèves

- L'adjectif qualificatif peut être placé avant ou après le nom, ou précédé par un adverbe.

un court instant   un instant joyeux   un très court instant

- L'adjectif qualificatif peut être épithète, ou attribut s'il est séparé du nom par un verbe d'état :

J'entre dans une salle mal éclairée. → épithète
Cette salle est mal éclairée. → attribut

2. Les participes passés et **les participes présents** des verbes peuvent être employés comme adjectifs qualificatifs.

des messages codés   une réponse amusante

Voir « Le genre » et « Le nombre des adjectifs qualificatifs », pp. 72 à 75.

 Copiez ce texte en soulignant les adjectifs qualificatifs.

À certaines heures, généralement crépusculaires, dans certaines ruelles perdues, le long des grilles cadenassées de certains jardins publics, auprès de chaque trou par où peut se faufiler un chat, apparaît la dame aux chats.
Elle est généralement pas très jeune – pas forcément très vieille non plus –, pas très riche, pas très heureuse. Elle trimballe un cabas plein de gamelles débordantes de restes de cuisine qu'elle a raflés dans une cantine scolaire.

François Cavanna, *Maria*, © Éd. Albin Michel.

641 Recopiez les phrases en supprimant les adjectifs qualificatifs des groupes nominaux.

Dans ce village fleuri, on a l'embarras du choix entre plusieurs restaurants réputés. – Les journaux locaux ont rendu compte des résultats du concours annuel de sauts d'obstacles. – Un mur mitoyen sépare les résidences secondaires. – Savez-vous qui a construit l'escalier monumental du château royal de Chambord ? – D'un magistral coup de pied, l'arrière droit adresse un tir violent qui échoue, malheureusement pour lui, sur le poteau. – Ce guide touristique fournit d'utiles renseignements. – Seul un examen minutieux permettra de déceler d'éventuelles erreurs de calcul.

Copiez les phrases que vous compléterez avec les adjectifs qualificatifs suivants ; accordez.

noté – amical – mécanique – corrigé – assourdissant – inégal – commun – nul – convaincant – jetable – équipé – convertible

Le match ... s'est terminé par un résultat ... . – Le vendeur est suffisamment ... ; le client se décide pour un canapé ... . – Rouler sur un sol ... ne peut se faire qu'avec un vélo bien ... . – Le professeur remet les copies, ... et ..., et commente le corrigé. – D'un ... accord les élèves des deux classes de 6ᵉ ont décidé d'organiser un spectacle. – Certains hommes utilisent des rasoirs ..., d'autres préfèrent les rasoirs ... . – L'avion décolle dans un bruit ... .

 Copiez les phrases en les complétant par un adjectif qualificatif de la famille du mot entre parenthèses.

On peut trouver des produits vraiment ... (la nature) dans quelques magasins spécialisés du quartier. – Aux temps ... (la préhistoire), certaines tribus vivaient dans des cités ... (le lac). – Les avis sont partagés sur l'intérêt de ces sculptures ; quelques-uns les trouvent ... (la laideur), d'autres pensent qu'elles sont très ... (la beauté). – Je te recommande la lecture de ce livre ... (la passion). – Le lait ... (Louis Pasteur) se conserve plus longtemps que le lait ... (la fraîcheur). – Ces deux adversaires échangent de ... (la vivacité) propos, mais ils finissent par se mettre d'accord.

 Recopiez les phrases en remplaçant les groupes de mots en bleu par des adjectifs qualificatifs.

Pour la première fois de sa vie, M. Salmon a fait l'acquisition d'une voiture de luxe. – Le sauveteur en mer a été récompensé pour son acte de courage. – Les repas de famille sont l'occasion de retrouver des cousins éloignés. – Victor Hugo fut un poète de génie qui s'engagea également dans les actions politiques. – Lorsqu'elles sont malades, quelques personnes croient qu'il suffit de consulter des ouvrages de médecine pour guérir. – Les légumes du midi arrivent sur les marchés plus tôt que les autres. – Les jours d'ouverture de la galerie marchande sont affichés sur les portes d'entrée.

645 Copiez les phrases en complétant les noms avec des adjectifs qualificatifs de votre choix.

Le regard ... de l'aigle lui permet d'apercevoir de ... rongeurs. – Un système d'engrenages ... entraîne les aiguilles de l'horloge ... de la cathédrale de Strasbourg. – Denis place les feuilles ... dans son classeur de technologie. – Les élèves ... le jour du contrôle de mathématiques devront le rattraper jeudi prochain. – Une ... haie de lauriers aux feuilles ... sépare le terrain de sport du parking du collège. – Les gestes du tailleur de pierre sont ... . – L'équipe ... brandit fièrement la coupe. – Quelques places ... sont attribuées aux ... gagnants du concours.

Citation ───────────────────────────

Il y a des sottises bien habillées comme il y a des sots très bien vêtus.
(**Chamfort**, *Maximes et Pensées*)

Le complément du nom

Des jardinières de géraniums fleurissent les balcons de l'immeuble.

RÈGLE

1. Un nom ou un groupe nominal peut être **complété par un autre mot** (généralement un nom) précédé d'une préposition : c'est un complément du nom.

l'entrée du collège   *un pain* de campagne   *un bijou* en or

2. Le complément du nom est placé après le nom et ne s'accorde ni en genre ni en nombre avec celui-ci. Cependant, il faut être attentif au sens.

des champs de blé → Le complément désigne la matière en général. → singulier

un bouquet de fleurs → Il y a plusieurs fleurs dans un bouquet. → pluriel

3. Parfois le complément du nom peut être un autre mot qu'un nom.

- un verbe à l'infinitif :   *une machine* à laver
- un pronom indéfini :   *la part* de chacun
- un adverbe :   *un regard* de travers
- un pronom personnel :   *l'estime* de soi

Voir « Les accords dans le groupe nominal », pp. 80-81.

 Copiez les phrases ; vous encadrerez les compléments du nom.

Lorsque nous sommes partis en classe de neige, les moniteurs de ski nous ont répartis en plusieurs groupes. – M. Saulnier est un passionné d'archéologie ; il a découvert des traces de dinosaures dans une carrière des environs. – Les jeunes d'aujourd'hui portent des chaussures de sport même s'ils ne participent pas à des compétitions. – Le jour de la rentrée, le principal du collège réunit les nouveaux élèves pour leur exposer les différents articles du règlement scolaire. – Derrière tes lunettes de soleil, on ne voit pas tes yeux.

647 **Copiez les phrases que vous compléterez par les groupes du nom qui conviennent.**

du trottoir – de chèques – de fin d'année – de déchargement – au citron – en banque – d'autrefois – à la vanille – de chaume – d'une voiture – de jouets

Certaines habitations … . étaient recouvertes de toits … . – Ne marchez pas au bord …, vous pouvez être heurté par la portière … . – Lors des fêtes …, les commerçants adressent des catalogues … aux enfants et à leurs parents ! – J'adore les glaces …, mais vous ne me ferez pas manger un flan … . – Les opérations … du cargo ont débuté ; les conteneurs s'alignent sur le quai. – Pour ouvrir un compte … et obtenir un carnet …, il faut avoir dix-huit ans.

Copiez les phrases en les complétant avec les prépositions qui conviennent.

Les Tahitiens portent volontiers des chemises … fleurs. – Êtes-vous bien assis dans ce fauteuil … cuir ? – Pour son camping-car, la famille Chardon a souscrit une assurance … le vol et l'incendie. – Pour trouver de la documentation … les changements climatiques, consultez Internet. – Lorine possède un téléphone portable … appareil photo intégré. – Grâce à l'aide … tous ses camarades, cet élève handicapé peut se déplacer dans l'enceinte … collège sans difficulté. – Grand amateur de pâtisseries, Gérald a fait l'acquisition d'un appareil … monter les blancs en neige. – Pour son nouvel appartement, M. Dumas a choisi une décoration … les tons chauds.

Transformez les phrases en groupes nominaux comme dans l'exemple.
Ex : *L'avion atterrit.* → *l'atterrissage* de l'avion

La partie de tennis débute.
Le nouveau bowling est inauguré.
Les vêtements de collection sont soldés.
Les eaux du torrent bouillonnent.
Les comédiens entrent en scène.
Les eaux de la rivière montent.
Ma grande sœur se marie.
L'explorateur se décourage.

Les études sont surveillées.
Les enfants africains sont vaccinés.
L'installation électrique est réparée.
Les personnes sensibles pleurent.
Le prix des carburants augmente.
Le coupable avoue.
Les déchets sont triés.
Les piles sont remplacées.

Copiez les phrases en les complétant avec des compléments du nom de votre choix.

À la fête foraine, les chevaux … ont fait place à des attractions modernes. – La tournée … s'achève devant les boîtes … de l'immeuble Saint-Vincent. – L'invention … a favorisé la diffusion … et a permis à beaucoup de gens d'apprendre à lire. – Les escalopes … se dégustent panées ou à la crème. – Un navigateur solitaire a effectué le tour … en un peu plus de cinquante jours. – L'eau … est trop froide ; nous ne nous baignerons pas. – Les spéléologues descendent au fond … à l'aide d'échelles … . – Le joueur … ne déplace sa reine qu'après de longues minutes … . – À l'équateur, les couchers … sont magnifiques. – Contre les maux …, rien ne vaut un cachet … .

651 Copiez les phrases en remplaçant les adjectifs qualificatifs en bleu par des compléments du nom.

Dans la famille du duc de Berzé on ne compte plus les titres nobiliaires. – Les petits-enfants écoutent les leçons moralisatrices de leurs grands-parents. – Ta timide réaction nous a surpris ; nous pensions que tu réagirais plus vite. – Le professeur de français nous lit des morceaux choisis d'œuvres littéraires. – Peindre les murs de cette pièce, c'est un travail patient car il y a de nombreux recoins. – Devant un auditoire attentif, l'orateur tient un discours vrai. – Les plantes tropicales poussent très vite à cause de l'humidité et de la chaleur. – Sur les marchés provençaux flottent les parfums des plantes aromatiques.

Citation _____

Les chaînes d'acier ou de soie sont toujours des chaînes. (**Schiller**)

94ᵉ Les prépositions
Les conjonctions
Leçon

Le metteur en scène place les comédiens et il s'assure que l'éclairagiste et le preneur de son sont à leur poste.

┌─ **RÈGLE** ─────────────────────────────────────

1. Les prépositions sont des mots invariables qui introduisent un mot (nom, pronom, adjectif, infinitif, gérondif, adverbe) ou un groupe de mots qui a la fonction de complément.

Il boit une menthe à *l'eau.*   *Il se promène* avec *moi.*
Il boit pour *se désaltérer.*   *Il ne parle pas* en *mangeant.*

• Les prépositions peuvent aussi se présenter sous la forme d'un groupe de mots; ce sont alors des **locutions prépositives**.

Judicaël peint à la manière de *Cézanne.*

2. Les conjonctions et les locutions conjonctives sont des mots invariables qui relient deux mots, **deux groupes de mots** ou deux propositions. Il existe des conjonctions :

– de coordination qui relient des mots ou des groupes de mots de même nature ou des propositions.

mais – ou – et – donc – or – ni – car – du moins – par conséquent …

<u>*Les agriculteurs pensaient moissonner,*</u> mais <u>*le temps est à l'orage.*</u>
          proposition 1   proposition 2
<u>*Nous irons au parc d'attractions,*</u> du moins <u>*s'il ne pleut pas.*</u>
          proposition 1   proposition 2

– de subordination qui relient une proposition subordonnée à une proposition principale.

<u>*L'automobiliste avancera*</u> quand <u>*la barrière du péage se lèvera.*</u>
    proposition principale   proposition subordonnée
<u>*Nous chausserons nos bottes*</u> au cas où <u>*le sentier serait boueux.*</u>
    proposition principale   proposition subordonnée

Voir « Les propositions coordonnées », pp. 240-241 et « Les propositions subordonnées », pp. 244-245.
───┘

652   **Copiez le texte et encadrez les prépositions.**

L'ascenseur était encore bloqué par le père Meynart. Hondo dut monter chez Musique à pied. Sur la porte, un dessin était punaisé. Un dessin au pastel. On y voyait dans un cadre imitant le roseau un petit garçon marron, avec un duffle-coat bleu, des baskets rouges, et une écharpe avec des traits verts et jaunes pour faire écossais. Hondo trouva que ce portrait lui ressemblait beaucoup, sauf que son duffle-coat était gris. Mais les crayons gris, ça n'existe pas. Il n'y avait pas de signature, mais Hondo savait qui avait dessiné. Il entra chez Musique. Elle dormait dans l'obscurité sur son trône d'osier, en serrant le cadre de bambou sur son cœur.

Daniel Picouly, Le Lutteur de Sumo, « Castor Poche », © Éd. Flammarion.

Copiez ces expressions que vous compléterez avec une préposition qui convient.

marcher ... des œufs   s'endormir ... la couette   se laver ... du savon
se garer ... du trottoir   respirer ... de sauter   tourner ... droite
poser l'échelle ... le mur   slalomer ... les piquets   se perdre ... le noir

 Copiez les phrases en complétant avec les prépositions suivantes.

jusqu' – sans – pendant – sous – comme – parmi – selon – sur

Quand on a commencé un travail, il faut aller ... au bout. – Le poissonnier confectionnera son étalage ... les arrivages en provenance de l'océan. – Le chat de Jessy adore se cacher ... son lit; c'est un petit coquin. – Mme Tafalli prend le frais ... son balcon. – Les trapézistes n'exécutent pas leur numéro ... un filet protecteur : c'est plus prudent. – Revêtu d'une combinaison spéciale, ce plongeur est resté ... cinq minutes en apnée. – Prendre votre vélo pour vous rendre au collège, c'est une solution ... d'autres. – Ces jumeaux se ressemblent ... deux gouttes d'eau.

655 **Copiez les phrases en les complétant avec les conjonctions de coordination suivantes.**

ni – sinon – et – ainsi – néanmoins – donc – or – ou – car

Mon réveil était programmé pour sept heures, ... il n'a pas sonné : je serai en retard. – Ne faites pas d'expérience de chimie sans des lunettes protectrices, ... vous pouvez recevoir des produits dangereux dans les yeux. – Jeudi, le cours de SVT est supprimé, ... nous sortirons à seize heures. – Au self, les élèves ont le choix entre deux entrées : des radis ... une salade d'endives. – Le vendeur ne garantit pas le remplacement des pièces défectueuses ... le coût de la réparation, ... l'appareil a plus de trois ans. – Gautier a appris sa poésie ... il a recopié son résumé d'histoire. – Je suis certaine d'avoir rangé mes ciseaux dans mon casier, ... je devrais les retrouver rapidement. – Les chaussées sont glissantes, ... les voitures équipées de pneus spéciaux circulent normalement.

 Copiez les phrases en les complétant avec les conjonctions de subordination suivantes.

en attendant que – lorsque – dès que – si – depuis que – pour que – que – alors qu' – pourvu qu'

M. Delay constate avec stupeur ... la peinture de ses volets est déjà écaillée. – Notre classe part en Écosse la semaine prochaine, ... il fasse beau. – ... la pâte à crêpes soit meilleure, Mélanie la laisse reposer pendant trois heures. – ... l'avion décolle, les passagers feuillettent des magazines. – ... Christophe Colomb aperçut la terre, il croyait être arrivé aux Indes ...'il se trouvait en Amérique. – ... des vélos sont à la disposition des habitants de la ville, ils se déplacent plus facilement. – ... les épreuves du brevet seront terminées, les élèves de 3e seront soulagés. – ... vous voyagez dans les pays de l'Union européenne, vous n'avez pas besoin de passeport.

Citation _____

La parole est d'argent mais le silence est d'or. (**Proverbe français**)

95ᵉ

Leçon **Les pronoms personnels**

Comme ce héros se sort de toutes les situations difficiles, les spectateurs lui font confiance pour délivrer les prisonniers : il déjouera tous les pièges que lui tendront ses ennemis.

RÈGLE

I. Les pronoms personnels remplacent un nom ou un groupe nominal (parfois une proposition) déjà exprimé afin d'éviter une répétition.

– Les pronoms sujets :

je parle → C'est moi qui fais l'action. → Iʳᵉ pers. du singulier

tu parles → C'est toi qui fais l'action. → 2ᵉ pers. du singulier

il/elle/on parle → C'est lui (elle) qui fait l'action. → 3ᵉ pers. du singulier

nous parlons → C'est nous qui faisons l'action. → Iʳᵉ pers. du pluriel

vous parlez → C'est vous qui faites l'action. → 2ᵉ pers. du pluriel

ils/elles parlent → Ce sont eux (elles) qui font l'action. → 3ᵉ pers. du pl.

– D'autres pronoms personnels sont compléments du verbe.
me, te, se, moi, toi, soi, lui, leur, le, la, les, l', eux, en, y
Je me tourne vers toi pour que tu me dises la vérité.

• Lorsque le **pronom personnel** complément désigne la même personne que le sujet, on dit qu'il est réfléchi.

• Nous et vous peuvent être sujets ou compléments du verbe.
Nous confions un secret à nos amis.   Mes amis nous confient un secret.

2. Dans les phrases impersonnelles, le pronom « il » n'est qu'un simple sujet grammatical qui ne fait pas l'action.
Aujourd'hui, il neige.   Il existe des voitures entièrement électriques.

Voir « Les pronoms personnels compléments devant le verbe », pp. 86-87.

 Copiez les phrases en supprimant les répétitions ; vous emploierez des pronoms personnels sujets.

La Loire et le Rhône ont un débit irrégulier ; la Loire et le Rhône ne sont guère navigables. – Les favelas couvrent de nombreuses collines de Rio de Janeiro ; les favelas abritent des milliers de personnes déshéritées. – Blandine et Dimitri ont été élus délégués de classe ; Blandine et Dimitri assisteront au conseil de fin de trimestre. – Les supporters sont déçus ; leur équipe a perdu et les supporters ne pourront pas brandir la coupe. – À la bibliothèque municipale, les journaux et les revues sont à la disposition de tous, mais les journaux et les revues ne peuvent pas être emportés.

658 **Copiez les phrases en les complétant avec des pronoms personnels réfléchis.**

Je ne … 'engagerai pas dans ce souterrain, car je ne sais pas où il conduit. – Nous … accordons une petite pause puisque la fin de parcours … révèle plus difficile que prévu. – Tu … pends à la barre fixe et tu … montres le meilleur pour effectuer de rapides rotations. – Ce chanteur amateur … voit déjà invité sur les plateaux de télévision. – Vous … servez d'un rapporteur pour mesurer les angles.

659 **Copiez les phrases en les complétant avec les pronoms personnels qui conviennent.**

Tante Irène … 'est endormie devant son poste de télévision ; ce n'est pas la première fois car … rentre de son travail très fatiguée. – … ne reste que deux minutes avant le début de l'émission de variétés. – Les cagettes de fruits sont pleines ; les transporteurs … chargent dans le camion frigorifique. – Le rameur est épuisé ; son entraîneur … accorde un moment de repos. – Jonathan est fier autant qu'on puisse … 'être d'une victoire au concours de mots croisés.

660 **Copiez les phrases en supprimant les répétitions ; vous emploierez des pronoms personnels compléments.**

Si vous arrivez en retard, vous devez signaler votre retard au bureau des surveillants. – Mme Denis n'est pas contente, car ses chats griffent les rideaux de Mme Denis. – Le port de la ceinture de sécurité est obligatoire ; il ne faut pas oublier de boucler la ceinture de sécurité à l'avant comme à l'arrière. – Doriane et Amandine hésitent ; le vendeur fait essayer plusieurs vestes à Doriane et Amandine. – Après avoir coupé les pommes de terre en petits cubes, Estelle jette les pommes de terre dans la poêle. – M. Carlier connaît bien le Canada ; il a vécu au Canada pendant trois ans. – Ces pelouses sont fraîchement tondues et les promeneurs respectent les pelouses. – Mes amis m'ont adressé leurs vœux à l'occasion de la nouvelle année ; à mon tour j'adresse les miens à mes amis.

661 **Copiez les phrases et entourez les prénoms ou les noms que remplacent les pronoms personnels en bleu.**

Mathilde est heureuse que Samira lui prête son lecteur MP3. – Je ne pourrai vous accompagner au concert, annonce Candice à Solène et Audrey. – Farid interroge Sébastien et Raphaël : « Avez-vous aimé ce film ? » – Agathe sort de chez le coiffeur ; il lui a raccourci sa frange. – « Comme ils sont amusants ces dessins animés ! » s'exclament les jeunes enfants. – « Nous ne devrions plus être très loin du but », estiment Djamel et Renaud. – « Connais-tu le nom de la capitale du Chili ? », demande Betty à Coralie. – « Ils peuvent chercher longtemps la sortie », pense Arnaud en voyant Fabien et Kelly s'engager dans un dédale de couloirs. – Noémie et Justine sont aux anges ; Bérengère leur a donné des invitations pour une soirée théâtrale. – Coline nage comme un poisson et Barbara est admirative, certaine qu'elle remportera la finale du 50 mètres.

Citation

Le corbeau honteux et confus jura mais un peu tard qu'on ne l'y prendrait plus. (**La Fontaine**, *Le Corbeau et le Renard*)

96^e
Leçon

96e Leçon
Le complément d'objet direct

Le menuisier doit ajuster l'étagère ; pour cela, il la place sur l'établi, il saisit son rabot et ôte une fine lamelle de bois.

RÈGLE

- **Le complément d'objet direct** (COD) complète le verbe. Il indique sur quoi, ou sur qui, porte l'action **exprimée par un verbe transitif**. Pour trouver le COD, on peut poser la question « Quoi ? » ou « Qui ? » après le verbe.
  Le client présente sa carte bancaire.
  Le client présente quoi ? → *sa carte bancaire.*

- **Le COD est un complément essentiel** qui ne peut être ni déplacé ni supprimé, sinon le sens de la phrase est modifié. Le COD n'est pas rattaché au verbe par une préposition.

- Le COD peut être :
  – un nom : *Hervé choisit un métier.*
  – un groupe nominal : *Tu suis un cours de musique.*
  – un pronom : *Ces yaourts sont sucrés, mais vous les préféreriez aux fruits.*
  – une proposition subordonnée : *Le professeur attend que nous terminions l'exercice pour ramasser les copies.*
  – un verbe conjugué à l'infinitif : *À Briançon, on peut respirer un air très pur.*

- Les verbes intransitifs n'ont jamais de COD.

Voir « Le participe passé employé avec l'auxiliaire *avoir* », pp. 90-91.

662 Copiez les phrases et n'encadrez que les compléments d'objet directs.

Les projecteurs éclairent le terrain ; les joueurs disputeront la partie dans de bonnes conditions. – Devant un public enthousiasmé, la gymnaste bulgare accomplit une prestation de toute beauté. – Une épaisse couche de neige recouvre la chaussée ; les chasse-neige la dégageront avant midi. – Les vulcanologues annoncent une éruption imminente ; des fumées s'échappent du cratère. – Les vrais pêcheurs savent que le poisson ne mord pas en cas d'orage. – Avec le réchauffement climatique, les Alpes voient fondre leurs glaciers. – De ce belvédère, on aperçoit une partie des calanques de Cassis. – Grâce à son odorat développé, le chat reconnaît ses maîtres.

663 Composez des phrases en utilisant ces groupes nominaux comme COD.

le clocher d'une église	un parterre de fleurs	des poissons de mer
un magasin de sport	des numéros de téléphone	une brosse à cheveux
une tarte aux pommes	la décision de l'arbitre	les paroles du refrain
le ski de fond	une explosion de joie	l'énoncé du problème

232

Copiez les phrases que vous complèterez avec des noms COD accompagnés d'un déterminant.

Tu accueilles … avec un immense sourire. – Le toréador excite … en agitant une cape rouge. – Le marathonien combat … en s'alimentant et en buvant beaucoup. – Les vergers de Provence fournissent … . – Chaque soir, la secrétaire affranchit … . – Pour attraper les chevaux sauvages, le cow-boy sort … . – Le foyer des élèves organise … . – Pour être certains d'être assis dans les premiers rangs, vous réservez … . – Le joueur d'échecs réfléchit puis il déplace … . – Devant un parterre de journalistes, le metteur en scène présente … .

 Répondez affirmativement à ces questions ; vous encadrerez les COD de la question et de la réponse.

Le tirage au sort départagera-t-il les ex æquo ? – Le cheval a-t-il renversé l'obstacle ? – La France et l'Allemagne importent-elles le pétrole ? – Parles-tu couramment l'anglais ? – Les eaux usées contaminent-elles les nappes phréatiques ? – Corriges-tu les erreurs de calcul ? – Thierry descend-il les escaliers en courant ? – Le daltonien confond-il les couleurs ? – Le gardien de l'immeuble entretient-il convenablement les parties communes ? – La falaise renvoie-t-elle l'écho ? – La lumière du phare a-t-elle guidé le navire en détresse ?

666 Copiez les phrases que vous complèterez avec des groupes nominaux COD.

À l'approche de l'hiver, l'hypermarché solde … . – Des barrières métalliques interdisent … . – Les œillets renforcent … . – Le mécanicien change rapidement … . – Ce texte résume … . – La tempête a saccagé … . – Le radiateur maintient … dans la pièce. – Comme il s'est trompé de direction, le conducteur effectue … . – L'ensemble de la classe approuve … . – Les gens imprévoyants dépensent … . – Le cuisinier surveille … . – Le libraire a vendu … . – Seul dans son atelier, le sculpteur a réalisé … . – Comme nous hésitons, le vendeur nous garantit … .

667 Copiez le texte et n'encadrez que les compléments d'objet directs.

Le premier cours de balai volant devait avoir lieu le jeudi. Ce matin-là, au petit déjeuner, un hibou apporta à Neville un paquet que lui envoyait sa grand-mère. Il l'ouvrit fébrilement et montra à tout le monde une boule de verre de la taille d'une grosse bille qui semblait remplie de fumée.
– C'est un Rapeltout ! expliqua-t-il. Ça sert à se souvenir de ce que l'on a oublié de faire. Ma grand-mère me l'a envoyé parce qu'elle trouve que je suis étourdi. Regardez, il suffit de la tenir dans sa main, comme ça et si on a oublié quelque chose, elle devient rouge.
Neville fronça les sourcils : dans sa main, la boule était devenue écarlate. Pendant qu'il essayait de se rappeler ce qu'il avait oublié, Drago Malefoy passa près de la table des Gryffondor et prit le Rapeltout des mains de Neville.

J.K. Rowling, *Harry Potter à l'école des sorciers*,
© J.K. Rowling, trad. J.F. Ménard, © Éd. Jeunesse Gallimard.

Citation ────────────────────────────

Homme libre, toujours tu chériras la mer. (**Charles Baudelaire**)

97^e
Leçon

Le complément d'objet indirect
Le complément d'objet second

À ses moments perdus, Mme Delorme s'adonne à la peinture sur soie.
Elle donnera des foulards à ses petits-enfants.

RÈGLE

1. Le complément d'objet indirect (COI) complète le verbe
transitif auquel il est relié par une préposition (généralement *à* ou *de*).
Pour trouver le COI, on peut poser la question : « À quoi ? »,
« De quoi ? », « À qui ? », « De qui ? » après le verbe.
Dès l'entrée des clowns, les enfants éclatent de joie.
Ils éclatent de quoi ? → *de joie.*
Généralement, le COI ne peut être déplacé et se trouve après le COD.

• Le COI peut être :
– un nom :   *Vous profiterez du soleil.*
– un groupe nominal :   *M. Basset s'intéresse à la culture des orchidées.*
– un pronom :   *L'hôtesse d'accueil s'adresse à nous sur un ton amical.*
– une proposition subordonnée : *Vous avez été informés que le
supermarché serait exceptionnellement fermé lundi.*
– un verbe ou un groupe verbal à l'infinitif : *Émilie tient à rester seule.*
• Les verbes intransitifs n'ont jamais de COI.

2. Le COI prend le nom de **complément d'objet second** (COS)
lorsque le verbe a déjà un COD ou un COI.
Clotilde parle de son prochain voyage à son amie Émilie.
                  COI   COS

Voir « Les pronoms personnels », pp. 230-231.

---

668 Copiez les phrases et encadrez les compléments d'objet indirects.

Cet automobiliste compte sur son GPS pour retrouver la bonne direction. – La
publicité nous incite à acheter des produits dont nous n'avons pas toujours
besoin. – Le capitaine s'adresse à ses matelots pour rappeler les consignes de
sécurité. – Je ne me souviens plus du titre du livre avec lequel j'ai appris à
lire. – Combien d'élèves participeront au prochain défi-lecture ? – « As-tu déjà
assisté à une course d'escargots ? demande Marie à sa mère. Si tu penses à la
circulation dans les rues de Paris, c'est oui ! » – Le petit avion de tourisme
prend peu à peu de la hauteur. – Tanguy manque de patience pour terminer
l'assemblage de cette maquette.

669 Composez des phrases en utilisant les groupes suivants comme COI.

à éviter les obstacles   de son travail   à saute-mouton
à poursuivre les recherches   à ses poursuivants   de son escabeau
à renoncer au dessert   du nom du héros du film   aux cartes

Copiez les phrases ; soulignez les COD et encadrez les COI.

Sylvie ressemble à sa sœur ; si elles ne portaient pas des vêtements différents, on les confondrait. – Si tu bénéficies d'une importante réduction, tu feras une bonne affaire. – Ludivine tient à ses jouets d'enfance ; elle ne les prête pas facilement. – M. Naville use de tout son pouvoir de persuasion afin de convaincre son voisin de tailler sa haie. – Une délicate mission échoit à l'ambassadeur de France : il doit négocier la libération des otages. – Les pisteurs nous recommandent la plus grande prudence car des avalanches sont possibles. – Je rêve de retourner en vacances au Portugal. – Le bûcheron s'acharne sur le sapin qu'il ne parvient pas à abattre.

 Copiez les phrases que vous compléterez avec des COI ou des COS de votre choix.

Pour ne pas oublier notre rendez-vous, j'ai fait un nœud … . – Les élèves du collège pensent … et ils ont fait une collecte pour leur envoyer de la nourriture. – Pour compléter son exposé, Caroline a demandé des renseignements … . – M. Didier a visité le château de Fontainebleau ; il s' … souvient surtout lorsqu'il voit un reportage à la télévision. – Après une longue discussion, mes parents consentent … . – Lilian se réjouit … . – Le demi d'ouverture de l'équipe de France se prépare … .

 Copiez les phrases que vous compléterez avec des COI ou des COS de votre choix.

Pour son anniversaire, ses amies ont offert un nouveau jeu vidéo … . – Mme Melet a renoncé … . – Si tu veux utiliser ce logiciel, je te recommande … . – Maintenant que vous êtes dans la forêt pour cueillir du muguet, confectionnez-… plusieurs bouquets. – Devant la difficulté, nous décidons … . – Cette portion d'autoroute est destinée … . – Le satellite a changé … ; il échappe désormais … .

673 **Recopiez les phrases et indiquez entre parenthèses la nature des compléments en bleu.**

Le commandant de bord demande à tous les passagers de boucler les ceintures de sécurité ; l'avion va traverser une zone de turbulences. – Cette échelle vous permettra d'atteindre le haut du cerisier. – Vous nous apprenez que le cours d'EPS se déroulera au gymnase. – La maman est heureuse, car son bébé lui sourit sans arrêt. – Le soleil brunit la peau, mais il peut causer des brûlures. – Jusqu'à quel âge as-tu cru au Père Noël ? – Gourmande, Mme Frey avoue un petit faible pour les éclairs au chocolat. – Les touristes demandent un renseignement au guide ; celui-ci le leur donne volontiers. – Même dans les situations extrêmes, les navigateurs qui participent au trophée Jules Verne ne cèdent jamais à la panique. – Les élèves de la section européenne assistent à la projection d'un film sous-titré en allemand.

℮itation _____

La solution d'une question difficile dépend quelquefois de la manière de la poser. (**J.-J. Rousseau**, *Émile ou De l'éducation*)

98ᵉ Les compléments circonstanciels : lieu et temps

Chaque matin, le principal accueille les élèves devant le portail du collège.

RÈGLE

1. Les compléments circonstanciels renseignent sur l'action exprimée par le verbe. Ils peuvent être employés avec tous les verbes (transitifs, intransitifs ou d'état).
En général, ils peuvent être supprimés ou déplacés.

2. Le complément circonstanciel de lieu précise une situation dans l'espace, une direction, un déplacement.
Pour trouver le complément circonstanciel de lieu, on pose la question « où ? » après le verbe.
    Romain s'allonge sur le sable.   Romain s'allonge où ? → sur le sable

3. Le complément circonstanciel de temps exprime le moment ou la durée de l'action.
Pour trouver le complément circonstanciel de temps, on pose la question « quand ? » après le verbe.
    Romain s'allonge un moment. Romain s'allonge quand ? → un moment

4. Les compléments circonstanciels de lieu et de temps sont de natures variées :
– nom :   *Victor arrivera* à l'heure.
– groupe nominal :   *Victor arrivera* à la gare de Lyon.
– pronom :   *Victor arrivera* avant nous.
– adverbe :   *Victor arrivera* aussitôt.
– proposition :   *Victor arrivera* dès qu'il aura terminé son travail.

                              Voir « Les adverbes », pp. 246-247.

674 Copiez les phrases et encadrez les compléments circonstanciels de lieu.

Les heures d'ouverture du secrétariat de la mairie sont mentionnées dans le bulletin municipal. – Yannick habite au sixième étage de la tour des Alouettes. – M. Perret cultive lui-même ses légumes dans son jardin potager. – La salle de travaux pratiques se trouve à côté du centre documentaire. – Pourquoi disait-on aux jeunes enfants que les bébés naissaient dans les choux ?

675 Copiez les phrases et encadrez les compléments circonstanciels de temps.

Autrefois, les voyageurs se déplaçaient en diligence ; ce n'était pas très confortable. – J'ai lu récemment un ouvrage documentaire sur l'élevage des vers à soie. – Lorsque les travaux seront terminés, la traversée du carrefour sera plus sûre pour les piétons. – Pourquoi t'es-tu décidé au dernier moment à nous accompagner ? – Le suspense a duré jusqu'à la dernière minute du film.

Copiez ces phrases en déplaçant les compléments circonstanciels.

La représentation théâtrale débutera dans cinq minutes. – Ce poissonnier propose, de temps en temps, des tranches de saumon frais. – Louis XVI a convoqué les États Généraux le 5 mai 1789. – Une foule d'admirateurs attend le chanteur à la sortie du concert pour qu'il signe des autographes. – L'hiver fut particulièrement rigoureux l'an dernier. – Les coureurs s'élancent, au coup de pistolet, pour deux tours de piste. – Dans le Jura, la pratique du ski de fond séduit de nombreux sportifs. – Le jour de la fête de la musique, tous les amateurs s'en donnent à cœur joie. – À Tours, nous changerons de train.

Copiez les phrases en les complétant avec des compléments circonstanciels de lieu de votre choix.

Comme il souffre des dents, Richard se rend … . – Ce n'est pas … que se trouve le matériel nécessaire pour réparer un vélomoteur. – Toutes les indications figurent … ; il suffit de la consulter attentivement. – Le 24 août 79, un nuage de cendres mortelles s'est abattu … . – …, Mme Varinelli écoute la radio. – Les chariots du supermarché sont alignés … . – Regrettant sans doute leur savane, les lions s'ennuient … . – Le frère d'Olivier poursuit ses études … . – Si vous ne vous plaisiez pas …, vous pourriez vous installer … . – François avait oublié le plan de Montréal et il s'est égaré … .

Copiez les phrases en les complétant avec des compléments circonstanciels de temps ou de lieu de votre choix.

Ce médicament est à prendre … . – …, les cloches sonnent à toute volée. – … les asperges seront … . – …, le candidat répond sans hésitation. – …, les deux équipes étaient à égalité. – …, les citadins trient plus facilement leurs déchets. – …, les messages publicitaires défilent sans interruption. – Ce nageur s'entraîne … . – …, les chauffeurs de poids lourds doivent faire une pause. – …, les cosmonautes prennent place … . – Ulysse retrouve Pénélope … . – …, les oiseaux se réfugient … . – …, les troupes alliées ont débarqué … . – …, les marmottes s'endorment … .

679 **Copiez les phrases en supprimant, lorsque c'est possible, les compléments circonstanciels.**

En 1429, Jeanne d'Arc a chassé les Anglais qui assiégeaient Orléans. – Le boucher retire un gigot de sa chambre froide. – Début juillet, les abeilles envahissent les champs de lavande. – Ghislain enregistre les numéros de téléphone de ses copains dans son répertoire téléphonique. – Au musée du Louvre, on peut admirer la *Joconde*, célèbre tableau de Léonard de Vinci. – Dès maintenant, songez à votre orientation. – Les locaux de la banque sont placés, jour et nuit, sous la surveillance de discrètes caméras. – Le chahut ne peut pas durer plus longtemps. – Comme le taureau a l'air menaçant, ne vous approchez pas trop près. – Les drapeaux tricolores flottent au haut des mâts. – Les Gaulois se sont réfugiés dans le camp d'Alésia.

Citation _____

Sous le pont Mirabeau coule la Seine. **(Apollinaire)**

Les compléments circonstanciels : but - cause - moyen - manière

Afin de fixer les tringles à rideaux, et comme le mur est en béton, M. Garin le perce, non sans difficulté, avec une mèche spéciale.

RÈGLE

I. Le complément circonstanciel de but exprime l'intention dans laquelle est accomplie une action.
Pour trouver le complément circonstanciel de but, on pose la question « pourquoi ? ».
Justine s'allonge afin de se reposer.
Pourquoi Justine s'allonge-t-elle ? → *afin de se reposer*

2. Le complément circonstanciel de cause indique la raison pour laquelle est accomplie une action.
Pour trouver le complément circonstanciel de cause, on pose la question « pour quelle raison ? ».
Justine s'allonge parce qu'elle est fatiguée.
Pour quelle raison Justine s'allonge-t-elle ? → *parce qu'elle est fatiguée*

3. Le complément circonstanciel de moyen indique le moyen qui permet de réaliser une action.
Pour trouver le complément circonstanciel de moyen, on pose la question « à l'aide de quoi ? ».
Thomas cueillera les cerises avec une échelle.
À l'aide de quoi Thomas cueillera-t-il les cerises ? → *avec une échelle*

4. Le complément circonstanciel de manière précise de quelle façon est accomplie une action.
Pour trouver le complément circonstanciel de manière, on pose la question « comment ? ».
Thomas cueillera délicatement les cerises.
Comment Thomas cueillera-t-il les cerises ? → *délicatement*

680 Copiez les phrases et encadrez les compléments circonstanciels de but.

Pour annoncer son prochain spectacle, la caravane du cirque sillonne les rues de la ville. – Corinne installe un parasol pour se protéger du soleil. – De nombreux volontaires se dévouent pour que les personnes démunies puissent manger. – Pour solder son stock de meubles, ce commerçant n'hésite pas à consentir d'importantes remises.

681 Copiez les phrases et encadrez les compléments circonstanciels de cause.

En raison d'une panne d'électricité, les ordinateurs du CDI ne fonctionnaient plus correctement. – Comme le match ne débute qu'à quinze heures, les spectateurs ont le temps de s'installer confortablement.

682 Copiez les phrases et encadrez les compléments circonstanciels de moyen.

Fatigué par une longue course, Flavien se frictionne les jambes à l'aide d'un gant de crin. – Les cow-boys capturent les chevaux sauvages au lasso. – Léa a réalisé de superbes napperons au crochet. – Le jour de l'ouverture, M. Sylva, armé d'une nouvelle canne à lancer, traque les truites.

683 Copiez les phrases et encadrez les compléments circonstanciels de manière.

Après avoir longuement réfléchi, Yanis nous a donné son accord du bout des lèvres. – Dans un dictionnaire, les mots sont rangés par ordre alphabétique. – Selon la façon dont elles ont été torréfiées, ces variétés de café n'ont pas le même goût.

684 Copiez les phrases en les complétant avec des compléments circonstanciels de but.

Il faut d'urgence que Mme Glaser rejoigne une station-service ... . – Le commandant de bord écoute les recommandations de la tour de contrôle ... . – Walter prend un médicament ... . – ..., M. Parrini le recouvre d'une bâche imperméable. – Harold prend des cours de solfège ... . – ..., il ne faut pas laisser le rôti trop longtemps au four. – Le carreleur prend des mesures ... .

685 Copiez les phrases en les complétant avec des compléments circonstanciels de cause.

..., nous ne pourrons pas jouer au tennis cet après-midi. – ..., personne n'a vu l'éclipse de soleil. – Un jeune professeur remplaçant a assuré le cours de musique ... . – Les Parisiens empruntent souvent le métro ... . – Le chien a aboyé ... . – Stéphanie a noué ses cheveux ... . – Ce polygone est un rectangle ... . – Mon MP3 ne fonctionne plus ... . – ..., la rue de la Liberté est provisoirement barrée.

686 Copiez les phrases en les complétant avec des compléments circonstanciels de moyen.

..., David est parvenu à vaincre Goliath. – Pendant les longues soirées d'hiver, les montagnards sculptaient des objets ... . – Le mécanicien resserre les boulons ... . – Il y a bien longtemps que les écoliers n'écrivent plus ... . – ..., ce nageur a battu le record du monde du 100 mètres dos. – Vous ne pourrez pas découper ce carton ... .

Citation ⎯⎯⎯⎯⎯⎯⎯⎯⎯⎯⎯⎯⎯⎯⎯⎯⎯⎯⎯⎯⎯⎯⎯

Selon que vous serez puissant ou misérable,
Les jugements de cour vous rendront blanc ou noir.
(**La Fontaine**, *Les Animaux malades de la peste*)

Les propositions indépendantes, juxtaposées et coordonnées

Mme Blain possède une collection d'instruments de musique anciens ; elle ne s'en séparera jamais, car ce petit trésor lui a été légué par sa grand-mère.

── **Règle** ──────────────────

1. Une proposition est un ensemble de mots ordonnés autour d'un verbe.
Pourquoi les camions de pompiers sont-ils peints en rouge ?

2. Une proposition indépendante comporte un seul verbe conjugué ; elle ne dépend d'aucune autre proposition et aucune autre ne dépend d'elle.
D'énormes navires empruntent chaque jour le canal de Panama.

3. Les propositions juxtaposées sont reliées par une virgule, un point-virgule ou deux points.
Des taureaux sont exposés au Salon de l'agriculture ; certains sont primés.

4. Les propositions coordonnées sont reliées par une conjonction de coordination, une locution conjonctive ou un adverbe de liaison.
Hubert a gagné le gros lot, car il a misé sur les bons numéros.

• Dans une même phrase, il est possible de rencontrer des propositions juxtaposées et des propositions coordonnées.
La tempête fait rage : les rafales de vent se succèdent et la pluie noie la ville.

Voir « Les conjonctions de coordination », pp. 228-229.

 Copiez le texte en séparant les différentes propositions ; vous soulignerez les verbes conjugués.

Le lendemain de la séance de cinéma oral avec les quatre sorcières, Luo se sentit un peu mieux et voulut rentrer au village. La Petite Tailleuse n'insista pas trop pour nous garder chez elle ; elle devait être morte de fatigue.
Après le petit déjeuner, Luo et moi reprîmes le chemin solitaire. Au contact de l'air humide du matin, nos visages brûlants ressentirent une agréable fraîcheur. Luo fumait en marchant. Le sentier descendait lentement, puis remontait. J'aidais le malade de la main, car la pente était raide. Le sol était mou et humide ; au-dessus de nos têtes, les branches s'entremêlaient. En passant devant le village du Binoclard, nous le vîmes travailler dans une rizière ; il labourait la terre avec une charrue et un buffle.

Dai Sijie, *Balzac et la Petite Tailleuse chinoise*, © Éd. Gallimard

Transformez les propositions coordonnées en propositions juxtaposées.

J'entends des bruits en provenance du couloir, donc quelqu'un doit attendre pour entrer. – Ce roman a rencontré un énorme succès et un metteur en scène se propose de l'adapter au cinéma. – Le prix des carburants a beaucoup augmenté, aussi les automobilistes roulent-ils moins vite. – Blandine connaît parfaitement l'itinéraire, donc ses amies la suivent en toute confiance. – M. Flandrin passe devant le rayon des surgelés, puis il se dirige vers les caisses.

689 **Transformez les propositions juxtaposées en propositions coordonnées.**

Le frère de Brice est content ; il a trouvé un emploi dans un garage. – Chaque matin, les journaux sont livrés avant six heures ; les habitués du petit déjeuner peuvent prendre connaissance immédiatement des dernières nouvelles. – Séverine et Katia ont fréquenté la même école maternelle ; elles ne se sont plus quittées. – Le médecin prend la tension du malade ; il lui conseille de pratiquer une activité physique. – Les dentellières de la ville du Puy-en-Velay exerçaient souvent leur métier sur le pas de leur porte ; tous les habitants venaient admirer leur dextérité.

690 **Transformez les deux phrases simples en une seule phrase dont les propositions seront juxtaposées, puis en une seconde phrase où elles seront coordonnées.**

Benjamin et Cyprien n'ont pas le même point de vue sur la manière de résoudre le problème. Ils ont néanmoins réussi à s'entendre. – Rodrigue est assidu à l'entraînement du club de judo. Il espère passer bientôt ceinture marron. – Le ciel se dégage enfin. Nous pourrons nous remettre en route. – Je me couche de bonne heure. Demain, j'ai un contrôle de mathématiques important. – Line porte désormais des lentilles de vue. Elle n'a plus besoin de ses anciennes lunettes. – Le tapis est taché. Il faudra le porter au pressing.

691 **Copiez ce texte en indiquant, entre parenthèses, la nature des propositions.**

Vous connaissez tous le père de Charlemagne, Pépin, le fils de Charles Martel. On s'était moqué, dans sa jeunesse, de la petitesse de sa taille, et un surnom lui en était resté : c'est pourquoi vous l'appelez toujours Pépin le Bref. Malgré sa chétive apparence, son cœur était noble et il avait un grand courage. Voici comment il le prouva pour la première fois. C'était à la cour de son père, il n'avait pas encore vingt ans. Un lion féroce, dans toute la vigueur de sa jeunesse, s'était échappé de sa cage. Tous fuyaient devant lui, même le vainqueur de Poitiers, l'indomptable Charles Martel. Seul Pépin l'attendit de pied ferme, et parvint, d'un coup de poignard, à l'étendre mort devant lui. À dater de ce jour, on cessa de rire de sa taille, et on l'admira à l'égal des plus vaillants chevaliers de son temps.

Marcelle et Georges Huisman, *Contes et Légendes du Moyen Âge*, « Berthe aux grands pieds », © Éd. Nathan.

itation

Je suis jeune, il est vrai ; mais aux âmes bien nées
La valeur n'attend point le nombre des années. (**Corneille**, *Le Cid*)

101e
Leçon

Les propositions
subordonnées relatives

La rivière qui longe le village de Kara **est infestée de crocodiles** dont les dents sont redoutables.

692 Copiez les phrases en complétant avec les pronoms relatifs qui conviennent

Les catamarans … participent à la course autour du monde doivent faire preuve d'une solidité sans égale. – Les recherches … ce savant a consacré une partie de sa vie ont enfin abouti ; il a découvert un vaccin contre le paludisme, épidémie … tue des millions d'hommes dans le monde. – Cette forêt … vivent nombre de cerfs et des biches constitue une réserve naturelle. – Le guide … s'adressent les touristes les renseigne immédiatement. – Ce parc est un lieu … les enfants trouvent des jeux … les occupent de longues heures. – L'éléphant est un animal … la mémoire est exceptionnelle ; c'est du moins ce … leur cornacs prétendent. – Les chercheurs d'or ne révélaient jamais l'emplacement des mines d'… ils extrayaient leurs pépites. – Les étranges vaisseaux d'… descendent des êtres fantastiques proviennent peut-être d'une galaxie inconnue.

Copiez les phrases ; soulignez les propositions principales et encadrez les propositions subordonnées relatives.

Le journaliste a écrit un long article sur l'aventure qu'il vient de vivre au Cambodge. – Le parking où M. Blanchard pensait se garer est malheureusement complet. – Un livreur apporte les arbustes que Mme Vallier a commandés chez un pépiniériste. – Le magazine auquel vous êtes abonné depuis deux ans édite un grand reportage sur les Jeux olympiques. – Nous essayons de situer le volcan de la Soufrière sur la carte de la Guadeloupe que le professeur a suspendue au tableau. – La vipère aspic est un serpent dont la morsure est rarement mortelle. – Mes parents ont invité le collégien anglais avec lequel je corresponds. – Déborah m'a rendu la paire de patins à glace que je lui avais prêtée.

 Copiez les phrases en remplaçant les mots en bleu par des propositions subordonnées relatives.

Les spectateurs impatients regrettent que le concert ne débute pas à l'heure prévue. – La famille Decoin habite un appartement pourvu d'un balcon. – L'avion en provenance de Dublin atterrira dans quelques minutes. – Le chien dressé par Marcel Wolf flaire la trace d'un lapin dans le moindre fourré. – Sur les toits des chalets aux pentes raides la neige ne s'accumule jamais. – Cette boutique d'appareils téléphoniques propose également des abonnements avantageux. – Un incident imprévisible a retardé les travaux de rénovation des vitraux de la cathédrale de Reims. – Un joueur particulièrement chanceux a trouvé les six bons numéros du tirage du loto. – L'été, on porte souvent des vêtements sans manches.

 Transformez les deux propositions indépendantes en une proposition principale et une proposition relative.

M. Germain connaît un méandre de la rivière. Dans ce méandre on pêche des truites. – Le professeur nous a posé un problème. Aucun d'entre nous n'a résolu ce problème. – On a découvert des peintures rupestres dans une caverne. L'entrée de cette caverne est demeurée secrète pendant des siècles. – Tu ignores le nom du sommet. On aperçoit un sommet dans le lointain. – Quelle est la profondeur de ce gouffre ? Des spéléologues sont descendus dans ce gouffre. – Les numéros de téléphone me permettent d'appeler rapidement mes amis. Les numéros de téléphone figurent dans mon répertoire.

696 Copiez les phrases en les complétant avec des propositions subordonnées relatives de votre choix.

Connaissez-vous le nom de l'homme … ? – Le pain … est cuit au feu de bois. – Toute la famille s'est régalée avec le dessert … . – Je t'indiquerai le magasin … . – Le 14 Juillet est une fête … . – L'irrigation des champs sera possible avec la réserve d'eau … . – L'enquête … permettra sans doute l'arrestation des voleurs de métaux. – Tu ne lis que les livres … .

Citation _____

Les gens bien portants sont des malades qui s'ignorent.
Jules Romains, *Knock ou le Triomphe de la médecine*)

Les propositions subordonnées conjonctives

Les thons disparaîtront des océans *si on pêche de manière aussi intensive.*

RÈGLE

I. La proposition subordonnée conjonctive – introduite par une conjonction ou une locution conjonctive de subordination – complète le verbe de la proposition principale ou exprime une circonstance de l'action de la principale.

Je suis fatigué <u>parce que j'ai couru longtemps</u>.
prop. principale   prop. circonstancielle de cause

2. La proposition subordonnée complétive – introduite par que – est le plus souvent complément d'objet du verbe de la principale et ne peut être ni déplacée ni supprimée sans modifier le sens de la phrase.

Le professeur exige que le matériel soit rangé. → COD
Le professeur s'étonne que le matériel ne soit pas rangé. → COI

3. La proposition subordonnée circonstancielle précise les circonstances de l'action de la proposition principale.

Nous nous baignons en toute sécurité lorsque flotte le drapeau vert.
→ c. c. de temps

4. Il est possible qu'une proposition subordonnée dépende d'une autre proposition subordonnée et non de la proposition principale.

Il ne faut pas / que tu fasses du bruit / pendant que je chante.
prop. principale   prop. subordonnée   prop. subordonnée

Attention : Ne confondons pas la proposition **subordonnée complétive** introduite par que, qui **complète un verbe**, avec la proposition **subordonnée relative** également introduite par que, qui **complète un nom.**

Nous attendons que le serviteur nous apporte le plat. → complétive
Le serviteur apporte le plat que nous avons commandé. → relative

Voir « Le COD », pp. 232-233, « Le COI », pp. 234-235, « Les compléments circonstanciels », pp. 236 à 239, « Les propositions subordonnées relatives », pp. 242-243.

697 **Copiez les phrases en complétant avec des conjonctions (ou des locutions conjonctives) qui conviennent.**

Les bénévoles du service d'ordre font en sorte … la manifestation se déroul sans incident. – Il paraît … certains navigateurs vikings avaient abordé l continent américain … Christophe Colomb ne s'aventure sur l'océan Atlan tique. – Nous devrions passer nos vacances en Italie … nos parents choisisser une autre destination au dernier moment. – Quel est le sens de ce proverbe « … le vin est tiré, il faut le boire. » ? – Les enquêteurs ont toujours pensé .. l'auteur du cambriolage ne pouvait être qu'un familier du château.

698 Copiez les phrases ; soulignez les propositions principales et encadrez les propositions subordonnées conjonctives.

Nous copierons ce film à condition que nous ayons obtenu l'autorisation de le faire. – Trois grues seront nécessaires afin que les conteneurs du navire en provenance de Singapour puissent être déchargés. – Le meeting aérien se déroulera normalement pour peu que le temps s'améliore. – Les personnes naïves croient que les mages peuvent lire l'avenir dans une boule de cristal. – Les travaux de construction de la nouvelle bibliothèque débuteront dès que l'architecte aura terminé les plans. – Alors qu'il naviguait près des côtes italiennes, Ulysse se fit attacher au mât de son bateau pour ne pas succomber aux chants des Sirènes. – Quelle que soit la saison, cette station balnéaire est très animée. – Personne n'a su où était enterré le trésor des Templiers. – Comme la pente se faisait rude, le coureur changea de vitesse. – Sur ce site préhistorique, il est possible que les archéologues découvrent des outils.

699 Copiez les phrases ; vous soulignerez les propositions subordonnées conjonctives et encadrerez les propositions subordonnées relatives.

Les plantes qui poussent habituellement dans les zones tropicales exigent, quand elles sont cultivées sous d'autres climats, qu'elles soient placées dans des lieux convenablement chauffés. – La tornade que toutes les stations météorologiques avaient annoncée s'est finalement écartée de la direction initialement prévue. – Les voisins des jeunes musiciens qui répètent à longueur d'année dans le sous-sol de leur pavillon se plaignent que leurs soirées sont gâchées par le bruit. – La fleuriste m'assure que le bouquet qu'elle vient de me vendre ne se fanera pas avant une semaine.

700 Copiez ces phrases que vous compléterez avec des propositions subordonnées complétives.

En vous inscrivant au tournoi de tennis de table, saviez-vous ... ? – La véritable recette du far breton précise ... . – Le conseiller d'éducation veille ... . – Quand on veut devenir un grand peintre, il importe ... . – Le vétérinaire propose ... . – L'expert automobile a confirmé ... . – Les passagers du vol Téhéran-Paris redoutent ... . – Le charpentier prétend ... . – Ce document montre clairement ... . – La lecture des archives de la commune nous apprend ... .

701 Copiez ces phrases que vous compléterez avec des propositions subordonnées circonstancielles.

..., Marco Polo a rencontré le Grand Khan et s'est mis à son service. – ..., Louis XVI fut reconnu par le maître de poste Jean-Baptiste Drouet, et arrêté à Varennes. – Les bergers conduisaient leurs troupeaux dans les alpages ... . – ..., le cortège princier parcourut les avenues de la capitale. – ..., les déménageurs durent transporter le piano en empruntant l'escalier. – Il faut laisser la priorité aux véhicules de police ... .

Citation

... faut se conduire avec ses amis comme on voudrait les voir se conduire avec soi. (**Aristote**)

103ᵉ

Leçon **Les adverbes**

Il n'y a plus guère d'appartements à louer dans ce quartier très calme ;
M. Barnier en a néanmoins trouvé un qui lui convient parfaitement.

RÈGLE

- **Les adverbes** sont des mots invariables qui précisent le sens :
  – d'un verbe : *Ces jeunes s'amusent ensemble.*
  – d'un adjectif : *Ce jeu est plutôt amusant.*
  – d'un autre adverbe : *Ces jeunes s'amusent souvent ensemble.*
  Les locutions adverbiales sont des groupes de mots équivalant à des
  adverbes.
  Tu resteras sans doute à l'étude. Léa joue de temps en temps du piano.

- Il existe des adverbes de **lieu**, de **temps**, de **quantité**,
  d'**affirmation** ou de **doute**, de **négation**, de **manière**.

- De nombreux **adverbes de manière** sont formés à partir
  d'adjectifs qualificatifs généralement féminins.
  brutale → *brutalement*   *petite* → *petitement*   *fière* → *fièrement*
  Mais il existe quelques exceptions à cette règle de formation.
  absolu → *absolument*   *confus* → *confusément*   *vrai* → *vraiment*

- Les adverbes formés à partir d'adjectifs terminés par le son [ã]
  s'écrivent :
  -emment, s'ils sont formés à partir d'adjectifs terminés par *-ent*
    prudent → *prudemment*
  -amment, s'ils sont formés à partir d'adjectifs terminés par *-ant*
    courant → *couramment*

- Certains **adjectifs sont employés comme des adverbes** ;
  ils sont alors invariables.
  Ces produits ne valent pas cher.   *Les choristes chantent juste.*

Voir « Le son [ã] », pp. 18-19.

702 **Copiez les phrases en complétant avec les adverbes suivants.**
*bientôt – partout – assez – devant – mieux – aisément – loin – dessus
ne … pas*
Ne plongez pas dans ce torrent, il n'y a pas … d'eau. – Allez consulter Inte
net au CDI, vous pourrez … obtenir des renseignements sur la vie aux île
Galápagos. – Depuis qu'elle soigne sa bronchite, Mme Frenay va … ; ell
pourra … reprendre son travail. – Cynthia cherche … son trousseau de clé
elle est certaine qu'il n'est pas …, mais elle ne peut pas mettre la main … .
Si tu passes …, tu me montreras le chemin, car je … possède … de carte d
secteur.

246

703 Copiez ces phrases en encadrant les adverbes.

Le récit de cet ancien déporté au camp de Buchenwald est particulièrement émouvant ; toute la classe l'écoute attentivement décrire les pires moments de sa captivité. – Pourquoi termines-tu seulement ton exercice ? Il était pourtant facile. – Après huit ans de travaux acharnés, Champollion a pu enfin percer le mystère des hiéroglyphes grâce à une copie quasi parfaite des inscriptions de la Pierre de Rosette. – À vol d'oiseau, de Dunkerque à Perpignan, il y a environ mille kilomètres ; par la route, cela dépend évidemment de l'itinéraire choisi. – De peur d'être sans cesse assaillie par ses admirateurs, cette célèbre actrice voyage désormais incognito. – On n'a jamais vu autant de participants à la Virade du cœur, manifestation qui incite la population à pratiquer régulièrement une activité physique.

704 Copiez ces expressions en remplaçant l'adjectif masculin entre parenthèses par un adverbe terminé par -ment.

plonger (hardi) dans l'eau froide
câliner (affectueux) son chat
vivre (constant) au grand air
arriver (tardif) au collège
ne pas se moquer (méchant)
camper (silencieux)
parler (franc) à un ami

s'amuser (fou)
se qualifier (brillant)
avoir (continu) froid
être habiller (différent)
sortir (discret)
croire (naïf) à son horoscope
être (idéal) placé.

705 Copiez les phrases en écrivant les noms en bleu au pluriel, accordez comme il convient, puis encadrez les adverbes.

Le compliment du capitaine fait énormément plaisir au pompier qui a lutté courageusement contre les feux de forêt. – Le gâteau aux amandes sent bon ; Marine en appréciera sûrement un bon morceau. – Le rayon des romans policiers est trop haut ; tu devras à coup sûr utiliser un petit escabeau pour l'atteindre. – Le motard a lourdement chuté dans un virage du circuit, mais il n'est que légèrement blessé. – Ce miroir n'est pas placé assez haut ; le client est obligé de se baisser pour savoir si le vêtement lui va bien. – Cet appartement, orienté au sud, est fort bien éclairé.

706 Copiez les phrases que vous compléterez avec des adverbes de votre choix.

L'accident fut spectaculaire, mais … personne ne fut … blessé : c'est un miracle. – Il y a … de bruit dans cette salle, je n'y resterai pas … . – Comme aucune place assise n'est libre, vous resterez … . – Si le spectacle se termine …, il n'y aura plus de métro ; nous prendrons … un taxi. – Lorsqu'on se brûle, il faut … appliquer une pommade apaisante. – Si Farid ne trouve pas de logiciels de jeux dans cette boutique de matériels informatiques, il ira voir … . – Les copies de tableaux sont … … imitées que même les experts se trompent !

Citation _____

Je ne suis jamais bien nulle part, et je crois toujours que je serais mieux ailleurs que là où je suis. (**Baudelaire**, *Petits poèmes en prose*)

Les pronoms possessifs et démonstratifs

Le problème est difficile, mais si vous y mettez *du vôtre*, cela devrait bien se passer.

┌─ **RÈGLE** ─────────────────────────────────

I. Le pronom possessif remplace un groupe nominal précédé d'un déterminant possessif.
Il prend le genre et le nombre du nom qu'il remplace.
Mes vêtements sont secs ; les tiens sont encore mouillés.

Possesseur Élément possédé	Iʳᵉ pers. singulier	2ᵉ pers. singulier	3ᵉ pers. singulier	Iʳᵉ pers. pluriel	2ᵉ pers. pluriel	3ᵉ pers. pluriel
masc. sing.	le mien	le tien	le sien	le nôtre	le vôtre	le leur
fém. sing.	la mienne	la tienne	la sienne	la nôtre	la vôtre	la leur
masc. plur.	les miens	les tiens	les siens	les nôtres	les vôtres	les leurs
fém. plur.	les miennes	les tiennes	les siennes	les nôtres	les vôtres	les leurs

2. Le pronom démonstratif remplace un groupe nominal précédé d'un déterminant démonstratif. Il prend le genre et le nombre du nom qu'il remplace.
Si j'avais à choisir un seul de ces livres, je prendrais celui qui retrace l'aventure de Robinson Crusoé.

			masculin	féminin	neutre
formes simples		singulier	celui	celle	ce
		pluriel	ceux	celles	
formes composées	**démonstratifs proches**	singulier	celui-ci	celle-ci	ceci - ci
		pluriel	ceux-ci	celles-ci	
	démonstratifs lointains	singulier	celui-là	celle-là	cela - ça
		pluriel	ceux-là	celles-là	

Voir « Confusions à éviter », pp. 112-113

707 **Copiez les phrases en encadrant les pronoms possessifs.**

Mon bracelet est en argent ; le tien est plaqué or et il est assorti à ta bague. Tes chaussures de foot ont de solides crampons, comme les miennes. – Nou admirons la décoration de la classe des 6ᵉ 4, et malgré tous nos efforts, nous n réussirons jamais à décorer la nôtre comme la leur. – Ma calculatrice ne fon tionne plus ; sois gentil, prête-moi la tienne. – M. Jarrot trouve que les tuiles d pavillon de son voisin sont un peu trop colorées, il préfère les siennes.

708 Copiez les phrases en encadrant les pronoms démonstratifs.

Comment allez-vous aujourd'hui ? Comme ci, comme ça, je ne suis pas en grande forme. – Lorsque Monsieur de Tréville proposa à d'Artagnan d'intégrer la compagnie des mousquetaires, celui-ci accepta sans hésiter. – En suivant cette route, j'arriverai certainement à Saint-Brieuc, quant à celle-là, j'ignore où elle aboutit. – Franz était le prénom de Schubert ; savez-vous quel était celui de Mozart ?

709 Copiez les phrases en complétant avec un pronom possessif qui convient.

Le collège Georges Brassens accueille quatre cents élèves ; … en compte plus de cinq cents : vous êtes plus nombreux. – Ta copie est annotée par le professeur ; pourquoi ne m'a-t-il pas rendu … ? – Omar et Dimitri sautent de joie, mais Stéphane n'ose pas exprimer … devant tout le monde. – Les parents de Valérie lui ont offert un piano électrique ; Nadine souhaiterait que … se rendent chez un luthier pour choisir un violon. – Dans notre quartier, les commerçants sont nombreux ; mon oncle et ma tante se plaignent que dans … il n'y ait qu'une seule boulangerie et pas un seul boucher. – Par ce froid, les lèvres ont tendance à gercer ; les trappeurs du Grand Nord protègent donc … avec une pommade spéciale.

710 Copiez les phrases en les complétant avec un pronom démonstratif qui convient.

Ces lampes consomment beaucoup trop d'électricité, essayez donc …, vous verrez qu'elles sont plus économiques. – Piloter une voiture de rallye, … n'est pas à la portée du premier conducteur venu. – Parmi ces feuilles de papier, je ne prendrai que … qui sont quadrillées. – Parmi les noms masculins terminés par « -ée », je ne connais que … qui sont les plus courants. – J'ai bien aimé la scène où Harpagon a perdu sa cassette, mais beaucoup moins … où intervient le commissaire. – Ces crayons ne sont pas taillés, utilise plutôt …, ils te permettront de tracer des traits plus fins.

711 Copiez les phrases en remplaçant les pronoms en bleu par des noms ou des groupes nominaux de votre choix.

En pleine rue, ça n'est pas possible. – Les bons musiciens prennent soin des leurs. – Cet agriculteur ne répand jamais d'engrais sur les siens. – Celui-ci soulève des barres de plus de cent kilos. – Ceci devrait suffire pour améliorer la sécurité aux abords du collège. – Les personnes qui ont du diabète doivent absolument contrôler le leur. – Les tiennes filtrent-elles bien les rayons du soleil ? – M. Sarnin a aménagé le sien pour y garer sans problème les deux voitures de la famille. – Après être passé à la caisse et avoir déposé vos achats dans le coffre de la voiture, vous replacez le vôtre à l'emplacement prévu à cet effet. – Le mien s'appelle Berlingot ; il a le poil noir avec une petite tache blanche sous le museau.

Citation _____

Cela est bien dit, dit Candide, mais il faut cultiver notre jardin. (**Voltaire**, *Candide*)

105 e
Leçon   **Voix active - voix passive**

Le feu a pris en quelques minutes, mais il est rapidement éteint par un pompier volontaire.

┌─ **RÈGLE** ─────────────────────────────────

• Un verbe est à **la voix active** quand le sujet fait l'action.
<u>Le contrôleur</u> vérifie <u>les billets</u>.
  sujet   COD

• Un verbe est à **la voix passive** quand le sujet subit l'action.
<u>Les billets</u> sont vérifiés <u>par le contrôleur</u>.
  sujet   compl. d'agent

Le complément d'objet direct du verbe actif devient le sujet du verbe passif, et le sujet du verbe actif devient le complément d'agent du verbe passif. L'agent désigne l'être ou la chose qui fait l'action, qui agit.

• Tous les verbes à la voix passive sont conjugués avec l'auxiliaire *être* qui prend la marque du mode et du temps.

• **Le complément d'agent** est le plus souvent introduit par les prépositions par et de.
Les pirates hissent le pavillon noir.
→ *Le pavillon noir est hissé par les pirates.*
Tous les navires marchands redoutent le pavillon noir.
→ *Le pavillon noir est redouté de tous les navires marchands.*

• Seuls les verbes transitifs directs peuvent être employés à la voix passive puisque c'est le complément d'objet direct qui devient sujet.

• Il est possible que le complément d'agent soit sous-entendu.
Les drapeaux tricolores seront sortis pour le 14 Juillet.
Le passage à l'actif se fait alors avec le pronom sujet « on ».
On sortira les drapeaux tricolores pour le 14 Juillet.

Voir « Le participe passé employé avec l'auxiliaire *être* », pp. 88-89.

 Copiez ces phrases en indiquant, entre parenthèses, la voix employée.

Le procédé de stérilisation des boîtes de conserve a été inventé par Nicolas Appert. – Alors qu'il se promenait dans les bois, Cédric a été blessé à l'œil par une branche de noisetier. – Nelly suit des cours de danse pour avoir une démarche souple et élégante. – Les déménageurs descendent les meubles par l'escalier. – Comme il avait oublié son parapluie, Arnaud est rentré trempé à la maison. – Maxence est arrivé par le train de 9 heures ; nous l'attendions plus tôt. – Le projecteur est débranché par prudence. – L'accès à la place de la Concorde sera interdit par des barrières métalliques.

Copiez les phrases que vous complèterez avec des compléments d'agent de votre choix.

Un lynx a été capturé … dans la forêt de Joux. – Ce livre pour enfants sera illustré … . – Le sommet de la montagne était couronné … . – L'annonce du mariage de la princesse de Bade-Wurtemberg est démentie … . – Une assurance contre le vol serait souscrite … . – La douceur du climat de la région béarnaise est vantée … . – La lauréate du concours de chant est récompensée … . – *La Joconde* a été peinte … . – Des affiches annonçant la prochaine représentation du cirque Pinder sont collées … sur les murs de la ville.

 Transformez les phrases à la voix active en conservant les modes et les temps.

L'installation électrique est vérifiée par un spécialiste. – Il est possible que les mannequins soient habillés par un grand couturier parisien. – Les délégués de la classe seront élus demain après-midi. – La ville de La Rochelle fut assiégée par Richelieu qui ne voulait pas que les Anglais puissent accéder au port. – La vieille tour du donjon est détruite par la foudre. – La potion magique est préparée par le druide Panoramix ; elle est ensuite bue par les Gaulois. – Les émissions de jeux étaient regardées par les petits et les grands. – Ce talentueux pianiste serait sollicité pour donner des concerts dans le monde entier. – Stanislas était apprécié de ses camarades. – La difficulté n'est pas sous-estimée.

 Conjuguez les verbes en bleu au présent, puis au passé composé de l'indicatif. Encadrez les compléments d'agent.

être informé par un SMS   être sélectionné par le jury
être endurci par les épreuves   être conseillé par une vendeuse
être vêtu d'une tunique bleue   être mordu par un serpent
être saisi de tremblements   être battu par plus fort que soi

716 Transformez les phrases à la voix passive en conservant les modes et les temps. Attention à l'accord des participes passés.

Le ministre de la Culture a inauguré le Salon du livre. – Un panneau, parfaitement visible, prévient les automobilistes de la présence d'un radar. – Si Pierre-Jean avait réellement vu un loup, les bergers l'interrogeraient. – Début juillet, les commerçants soldaient déjà les articles de plage invendus. – En 52 avant J.-C., Jules César a envahi la Gaule. – Les habitants de Los Angeles ont ressenti une violente secousse sismique. – Des millions de sauterelles ravagèrent les champs de mil. – Une équipe médicale brésilienne teste un nouveau vaccin contre le paludisme. – L'avion en difficulté tente un atterrissage de fortune. – Les canuts lyonnais tissaient les pièces de soie destinées à la décoration des châteaux royaux. – De puissantes pompes assurent l'irrigation des champs de maïs. – Tous les cinéphiles connaissent le nom de l'actrice qui incarna Scarlett O'Hara dans *Autant en emporte le vent*.

Citation

L'acteur habite un personnage, le comédien est habité par lui.
(Pierre Jean Jouve, *Sueur de sang*)

106ᵉ Les différentes
Leçon formes verbales

Les edelweiss ne se cueillent pas; ce sont des plantes protégées.

RÈGLE

- **La forme négative** s'oppose à **la forme affirmative.**
  Félix distribue les cartes.   *Félix ne distribue pas les cartes.*
  La négation porte toujours sur le verbe, encadré par les éléments de la locution négative.
  Aux temps composés, la négation encadre l'auxiliaire (ou parfois le verbe et un adverbe).
  Félix n'a pas distribué les cartes. Félix n'a toujours pas distribué les cartes.

- Il existe plusieurs **locutions négatives.**
  – négations totales : ne ... pas ; ne ... plus ; ne ... jamais ; ne ... rien ; ne ... personne ; ne ... aucun ; ne ... point ; ne ... nullement
  – négations partielles : ne ... guère ; ne ... pas beaucoup ; ne ... pas assez
  – négation restrictive : ne ... que
  – double négation : ne ... ni ... ni

- Un verbe à la **forme pronominale** est conjugué avec un pronom personnel réfléchi.
  Je me peigne.   Tu te montres généreuse.   Les invités se régalent.
  Les temps composés d'un verbe pronominal se construisent toujours avec l'auxiliaire *être.*
  Je me suis peignée. Tu t'es montrée généreuse. Les invités se sont régalés.

  Attention! Le pronom personnel qui précède le verbe n'est pas toujours un pronom réfléchi.
  La coiffeuse m'a peignée.   Je te sais généreuse.   Le cuisinier nous a régalés.

Voir « Les pronoms personnels », pp. 230-231 et « Les adverbes », pp. 246-247.

717 Copiez les phrases en encadrant les locutions négatives.

Nous n'admettrons jamais les attitudes racistes. – La lecture d'un article d cette encyclopédie ne nous a nullement aidés à rédiger le résumé. – Je ne voi point d'issue à cette discussion; personne ne veut avouer qu'il a tort. – To magazine préféré ne paraît plus depuis quinze jours : que se passe-t-il ? Comme il n'y a ni neige ni verglas, je me demande pourquoi certain automobilistes ont mis des pneus spéciaux. – Pourquoi M. Combe n'aime-t-pas beaucoup rouler en moto ? – Il n'y avait rien de plus drôle que l'appar tion de Coluche en salopette rayée.

Copiez les phrases que vous mettrez à la forme affirmative.

On ne chasse plus les renards. – Je n'ai aucun souvenir de mon séjour en Bretagne. – Exceptionnellement, les poids lourds ne circulent pas sur cette petite route. – Le guide ne méconnaît pas les dangers d'une telle expédition. – Mon cousin ne parle ni l'espagnol ni l'anglais. – Après la réparation, la carrosserie ne vibre plus. – Personne ne croira cette histoire. – Ta note au dernier contrôle de mathématiques ne m'a guère surpris.

 Répondez négativement aux questions ; vous emploierez une locution négative qui convient.

Avez-vous déjà sauté en parachute ? – Quelqu'un a-t-il déjà posé le pied sur Mars ? – Connais-tu son adresse et son numéro de téléphone ? – Y a-t-il encore de l'encre dans ton stylo ? – Ludovic a-t-il toujours raison ? – La brume s'est-elle dissipée partout ? – Tous les champs de blé ont-ils été moissonnés ? – Tout le monde peut-il entrer dans ce local ? – Ce candidat a-t-il réponse à tout ? – Ce film est-il sous-titré ou doublé en français ?

 Copiez les phrases en mettant les verbes entre parenthèses au présent de l'indicatif.

Ces deux avions (s'envoler) à quelques minutes d'intervalle. – Nous (s'approcher) du bord du puits et (se pencher) pour savoir s'il (être) profond. – Tu (se construire) une cabane au milieu de la forêt dans laquelle tu (se cacher). – Vous (se plaire) au centre aéré et (se promettre) d'y retourner lors des prochaines vacances. – Les Agenais (bien se défendre), mais ils (s'incliner) dans les dernières minutes de la partie. – Je (prendre) un caddie et je (se diriger) vers l'entrée du supermarché. – La neige a fondu et les pistes (être) caillouteuses ; les skieurs (s'en aller) à regret.

 Conjuguez les verbes de ces expressions au présent, puis au passé composé de l'indicatif.

se plaindre du bruit   se munir d'un entonnoir
se réveiller en sursaut   s'entourer de précautions

 Copiez les phrases et n'encadrez que les verbes employés à la forme pronominale.

Lorsqu'ils te voient traverser en dehors des passages protégés, tes parents se font du souci. – Comme je ne me suis pas rendu à la représentation du cirque, je t'ai donné ma place. – Les assiettes se rangent dans le bas du buffet ; nous le l'avons déjà dit plusieurs fois. – Les élèves de la classe se mobiliseront pour envoyer des livres à des collégiens africains qui se trouvent bien démunis en matériels scolaires. – Vous nous conviez à un pique-nique au bord de la Loire ; nous nous retrouverons près du pont d'Olivet. – Cette attraction est impressionnante ; les amateurs de sensations fortes se cramponnent à la barre de sécurité lorsque la nacelle s'élève.

Citation _____

Ventre affamé n'a point d'oreilles. (**La Fontaine**, *Le Milan et le Rossignol*)

Révisions ....

723 Transformez ces phrases non verbales en phrases verbales déclaratives.
(leçon 90)

Allocution du Président de la République depuis le palais de l'Élysée. – Violente explosion due au gaz rue de la Gare. – Fin des travaux de rénovation de la tour du Breuil. – Marché aux fleurs tous les samedis sur la place aux Herbes. – Éclipse totale de soleil visible dans le nord de la France. – Début des soldes dans trois jours. – Fermeture annuelle de la boulangerie du quartier. – Vente de croissants pendant la récréation.

724 Transformez ces phrases non verbales en phrases verbales injonctives.
Vous varierez les modes de construction. (leçon 90)

Défense de marcher sur les pelouses du parc municipal. – Pas de panique. – Passage strictement réservé aux vélomoteurs. – Dehors ! – Les cavaliers, au galop ! – Nettoyage complet de votre chambre ! – Entrée gratuite. – Évacuation immédiate des lieux ! – Ligne électrique à haute tension : danger ! – Présentation des cartes de réduction obligatoire. – Feux interdits sous peine d'amende. – Consignes à observer rigoureusement. – Bouclage de la ceinture de sécurité à l'avant comme à l'arrière. – Chaussures de sport recommandées pour pénétrer dans le gymnase. – Désormais, régime sans boissons sucrées ! – Attention aux chutes d'arbres !

725 Copiez les phrases que vous compléterez avec des déterminants de votre choix. (leçon 91)

... piqûres de guêpes sont douloureuses, mais ... insectes favorisent ... pollinisation. – ... feu se propage à ... vitesse effarante et ... pompiers procèdent à ...évacuation ... hameaux isolés. – ... chanteur accorde ... guitare avant d'entrer en scène. – ... gestes brusques ont effrayé ... oiseau que vous vouliez photographier ; ce sera pour ... prochaine fois. – ... ... hôpitaux ne disposent pas encore d'... scanner. – Je me souviens ... nom de ... héros de l'Antiquité. – ... usines se sont installées dans ... zone industrielle aménagée à ... écart de ... ville. – M. Fournet conduit ... enfants ... parc d'attractions ; ils sont ravis. – ... olives de ... région donnent ... huile d'excellente qualité que vous recommandent ... ... cuisiniers.

726 Associez à chaque nom commun un nom propre de votre choix.
Ex. : *un musicien* → *Beethoven* (leçon 91)

un savant	un ministre	un pays	une ville
une montagne	un océan	un téléviseur	un avion
un stylo à encre	une voiture	une boisson	un lac
un restaurant	un monument	un fleuve	un journal
un coupe-vent	une région	un peuple	un footballeur
un bateau	un prénom	une chanteuse	un sculpteur
un dieu grec	une actrice	un quartier	une fusée
une moto	un col	un écrivain	un peintre

727 Copiez le texte en soulignant les adjectifs qualificatifs ; vous indiquerez entre parenthèses leur fonction : épithète, attribut ou en apposition.
(leçon 92)

Quand je pris congé de Guillaumet, j'éprouvai le besoin de marcher par cette soirée glacée d'hiver. Je relevai le col de mon manteau et, parmi les passants ignorants, je promenai une jeune ferveur. J'étais fier de coudoyer ces inconnus avec mon secret au cœur. Ils m'ignoraient, ces barbares, mais leurs soucis, mais leurs élans, c'est à moi qu'ils les confieraient au lever du jour avec la charge des sacs postaux. C'est entre mes mains qu'ils délivreraient leurs espérances. Ainsi, emmitouflé dans mon manteau, je faisais parmi eux des pas protecteurs, mais ils ne savaient rien de ma sollicitude.

Antoine de Saint-Exupéry, *Terre des hommes*, © Éd. Gallimard.

728 Recopiez les phrases en remplaçant les adjectifs qualificatifs en bleu par leur contraire. (leçon 92)

Seuls les élèves absents pourront assister à la proclamation du vote de l'élection des délégués de classe. – L'été dernier, les jours de pluie furent nombreux ; les vacanciers s'en sont attristés. – Tu traces les lignes horizontales à l'aide d'une équerre. – Les Marseillais sortent vaincus du terrain ; ils ont disputé leur plus mauvaise partie de la saison. – Un vent violent agite les branches du platane. – Par un heureux hasard, tu as mis les pieds dans une flaque d'eau. – Lorsqu'on skie sur de la neige artificielle, les sensations sont désagréables. – Ce chanteur inconnu a une voix aiguë qui plaît au public. – Les habitants des petites villes respirent souvent un air pur. – Ce court problème est trop facile. – Les enfants majeurs ne peuvent pas passer leur permis de conduire.

729 Transformez les groupes nominaux comme dans l'exemple. (leçon 93)
Ex. : *une crème solaire → une crème pour se protéger du soleil*

l'école communale
un château royal
des femmes spirituelles
un regard réprobateur
une recette culinaire
des propos importants
des journaux régionaux

une barre rocheuse
des écharpes soyeuses
des joueurs remplaçants
une île paradisiaque
des anneaux métalliques
une taille monstrueuse
une rue piétonne

une église gothique
des oiseaux nocturnes
un restaurant renommé
des fromages auvergnats
des gestes doux
des produits naturels
des vêtements colorés

730 Complétez chaque nom par des compléments du nom de votre choix ; accordez comme il convient. (leçon 93)

des couchers …
un patin …
des clous …
une salle …
un pilote …
des exercices …
une boîte …
un fauteuil …

des taches …
un sac …
un jeu …
un cours …
des pelotes …
des produits …
des gants …
la paroi …

un collier …
des pots …
des maux …
un bouillon …
un poste …
des poulets …
une valise …
la solution …

des moulins …
des tondeuses …
des chevaux …
une roue …
des pulls …
des mines …
un conte …
une allée …

731 Copiez les phrases que vous compléterez avec les prépositions suivantes. (leçon 94)

parmi – depuis – de – loin – malgré – à – devant – durant – par

Les stations … la vallée de la Tarentaise ont ouvert les pistes de ski … la mi-décembre. – Une trentaine de taxis stationne … la gare de Lyon. – … le carnaval, les rues de Nice sont recouvertes … des millions de confettis. – Ce chalet se trouve … du premier hameau de Tramayes ; ses occupants ne sont jamais dérangés. – Lorine a trouvé un trèfle … quatre feuilles … une multitude de trèfles à trois feuilles. – … tout son courage, le coureur attardé n'est pas parvenu à rattraper le peloton.

732 Copiez le texte et encadrez les conjonctions de coordination. (leçon 94)

Claudine va avec Carlo garder les chèvres le long des chemins. Les chèvres sont des bêtes capricieuses et difficiles. Elles broutent ici et là, flairent une aubépine et l'abandonnent pour une églantine, piétinent le trèfle mais, d'un coup de langue habile, cueillent quelques orties qu'elles grignotent du bout des dents en agitant leur barbiche. Il faut suivre leurs désirs mais ne pas leur laisser faire tout ce qu'elles veulent.

Claudine a toujours envie de dessiner mais elle n'a emporté ni livre ni papier. On ne peut pas en même temps garder des chèvres et dessiner.

Marie-Christine Helgerson, *Claudine de Lyon*, « Castor Poche », © Éd. Flammarion.

733 Copiez les phrases que vous compléterez avec les conjonctions suivantes. (leçon 94)

ou – tandis que – car – bien que – et – depuis que – alors que – mais – parce qu'

… la caissière enregistre les achats, Mme Julien prépare sa carte bancaire pour payer. – … le chauffage fonctionne normalement, la température de cette salle est bien basse. – … il n'avait que huit ans, Olivier traçait déjà des personnages de bandes dessinées sur ses cahiers. – M. Flamand devra payer un excédent de bagages … ses deux valises pèsent plus de trente kilos. – La récolte de maïs est compromise, … il n'a pas assez plu. – Ce poulet est rôti à point ; voulez-vous une cuisse … un morceau de blanc ? – L'ordinateur … l'imprimante sont reliés par un câble spécial. – J'étais sûr d'avoir la bonne clé, … la serrure restait obstinément bloquée. – … la vitesse est limitée sur ce secteur, il y a moins d'accidents.

734 Copiez les phrases en supprimant les répétitions ; vous emploierez des pronoms personnels compléments. (leçon 95)

Catherine a acheté une plante verte pour sa mère ; Catherine offre une plante verte à sa mère pour son anniversaire. – Le dernier relayeur attend le bâton ; son coéquipier doit transmettre le bâton au dernier relayeur. – Les jeunes sont impatients de monter dans les canoës ; le plagiste loue trois canoës aux jeunes. – Le but paraissait valable aux yeux des joueurs parisiens ; les joueurs parisiens protestent, car l'arbitre a refusé le but aux joueurs parisiens. – Pascal a préparé un exposé sur la construction des pyramides d'Égypte ; Pascal présente son exposé à ses camarades. Ses camarades adressent tous leurs compliments à Pascal.

735 Copiez les phrases et n'encadrez que les compléments d'objet directs.
(leçon 96)

Chaque matin, M. Philippe écoute les informations pour se tenir au courant de l'actualité. – Le jardinier sème des graines de haricots ; il les arrosera dans quelques jours. – Martin prend son pain dans une boulangerie traditionnelle ; il trouve qu'il est meilleur. – Quand elles sont sous la douche, beaucoup de personnes éprouvent le besoin de chantonner. – Le passage des poids lourds soulève des nuages de poussière. – Après le repas, la nourrice couche le bébé dans son couffin. – Aujourd'hui, on n'utilise plus de moulins à café. – Le scénario du film exige que les cascadeurs gravissent la tour Eiffel à mains nues. – Combien de parties Hervé a-t-il gagnées ?

736 Copiez les phrases que vous complèterez avec des propositions COD.
(leçon 96)

La gravure des timbres-poste exige … . – L'architecte avoue … . – Les agriculteurs craignent … . – Jérémie accepte … . – La présence de distributeurs de billets évitera … . – Les employés municipaux déplorent … . – Le surveillant de la salle d'études refuse … . – Florence voulait … . – Avant de descendre, les voyageurs attendent … . – Les écologistes regrettent … . – Afin d'obtenir une impression parfaite des documents, Gladys préfèrerait … . – Le Président de la République a déclaré … . – Les visiteurs de l'exposition trouvent … .

737 Copiez les phrases que vous complèterez avec des COI ou des COS de votre choix. (leçon 97)

Je garderai ce secret et je ne dirai rien … ; vous pouvez me faire confiance. – Le directeur de la course donne le signal du départ … . – Armés de pelles et de pioches, les terrassiers s'attaquent … . – La famille Guichard a organisé une petite fête, mais les voisins se plaignent … . – À bord des caravelles qui partaient à la découverte de terres inconnues, la vie ne manquait pas … . – Les enfants jettent des morceaux de pain … . – Le succès de l'opération de sauvetage des marins naufragés dépend … . – Le responsable du chenil se soucie … . – Tu réfléchis … . – M. Friaud collectionne les vieilles cartes ; il … trouve quelquefois dans les brocantes.

738 Copiez les phrases ; vous encadrerez les compléments circonstanciels et vous préciserez leur nature entre parenthèses. (leçon 98)

Les élèves qui étudient l'allemand partiront à Berlin la semaine prochaine. – Quand le temps le permet, les séances d'EPS se déroulent sur le terrain de sport. – Devant les chasseurs médusés, le sanglier déboucha du fourré. – La terre a tremblé pendant vingt secondes ; en France, cela ne se produit pas souvent. – Au rayon des surgelés, on a le choix entre plusieurs variétés de crèmes glacées. – Après un vol de plusieurs jours, Neil Armstrong a posé le pied sur le sol lunaire. – Avant de s'engager sur l'autoroute, il faut retirer un ticket au péage. – Comme chaque année, les grosses têtes du carnaval défilent dans les rues de Nice. – Les automobilistes dépourvus de carte d'invalidité ne doivent pas stationner sur les emplacements destinés aux handicapés.

739 Copiez ce texte ; vous encadrerez les compléments circonstanciels et vous préciserez leur nature entre parenthèses. (leçon 99)

La reine fit porter Tristan au palais et le soigna pendant plusieurs semaines avec pour seule aide sa fille, presque encore une enfant. Mais elle était déjà d'une grande beauté et elle avait les cheveux d'un blond si rare, si semblables à des fils d'or fin qu'on l'appelait Iseult la Blonde.
Grâce aux soins de la reine et à ses potions d'herbes, peu à peu Tristan se rétablissait. Iseult passait de longues heures à son chevet. Il lui apprenait à jouer de la harpe ; elle, de son côté, chantait souvent pour lui.
Lorsqu'il se vit guéri, il craignit d'être reconnu et, une nuit, embarqua en secret sur une nef marchande dont il avait appris qu'elle partait en Cornouaille.

Jacqueline Mirande, *Contes et légendes du Moyen Âge*,
« La Légende de Tristan et Iseult ». © Éd. Nathan.

740 Transformez les propositions coordonnées en propositions juxtaposées. (leçon 100)

Le panneau électronique devait indiquer l'heure de départ des trains et le numéro du quai, or il est momentanément en panne. – Les deux karatékas sont prêts, aussi l'arbitre peut-il siffler le début du combat. – Le magasin de jouets a été pris d'assaut, cependant il reste quelques peluches pour les jeunes enfants. – L'accès de cette rue est interdit aux véhicules, donc elle est réservée aux seuls piétons. – Le Brésil est un vaste pays, toutefois la forêt amazonienne en occupe une grande partie. – Flavia a de la chance, car ses parents lui ont offert un poney pour son anniversaire. – Les routes sont verglacées et le chasse-neige ne les a pas encore dégagées.

741 Copiez les phrases en remplaçant les mots en bleu par des propositions subordonnées relatives. (leçon 101)

Le boucher n'utilise que des couteaux parfaitement aiguisés. – Hugo range ses documents dans un classeur aux feuilles perforées. – Le parcours suivi par le Marathon des sables traverse des contrées désertiques. – Le dernier film tourné par Jean-Pierre Jeunet représentera la France au Festival de Cannes. – Le voleur n'a pas pu s'enfuir par cette porte verrouillée de l'intérieur. – Les yeux des oiseaux chassant la nuit sont extrêmement développés. – Il n'y a que deux noms féminins terminés par « -eau » : la peau et l'eau.

742 Copiez les phrases, soulignez les pronoms relatifs et indiquez leur fonction entre parenthèses. (leçon 101)

Les canalisations dans lesquelles les ouvriers ont placé les câbles électriques devront être parfaitement isolées. – Pour préparer des frites, il faut d'abord éplucher et couper les pommes de terre ; après quoi elles sont jetées dans l'huile bouillante. – Les clichés radiographiques que fournit le nouveau scanner de l'hôpital faciliteront le traitement de nombreuses maladies. – L'étagère sur laquelle vous avez placé des statuettes n'est pas très bien fixée ; renforcez-la. – Les codes secrets dont les espions font usage ne sont déchiffrables que par ceux qui ont les grilles correspondantes. – M. Viard a trouvé un éditeur pour le livre qu'il a écrit et dans lequel il raconte ses souvenirs de capitaine au long cours.

Pour écarter les guêpes, il paraît ... . – ..., le champion d'échecs russe perdra cette partie. – Le juge d'instruction ordonne ... . – En prenant cette direction, tu savais parfaitement ... . – M. Terrier essaiera de revisser l'ampoule électrique ... . – ..., on éprouve une sensation de bien-être. – Le professeur nous répète ... . – ..., Louis Pasteur a permis à un jeune garçon mordu par un chien enragé de guérir. – Le technicien vérifie ... . – ..., Laureen rit aux éclats.

 Copiez les phrases en remplaçant les groupes de mots en bleu par des propositions subordonnées conjonctives. (leçon 102)

Ex. : *Dès le coup de sifflet de l'arbitre*, la partie débutera.
Lorsque l'arbitre sifflera, la partie débutera.

En raison des risques d'incendie, il est formellement interdit d'allumer un barbecue dans ce camping. – Malik Bikale, malgré ses soixante ans, continue de participer à des épreuves de course à pied. – Avec l'autorisation de ses parents, Julien accompagne ses camarades partis effectuer une randonnée dans les Cévennes. – Profitant d'une maladresse du gardien de but adverse, les Grenoblois ont marqué le seul but de la partie. – Avec la pose d'un thermostat, les locataires feront d'importantes économies de chauffage.

 Copiez les phrases que vous compléterez avec des adverbes formés à partir des adjectifs entre parenthèses. (leçon 103)

L'orage gronde ; le plagiste rentre (hâtif) son matériel. – La cuisinière a eu la main lourde, il y a (effectif) trop de piment dans sa ratatouille. – On ne peut (décent) pas reprocher à Ulysse d'avoir tardé à rentrer à Ithaque. – Les enfants de moins de six ans entrent (gratuit) dans la plupart des musées, mais (sûr) pas dans les parcs d'attractions ! – Cette maison bâtie (illégal) près du littoral devra être démolie. – Pourquoi le crabe se déplace-t-il (latéral) ? – Les peintures de la grotte de Lascaux ont été (miraculeux) préservées jusqu'à aujourd'hui. – Il y a (apparent) un défaut dans la coupe de ce vêtement. – Roland, le neveu de Charlemagne, a résisté (vaillant) aux assauts des Sarrasins avant de mourir, victime de la trahison de Ganelon.

 Copiez les phrases en remplaçant les mots en bleu par des adverbes de manière. (leçon 103)

Ce magazine scientifique paraît tous les mois. – M. Remetter conserve avec soin les documents que lui a laissés son grand-père et qui relatent, dans le détail, l'histoire familiale. – Les chênes de la forêt de Sylan meurent dans le plus grand mystère ; un champignon en est peut-être la cause. – Le département du Lot-et-Garonne produit des kiwis en abondance. – Le professeur a donné avec clarté la solution du problème. – Dans la Cité interdite de Pékin, les empereurs chinois vivaient dans le luxe. – Bien avant les soldes, les rayons des vêtements de sport étaient en totalité vides. – Le Premier ministre français s'avance avec dignité au-devant de l'ambassadeur du Japon. – Samuel s'adonne par épisodes aux joies du karting. – L'histoire est si invraisemblable que Guillaume sait avec pertinence que nous ne pouvons pas le croire.

Copiez les phrases en supprimant les répétitions en bleu à l'aide de pronoms. (leçon 104)

Cette horloge avance de trois minutes et cette horloge retarde de cinq ! Qui va les mettre à l'heure ? – Le canapé du salon est confortable, pourtant les invités préfèrent généralement le canapé qui se trouve sous la véranda, ils se sentent plus à l'aise. – La charmille a perdu ses feuilles, mais les lauriers ont gardé leurs feuilles. – Les propos de Maxime sont bien confus, mais tes propos ne sont pas plus clairs. – Cette rédaction n'est guère originale, alors que votre rédaction est le fruit d'une imagination débordante. – Cette carte au 1/100 000ᵉ n'est pas assez détaillée ; le responsable du refuge nous conseille de prendre cette carte dont l'échelle est au 1/25 000ᵉ. – Léonard doit passer son permis de conduire ; pour passer son permis de conduire, il révise son code à l'aide d'un logiciel. – La sœur de Philippe travaille dans un salon de coiffure ; la sœur de Jordan dans une clinique.

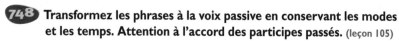

Des coupures publicitaires interrompent malheureusement le film. – Un énorme engin a nivelé le terrain pour préparer la construction d'une autoroute. – Il faut que le filtre à sable clarifie l'eau de la piscine. – Les astronomes aperçoivent le passage d'une comète. – Jamais Pat Cassidy ne trahirait Jimmy Nelson, son ami de toujours. – Tous les habitants de Riquewihr fleuriront les balcons dès le printemps venu. – Le satellite n'émet plus aucun signal ; il n'est pas impossible qu'une météorite ait détruit les batteries. – Le shérif avait rétabli la loi dans Rodéo City, une petite bourgade du Nevada. – Les explications du guide satisfont les touristes qui visitent la cité de Carcassonne. – La Compagnie des eaux envoie périodiquement les relevés de consommation à ses abonnés.

749 **Mettez les phrases à la forme négative en utilisant des locutions de votre choix.** (leçon 106)

Il faut accélérer dans les virages. – On trait encore les vaches manuellement. – Depuis son opération du genou, M. Barrel boite. – Un arbitre impartial avantage une équipe. – Tout le monde peut rester en apnée plus de vingt minutes. – Remonte la fermeture éclair de ton anorak. – Les coups déforment la coque en plastique de la petite barque. – Pour payer ses achats, Mme Stern a un chéquier ou une carte bancaire. – Dans les descentes, on pédale. – L'espion dévoile à tous sa réelle identité. – L'antenne est trop petite et je capte toutes les stations de radio.

Annexes.......................

Mots invariables qui doivent être parfaitement connus

afin de	contre	jamais	presque
ailleurs	d'abord	jusque	puis
ainsi	dans	là-bas	puisque
alors	davantage	la plupart	quand
après	debout	loin	quelquefois
assez	dedans	longtemps	quoi
à travers	dehors	lorsque	rien
au-dessous	déjà	maintenant	sans
au-dessus	demain	mais	sauf
aujourd'hui	depuis	malgré	selon
auparavant	derrière	mieux	sinon
auprès	dès que	moins	sitôt
aussi	désormais	néanmoins	soudain
aussitôt	dessous	par	souvent
autant	dessus	parce que	sur
autour	devant	parfois	surtout
autrefois	donc	parmi	tandis que
avant	durant	partout	tard
avec	encore	pas	tôt
beaucoup	enfin	pendant	toujours
bientôt	ensuite	peu	toutefois
car	entre	peut-être	très
ceci	envers	plus	trop
cela	guère	plusieurs	vers
cependant	hier	plutôt	vite
certes	hélas	pour	voici
chez	hors	pourquoi	voilà
combien	ici	pourtant	volontiers
comme	jadis	près	

Classes grammaticales

Classes	Sous-classes	Exemples
noms Ils varient en nombre et peuvent être précédés d'un déterminant.	**noms communs** Ils désignent, **en général**, des êtres, des objets, des actions, des états, des qualités, des relations…	– **masculins** : un *cheval*, le *couteau*… – **féminins** : une *réaction*, une *lueur*…
	Ils peuvent être composés.	un *hors-bord*, un *porte-clés*, des *sous-titres*…
	noms propres Ils désignent, **en particulier**, des êtres, des lieux, des monuments, des fêtes … Ils prennent toujours une majuscule.	*Victor Hugo*, *l'Espagne*, *Lille*, le *Rhône*, *Pâques*, le *Panthéon*…
déterminants Ils précèdent le nom et peuvent en indiquer le genre et/ou le nombre. Ils s'accordent avec le nom (sauf pour les adjectifs numéraux cardinaux).	**articles**	– **définis** : *le, la, les, au, aux* – **indéfinis** : *un, une, des* – **partitifs** : *du, de l', de la*
	adjectifs possessifs Ils indiquent l'appartenance.	– **singuliers** : *mon, ma, ton, ta, son, sa, notre, votre, leur* – **pluriels** : *mes, tes, ses, nos, vos, leurs*
	adjectifs démonstratifs Ils marquent ce qu'on désigne.	*ce, cet, cette, ces*
	adjectifs indéfinis	*nul, plusieurs, chaque, quelques, différent, divers, tout*…
	adjectifs numéraux cardinaux Ils indiquent le nombre.	*deux* pas, *dix* heures, *trente* litres, *mille* euros…
	adjectifs numéraux ordinaux Ils indiquent le rang.	la *troisième* note le *vingtième* étage
	adjectifs interrogatifs Ils indiquent un questionnement.	*quel, quelle, quels, quelles*
	adjectifs exclamatifs Ils traduisent l'étonnement.	*quel brouillard !* *quelle audace !*
pronoms Ils remplacent un nom ou un groupe nominal.	**pronoms personnels sujets** Ils sont utilisés pour les conjugaisons.	*je, tu, il, elle, on, nous, vous, ils, elles*
	pronoms personnels compléments Ils désignent souvent des personnes ou des objets (3ᵉ personne).	*me, te, lui, nous, se, moi, vous, soi, eux, en, y*
	pronoms possessifs Ils remplacent un nom précédé d'un déterminant possessif.	*le mien, la mienne, les miens, le sien, le nôtre, les leurs*…
	pronoms démonstratifs Ils remplacent un nom précédé d'un déterminant démonstratif.	*ce, c', celui, celle, ceux, celles, cela, celui-ci* …
	pronoms relatifs Ils remplacent un nom, leur antécédent.	*qui, que, quoi, dont, où lequel, auquel, duquel* …
	pronoms interrogatifs	*qui, que, quoi, lequel* …
	pronoms indéfinis Ils désignent des êtres ou des choses sans précision.	*chacun, personne, certain, rien, tout, tous, quelqu'un* …

Classes	Sous-classes	Exemples
adjectifs qualificatifs Ils s'accordent avec les noms qu'ils caractérisent.	Ils peuvent être placés avant ou après le nom ; ils sont parfois séparés du nom.	une voix *forte* Le fruit est *mûr*.
	participes passés	un sommeil *agité*
	participes présents	une chienne *obéissante*
verbes Ils se conjuguent.	**auxiliaires**	*avoir être*
	1er groupe infinitif en -er	*poser, éviter…(sauf aller)*
	2e groupe infinitif en -ir (-issant)	*surgir (surgissant)…*
	3e groupe tous les autres verbes	*croire, courir, apprendre…*
adverbes Ils modifient, ils précisent, ils apportent une nuance, à un verbe, à un adjectif, à un autre adverbe. S'ils sont composés de plusieurs mots, ce sont des **locutions adverbiales**	**adverbes de manière** Beaucoup sont formés sur un adjectif féminin.	*mieux, mal, plutôt, debout…* *adroitement, cruellement…*
	adverbes interrogatifs Ils introduisent une proposition interrogative directe ou indirecte.	*combien ? comment ? où ? pourquoi ? quand ? …*
	autres adverbes — **lieu**	*ailleurs, par ici, dehors, là, derrière, dessus, loin…*
	temps	*tard, déjà, soudain, enfin, bientôt, après, ensuite …*
	quantité	*aussi, encore, très, autant, moins, guère, assez…*
	affirmation	*bien sûr, oui, sans doute, vraiment, volontiers…*
	négation	*non, ne pas, ne guère, ne jamais, aucun, nullement…*
	doute	*peut-être, environ…*
prépositions Si elles sont composées de plusieurs mots, ce sont des **locutions prépositives**	Elles introduisent un complément avec lequel elles forment un groupe.	*contre, sur, avec, dans, chez, pendant, sauf, à, parmi, de, depuis, par, entre, malgré…* *à cause de, auprès de, en dehors de, par- delà, jusqu'à, le long de…*
conjonctions	**de coordination** Elles relient deux mots ou deux propositions de même nature et de même fonction.	*mais, ou, et, donc, or, ni, car*
	de subordination Elles introduisent une proposition subordonnée conjonctive.	*que, quand, lorsque, si, parce que, quoique, tandis que, après que, afin que, bien que…*
interjections Elles n'ont pas de fonction grammaticale précise.	**onomatopées et autres interjections** Elles manifestent un bruit, un cri, des sentiments, des avertissements, des surprises.	*Plouf ! Chut ! Ouf ! Crac ! Hélas ! Pan ! Aïe ! Ah ! Silence ! Attention ! Bravo ! Eh bien !* *En avant ! Par exemple !*

Fonctions grammaticales

Les fonctions dans le groupe nominal

Fonctions	Nature des mots exerçant les fonctions	Exemples
épithète Elle apporte une information sur le nom. Elle peut être placée avant ou après le nom. Il peut y avoir plusieurs épithètes pour un même nom.	**adjectif qualificatif** **participe passé** **participe présent**	un animal *docile* un *petit* animal un animal *blessé* un *charmant* animal *obéissant*
complément du nom Il apporte une information sur le nom. Il est souvent introduit par une préposition.	**nom ou groupe nominal** **pronom** **adverbe** **verbe à l'infinitif** **subordonnée relative**	le cours *de mathématiques* le classeur *de quelqu'un* un métier *d'autrefois* une chambre *à coucher* un monument *qui vient d'être ouvert au public*
apposition Elle apporte une information sur le nom, mais elle ne fait pas partie du groupe nominal.	**adjectif qualificatif** **nom ou groupe nominal** **verbe à l'infinitif** **subordonnée relative**	*Économique,* cette voiture respecte l'environnement. *Rome, capitale de l'Italie,* met son passé en valeur. *Gagner,* c'est l'objectif de l'équipe de Lorient. Le film, *dont tu m'as parlé,* a été tourné en Espagne.
complément de l'adjectif Il apporte une précision sur l'adjectif. Il est toujours placé après l'adjectif.	**nom ou groupe nominal** **pronom** **verbe à l'infinitif** **subordonnée conjonctive**	un récit cousu *de fil blanc* un chanteur connu *de tous* un homme heureux *de vivre* Lisa est ravie *que nous lui rendions visite.*

Les fonctions dans la phrase

Fonctions	Nature des mots exerçant les fonctions	Exemples
sujet du verbe Il commande l'accord du verbe. Il peut être placé après le verbe (sujet inversé). Un verbe peut avoir plusieurs sujets. Un sujet peut se rapporter à plusieurs verbes.	**nom ou groupe nominal** **pronom** **verbe ou groupe verbal à l'infinitif** **proposition subordonnée relative** **ou conjonctive**	*Le quartier de la Défense* se détache sur le ciel clair. *Tu* participes au tournoi. *Quelques-uns* s'entraînent. *Souffler* n'est pas jouer. *Qui veut voyager loin* ménage sa monture. *Qu'il neige* ne m'étonnerait pas.

complément d'objet direct Il indique ce sur quoi (ou sur qui) porte l'action exprimée par le verbe. Il est relié directement (sans préposition) au verbe. Il n'est pas déplaçable et, généralement, ne peut être supprimé.	**nom ou groupe nominal** **pronom** **verbe à l'infinitif** **proposition subordonnée conjonctive**	*Je corrige* mon exercice. *On reconnaît* la tour Eiffel. *Audrey remercie* chacun. *On* la *félicite.* *Tu as entendu* frapper. *Crois-tu* que l'avion décollera ?
complément d'objet indirect Il indique ce sur quoi (ou sur qui) porte l'action exprimée par le verbe. Il est relié au verbe par une préposition. Il n'est pas déplaçable et, généralement, ne peut être supprimé.	**nom ou groupe nominal** **pronom** **verbe à l'infinitif** **proposition subordonnée conjonctive**	*Le journaliste s'adresse* à la vedette de ce film. *Thierry se souvient* de tout. *Nadine s'apprête* à partir. *On tient* à ce qu'il se décide.
complément d'objet second Si un verbe a deux compléments d'objet, c'est celui le moins important pour le sens. Il est introduit par une préposition.	**nom ou groupe nominal** **pronom**	*Le patron accorde une augmentation* au personnel. *Je* lui *signale une petite erreur.*
compléments circonstanciels Il en existe de différentes sortes : – lieu – temps – manière – cause – conséquence – moyen – but – condition …	**nom ou groupe nominal** **groupe pronominal** **adverbe** **verbe à l'infinitif** **gérondif** **proposition conjonctive**	*Nous déjeunons* au self. *Tu reviendras* dans un instant. *Le routier conduit* prudemment. *Je m'arrête* pour respirer. *Tu te laves* en chantonnant. *Je me réveille de bonne heure* parce qu'il y a trop de bruit.
attribut du sujet Il donne un renseignement sur le sujet par l'intermédiaire d'un verbe.	**nom ou groupe nominal** **pronom** **adjectif qualificatif** **verbe à l'infinitif** **proposition conjonctive**	*Ce journal est* un quotidien. *Ce sac de sport est* le mien. *Cette montagne est* enneigée. *Le plus grand plaisir de Gérard est* de s'amuser. *La réalité est* que le temps nous est compté.
complément d'agent À la voix passive, il indique qui fait l'action exprimée par le verbe.	**nom ou groupe nominal** **pronom**	*Le soldat est décoré* par le colonel. *Ce raccourci n'est connu que* de quelques-uns.
attribut du complément d'objet direct Il donne un renseignement sur le complément d'objet par l'intermédiaire d'un verbe.	**nom ou groupe nominal** **adjectif qualificatif**	*Le médecin considère l'opération* comme la meilleure solution. *Le médecin considère l'opération* indispensable.
complément de l'adverbe Il apporte une précision à l'adverbe.	**nom ou groupe nominal** **adverbe** **pronom**	*Vous boirez encore* un verre d'eau. *Il se lève* très *tôt.* *Je suis parti avant* toi.

Modèles de conjugaison

			INDICATIF		
verbes	**présent**	**imparfait**	**passé simple**	**futur simple**	**passé composé**
auxiliaires					
être	je suis ns sommes ils sont	j'étais ns étions ils étaient	je fus ns fûmes ils furent	je serai ns serons ils seront	j'ai été vs avez été ils ont été
avoir	j'ai ns avons ils ont	j'avais ns avions ils avaient	j'eus ns eûmes ils eurent	j'aurai ns aurons ils auront	j'ai eu ns avons eu ils ont eu
1er groupe					
marcher	tu marches ns marchons	tu marchais ns marchions	tu marchas ns marchâmes	tu marcheras ns marcherons	tu as marché ns avons marché
essuyer	j'essuie ns essuyons	j'essuyais ns essuyions	j'essuyai ns essuyâmes	j'essuierai ns essuierons	j'ai essuyé ns avons essuyé
appeler	tu appelles ns appelons ils appellent	tu appelais ns appelions ils appelaient	tu appelas ns appelâmes ils appelèrent	tu appelleras ns appellerons ils appelleront	tu as appelé ns avons appelé ils ont appelé
acheter	il achète vs achetez ils achètent	il achetait vs achetiez ils achetaient	il acheta vs achetâtes ils achetèrent	il achètera vs achèterez ils achèteront	il a acheté vs avez acheté ils ont acheté
semer	tu sèmes ns semons	tu semais ns semions	tu semas ns semâmes	tu sèmeras ns sèmerons	tu as semé ns avons semé
céder	il cède vs cédez	il cédait vs cédiez	il céda vs cédâtes	il cèdera vs cèderez	il a cédé vs avez cédé
envoyer	j'envoie ns envoyons ils envoient	j'envoyais ns envoyions ils envoyaient	j'envoyai ns envoyâmes ils envoyèrent	j'enverrai ns enverrons ils enverront	j'ai envoyé ns avons envoyé ils ont envoyé
2e groupe					
finir	je finis ns finissons	je finissais ns finissions	je finis ns finîmes	je finirai ns finirons	j'ai fini ns avons fini
3e groupe					
aller	je vais ns allons ils vont	j'allais ns allions ils allaient	j'allai ns allâmes ils allèrent	j'irai ns irons ils iront	je suis allé(e) ns sommes allé(e) ils sont allés
partir	tu pars vs partez	tu partais vs partiez	tu partis vs partîtes	tu partiras vs partirez	je suis parti(e) vs êtes parti(e)s
dire	tu dis vs dites ils disent	tu disais vs disiez ils disaient	tu dis vs dîtes ils dirent	tu diras vs direz ils diront	tu as dit vs avez dit ils ont dit
faire	tu fais ns faisons ils font	tu faisais ns faisions ils faisaient	tu fis ns fîmes ils firent	tu feras ns ferons ils feront	tu as fait ns avons fait ils ont fait

| CONDITIONNEL | | SUBJONCTIF | IMPÉRATIF | PARTICIPE |
présent	passé	présent	présent	présent
je serais il serait ns serions	j'aurais été il aurait été ns aurions été	je sois il soit ns soyons	sois soyons soyez	étant
j'aurais ns aurions ils auraient	j'aurais eu ns aurions eu ils auraient eu	j'aie ns ayons ils aient	aie ayons ayez	ayant
tu marcherais vs marcheriez	tu aurais marché ns aurions marché	tu marches ns marchions	marche marchez	marchant
j'essuierais ns essuierions	j'aurais essuyé ns aurions essuyé	tu essuies ns essuyions	essuie essuyons	essuyant
tu appellerais ns appellerions ils appelleraient	tu aurais appelé ns aurions appelé ils auraient appelé	tu appelles ns appelions ils appellent	appelle appelons appelez	appelant
il achèterait vs achèteriez ils achèteraient	il aurait acheté vs auriez acheté ils auraient acheté	il achète vs achetiez ils achètent	achète achetons achetez	achetant
tu sèmerais ns sèmerions	tu aurais semé ns aurions semé	tu sèmes ns semions	sème semons	semant
il cèderait vs cèderiez	il aurait cédé vs auriez cédé	il cède vs cédiez	cède cédez	cédant
j'enverrais ns enverrions ils enverraient	j'aurais envoyé ns aurions envoyé ils auraient envoyé	j'envoie ns envoyions ils envoient	envoie envoyons envoyez	envoyant
je finirais ns finirions	j'aurais fini ns aurions fini	je finisse ns finissions	finis finissons	finissant
j'irais ns irions ils iraient	je serais allé(e) ns serions allé(e)s ils seraient allés	j'aille ns allions ils aillent	va allons allez	allant
tu partirais vs partiriez	je serais parti(e) vs seriez parti(e)s	je parte vs partiez	pars partez	partant
tu dirais vs diriez ils diraient	tu aurais dit vs auriez dit ils auraient dit	tu dises vs disiez ils disent	dis disons dites	disant
tu ferais ns ferions ils feraient	tu aurais fait ns aurions fait ils auraient fait	tu fasses ns fassions ils fassent	fais faisons faites	faisant

	INDICATIF				
verbes	**présent**	**imparfait**	**passé simple**	**futur simple**	**passé composé**
courir	je cours ns courons	je courais ns courions	je courus ns courûmes	je courrai ns courrons	j'ai couru ns avons couru
venir	tu viens vs venez ils viennent	tu venais vs veniez ils venaient	tu vins vs vîntes ils vinrent	tu viendras vs viendrez ils viendront	tu es venu(e) vs êtes venu(e)s ils sont venus
devoir	tu dois ns devons	tu devais ns devions	tu dus ns dûmes	tu devras ns devrons	tu as dû ns avons dû
savoir	il sait ils savent	il savait ils savaient	il sut ils surent	il saura ils sauront	il a su ils ont su
vouloir	je veux ns voulons	je voulais ns voulions	je voulus ns voulûmes	je voudrai ns voudrons	j'ai voulu ns avons voulu
voir	il voit vs voyez ils voient	il voyait vs voyiez ils voyaient	il vit vs vîtes ils virent	il verra vs verrez ils verront	j'ai vu vs avez vu ils ont vu
peindre	je peins ns peignons	je peignais ns peignions	je peignis ns peignîmes	je peindrai ns peindrons	j'ai peint ns avons peint
lire	tu lis vs lisez	tu lisais vs lisiez	tu lus vs lûtes	tu liras vs lirez	tu as lu vs avez lu
croire	il croit ns croyons ils croient	il croyait ns croyions ils croyaient	il crut ns crûmes ils crurent	il croira ns croirons ils croiront	il a cru ns avons cru ils ont cru
conduire	je conduis ils conduisent	je conduisais ils conduisaient	je conduisis ils conduisirent	je conduirai ils conduiront	j'ai conduit ils ont conduit
connaître	tu connais il connaît ils connaissent	tu connaissais il connaissait ils connaissaient	tu connus il connut ils connurent	tu connaîtras il connaîtra ils connaîtront	tu as connu il a connu ils ont connu
apercevoir	il aperçoit ns apercevons	il apercevait ns apercevions	il aperçut ns aperçûmes	il apercevra ns apercevrons	il a aperçu ns avons aperçu
prendre	il prend ils prennent	il prenait ils prenaient	il prit ils prirent	il prendra ils prendront	il a pris ils ont pris
cueillir	je cueille	je cueillais	je cueillis	je cueillerai	j'ai cueilli
ouvrir	tu ouvres	tu ouvrais	tu ouvris	tu ouvriras	tu as ouvert
mourir	il meurt vs mourez	il mourait vs mouriez	il mourut vs mourûtes	il mourra vs mourrez	il est mort vs êtes mort(e)s
asseoir	j'assois ns assoyons	j'assoyais ns assoyions	j'assis ns assîmes	j'assoirai ns assoirons	j'ai assis ns avons assis
asseoir	j'assieds vs asseyez	j'asseyais ns asseyions	j'assis ns assîmes	j'assiérai ns assiérons	j'ai assis ns avons assis
valoir	il vaut ils valent	il valait ils valaient	il valut ils valurent	il vaudra ils vaudront	il a valu ils ont valu
falloir	il faut	il fallait	il fallut	il faudra	il a fallu

CONDITIONNEL		SUBJONCTIF	IMPÉRATIF	PARTICIPE
présent	passé	présent	présent	présent
je courrais ns courrions	j'aurais couru ns aurions couru	je coure ns courions	cours courons	courant
tu viendrais vs viendriez ils viendraient	tu serais venu(e) vs seriez venu(e)s ils seraient venus	tu viennes vs veniez ils viennent	viens venons venez	venant
tu devrais ns devrions	tu aurais dû ns aurions dû	tu doives ns devions	dois devons	devant
il saurait ils sauraient	il aurait su ils auraient su	il sache ils sachent	sais sachons	sachant
je voudrais ns voudrions	j'aurais voulu ns aurions voulu	je veuille ns voulions	veux/veuille voulons/veuillons	voulant
il verrait vs verriez ils verraient	j'aurais vu vs auriez vu ils auraient vu	je voie vs voyiez ils voient	vois voyons voyez	voyant
je peindrais ns peindrions	j'aurais peint ns aurions peint	je peigne ns peignions	peins peignons	peignant
tu lirais vs liriez	tu aurais lu ns aurions lu	tu lises ns lisions	lis lisons	lisant
il croirait ns croirions ils croiraient	il aurait cru ns aurions cru ils auraient cru	je croie ns croyions ils croient	crois croyons croyez	croyant
je conduirais ils conduiraient	j'aurais conduit ils auraient conduit	je conduise ils conduisent	conduis conduisez	conduisant
tu connaîtrais il connaîtrait ils connaîtraient	tu aurais connu il aurait connu ils auraient connu	tu connaisses il connaisse ils connaissent	connais connaissons connaissez	connaissant
il apercevrait ns apercevrions	il aurait aperçu ns aurions aperçu	il aperçoive ns apercevions	aperçois apercevons	apercevant
il prendrait ils prendraient	il aurait pris ils auraient pris	il prenne ils prennent	prends prenez	prenant
je cueillerais	j'aurais cueilli	je cueille	cueille	cueillant
tu ouvrirais	tu aurais ouvert	tu ouvres	ouvre	ouvrant
il mourrait ns mourrions	il serait mort ns serions mort(e)s	il meure nous mourions	meurs mourons	mourant
j'assoirais ns assoirions	j'aurais assis ns aurions assis	j'assoie ns assoyions	assois assoyons	assoyant
j'assiérais ns assiérions	j'aurais assis ns aurions assis	j'asseye ns asseyions	assieds asseyons	asseyant
il vaudrait ils vaudraient	il aurait valu ils auraient valu	il vaille ils vaillent	vaux valez	valant
il faudrait	il aurait fallu	il faille	*inusité*	*inusité*

Index

Achevé d'imprimer en Espagne par Cayfosa
Dépôt légal: 08/2010 - Collection 14 - Édition n° 03 - 12/5512/4